Au nom du Temple

DU MÊME AUTEUR

Shamir. Une biographie
Olivier Orban, 1991

Paix ou guerres.
Les secrets des négociations israélo-arabes. 1917-1995
Stock, 1997 ; Fayard, 2004

Le Rêve brisé. Histoire de l'échec
du processus de paix au Proche-Orient, 1995-2002
Fayard, 2002

Les Années perdues.
Intifada et guerres au Proche-Orient, 2001-2006
Fayard, 2006

Par le feu et par le sang.
Le combat clandestin pour l'indépendance d'Israël,
1936-1948
Albin Michel, 2008

Le Grand Aveuglement.
Israël et l'irrésistible ascension de l'Islam radical
Albin Michel, 2009

Un enfant est mort. Netzarim, 30 septembre 2000
Éditions Don Quichotte, 2010

Charles Enderlin

Au nom du Temple

Israël et l'irrésistible ascension
du messianisme juif
(1967-2013)

Éditions du Seuil
25, bd Romain-Rolland, Paris XIVe

www.seuil.com

À ma famille

Introduction

> « *Chaque fois qu'on introduit le messianisme en politique, les choses se gâtent. Cela ne peut mener qu'à la catastrophe.* »
>
> Gershom Scholem,
> 14 août 1980[1]

Londres, juillet 1937. La commission d'enquête dirigée par sir Robert Peel publie son rapport sur la situation en Palestine à la suite de la révolte arabe. Elle propose la création de deux États. Les Juifs recevraient la plaine côtière à l'exception de Jaffa, de Gaza et de la Galilée. Les Arabes, le reste de la Palestine. Jérusalem et Bethléem formeraient une enclave sous mandat britannique.

Pour la première fois depuis sa création, à la fin du XIXe siècle, le mouvement sioniste doit maintenant clairement définir son objectif final. Quelle sera la nature de l'État qu'il entend édifier ? S'agit-il de transformer le Juif diasporique en un citoyen responsable dans le cadre d'une communauté unie autour de principes, d'idéaux et d'une tradition issue de l'histoire biblique – la question de l'étendue de son territoire et de ses frontières étant alors secondaire ? Serait-ce plutôt l'aboutissement de l'aspiration

1. Interview donnée à *The New York Review of Books,* 14 août 1980, in *Gershom Scholem,* « Cahiers de l'Herne », Paris, Éditions de l'Herne, 2009, p. 94.

millénaire du peuple juif à retrouver ses racines, à libérer la Terre d'Israël et renouer avec l'aventure biblique ? L'État, dans ce cas, ne serait qu'un moyen pour y parvenir, pas un but en soi.

À Zurich, un mois plus tard, le XXe Congrès sioniste s'ouvre dans une atmosphère tendue. David Ben Gourion, qui dirige l'Agence juive, est favorable au partage de la Palestine sans pour autant renoncer à l'idée du droit historique des Juifs sur la Terre d'Israël, fondement du mouvement sioniste. Mais, à ses yeux, il convient d'être réaliste. Seuls l'immigration, le développement économique, la force militaire et d'éventuelles négociations avec les pays arabes détermineront, pense-t-il, les frontières du futur État. Il l'explique en ces termes, dans une lettre adressée à son fils Amos :

« La création d'un État, même limité, servira de levier puissant pour nos efforts en vue de délivrer la terre dans son ensemble. Nous amènerons dans cet État le plus possible de Juifs. Plus de deux millions, pensons-nous. Nous créerons une économie diversifiée, fondée sur l'agriculture, l'industrie, la mer. Nous mettrons sur pied une force de défense, une armée exemplaire, je n'ai pas le moindre doute là-dessus. Ensuite, j'en suis certain, cela ne nous empêchera pas de nous installer sur les autres parties du pays, que ce soit dans le cadre d'un accord et d'une entente avec nos voisins arabes ou d'une autre manière[1]. […] »…

L'opposition à cette stratégie est quasi générale. Plusieurs dirigeants travaillistes, parmi lesquels Golda Meyerson (Meir), futur Premier ministre d'Israël, et Yitzhak Tabenkin, qui prône l'instauration du socialisme sur l'ensemble de la Terre d'Israël, sont convaincus que Robert Peel veut imposer au mouvement sioniste qu'il accepte la formation d'un État croupion et ils rappellent la promesse faite en 1917 par lord Balfour : *« Le gouvernement de Sa Majesté envisage favorablement l'établissement en Palestine d'un Foyer national pour le peuple juif, et il emploiera tous ses efforts pour faciliter la réalisation de cet objectif, étant clairement entendu que rien ne sera fait qui porte*

---

1. Michael Bar Zohar, *Ben Gurion. A Political Biography*, Tel-Aviv, Am Oved, 1975, p. 357-358 (traduction française, *Ben Gourion*, Paris, Fayard, 1986).

atteinte aux droits civils et religieux des communautés non juives de Palestine ainsi qu'aux droits et aux statuts politiques dont les Juifs jouissent dans les autres pays. »

Les sionistes religieux protestent eux aussi avec vigueur, brandissent la Torah, et les grands rabbins de Palestine proclament : « *Le peuple d'Israël n'a pas renoncé, au cours de milliers d'années d'exil, à son droit sur la terre de ses ancêtres et ne renoncera pas à un seul pouce du pays d'Israël*[1]. » Impensable de renoncer aux lieux de l'histoire biblique, à Jérusalem où se trouve le mont du Temple, au caveau des Patriarches à Hébron, etc. David Ben Gourion, le président de l'Agence juive, n'est pas religieux. Socialiste, il n'observe ni la cacherout, ni le Shabbat, et considère la Bible, dont il est féru, comme un livre d'histoire. Il veut édifier le nouvel État conformément aux principes définis par Theodor Herzl dans *Der Judenstaat* (L'État des Juifs), publié en 1896. Or, dans ce livre, le fondateur du sionisme politique définissait ainsi la place des rabbins et des militaires dans son projet : « *Aurons-nous une théocratie ? Non ! Si la foi maintient notre unité, la science nous libère. C'est pourquoi nous ne permettrons pas aux velléités théocratiques de nos chefs religieux d'émerger. Nous saurons les cantonner dans leurs temples, de même que nous cantonnerons l'armée de métier dans les casernes. L'armée et le clergé ont droit aux honneurs que leur confèrent leurs nobles fonctions et leurs mérites. Ils n'ont pas à s'immiscer dans les affaires de l'État [...] car cette ingérence provoquerait des difficultés extérieures et intérieures*[2]. »

La première synthèse entre l'orthodoxie religieuse et le sionisme avait été réalisée par un rabbin allemand, Zvi Hirsch Kalischer, décédé en 1874. Ce dernier considérait que la rédemption divine du peuple Juif pouvait advenir naturellement, et proposait, déjà, la réinstallation en Palestine de communautés agricoles juives religieuses, définissant ainsi le sionisme comme un mouvement messianique et non pas politique. Au début du XXe siècle, le rabbin Avraham Yitzhak

1. Cité par Marius Schattner, *Histoire de la droite israélienne*, Bruxelles, Complexe, 1991, p. 165.
2. Theodor Herzl, *L'État des Juifs*, 1896, suivi de « Essai sur le sionisme de Claude Klein », Paris, La Découverte, 1989, p. 103.

Ha Cohen Kook a développé cette théologie, expliquant que les sionistes socialistes, en venant travailler la terre en Palestine, ne participaient pas à l'auto-émancipation du peuple juif comme ils le croyaient, mais obéissaient, sans le savoir, à la réalisation d'un commandement divin. Donc, logiquement, ils finiraient par accepter la « Halakha », la loi religieuse. Devenu premier grand rabbin ashkénaze de Palestine, il a créé une école talmudique à Jérusalem, la yeshiva Merkaz Ha Rav, où son enseignement s'est développé. Après son décès en 1935, son fils, Zvi Yehouda Ha Cohen Kook en a pris les rênes et a poursuivi son œuvre en y intégrant son analyse des événements contemporains.

À Zurich, les sionistes religieux, très minoritaires, n'ont pas eu gain de cause. Ben Gourion et Haïm Weizmann, le président de l'Organisation sioniste mondiale, ont fait adopter une résolution de compromis, rejetant les modalités de partage proposées par lord Peel mais autorisant l'exécutif à poursuivre les discussions sur ses termes exacts. Quoi qu'il en soit, les Arabes y avaient déjà opposé une fin de non-recevoir et le gouvernement britannique classera ce rapport sans y donner suite.

À droite, Wladimir Zeev Jabotinsky a rompu, deux ans plus tôt, avec l'Organisation sioniste mondiale, dont il critique la politique, pour créer l'Alliance des sionistes révisionnistes. Il fait activement campagne contre toute forme de partage. Il veut que l'État soit édifié sur les deux rives du Jourdain. Or, la Grande-Bretagne, qui avait déjà amputé la Terre d'Israël de la Transjordanie pour y créer le royaume hachémite, ne veut lui laisser que cinq mille kilomètres carrés sur les cinquante mille kilomètres carrés promis aux Juifs par lord Balfour. Et cela, donc, pour donner un nouveau territoire aux Arabes – aux Arabes qui, Jabotinsky en est persuadé, n'accepteront jamais l'État juif. « [...] *À l'exception de ceux qui sont aveugles de naissance, tous les autres sionistes modérés ont réalisé depuis longtemps qu'il n'y a pas le moindre espoir pour obtenir, un jour, l'accord des Arabes de la Terre d'Israël pour que la "Palestine" devienne un État à majorité juive [...] la colonisation ne peut se poursuivre et se développer que sous la protection d'une force indépendante de la population locale – [créer] un mur d'acier que cette population ne pourra pas pénétrer. C'est notre politique envers les Arabes [...]*[1]. »

La question du partage sera à nouveau posée, dans des conditions différentes, en novembre 1947, après la Seconde Guerre mondiale, le génocide de millions de Juifs dans la Shoah, et la lutte armée menée contre les autorités mandataires par les différentes composantes du mouvement sioniste en Palestine[2]. L'Assemblée générale des Nations unies vote alors le partage de la Palestine en deux États. Le futur État d'Israël doit recevoir une partie de la Galilée, avec le lac de Tibériade, la plaine côtière, la quasi-totalité du Néguev. L'État arabe doit alors recevoir le reste, soit la Cisjordanie et une bande de territoire allant d'Ishdoud[3] à Gaza jusqu'à la frontière égyptienne. Jérusalem, Bethléem et les lieux saints seront placés sous contrôle international. Les États arabes rejettent cette solution et annoncent qu'ils s'y opposeront par la force. Ce sera la guerre.

Ben Gourion fait adopter sans difficulté une motion acceptant le partage, d'autant que la communauté juive de Palestine a accueilli dans la joie le vote des Nations unies entérinant la création de deux États. En outre, les instances sionistes sont majoritairement séculières.

La principale opposition au partage vient de l'Irgoun, l'organisation armée issue du mouvement révisionniste et qui combat les forces d'occupation britannique. Depuis la clandestinité, son chef, Menahem Begin, publie un manifeste invoquant le Dieu d'Israël : *« Au nom de la promesse divine donnée aux pères de la nation ; aux noms des saints de la nation, de génération en génération [...] de la volonté de liberté de notre peuple dispersé et asservi ; de l'inaliénable droit historique du peuple juif sur sa terre, l'Irgoun déclare la résolution de partage nulle et non avenue. L'amputation de la*

---

1. http://www.danielpipes.org/3510/the-iron-wall-we-and-the-arabs
2. Sur cette période, voir mon ouvrage, *Par le feu, par le sang. Le combat clandestin pour l'indépendance d'Israël – 1936-1948*, Paris, Albin Michel, 2008. (En poche, « Pluriel »).
3. Où Israël construira le port d'Ashdod.

patrie est illégale […][1]. » En définissant le droit historique à partir de la Torah et l'intégrité de la patrie comme une valeur absolue, Begin s'éloigne de la philosophie politique de son mentor, Zeev Jabotinsky. Le fondateur du révisionnisme considérait en effet l'histoire biblique comme un mythe, et la religion comme l'élément qui avait permis d'isoler et de maintenir la cohésion du peuple juif au fil des siècles[2], la notion de « terre sainte » n'étant pour lui qu'une métaphore[3]. Son successeur, à la tête de la droite nationaliste, rejoint le sionisme religieux par le biais d'une véritable théologie politique qui a tous les éléments d'un culte laïc[4].

Le 13 mai 1948, vingt-quatre heures avant la fin du mandat britannique sur la Palestine, les responsables sionistes mettent encore la dernière main au texte de la déclaration d'indépendance. En début de matinée, David Ben Gourion a dû régler un ultime problème. Aharon Tzizling, du Mapaï, l'ancêtre du parti travailliste, et bien que fils de rabbin, refuse l'invocation de Dieu dans la phrase : *« … confiants en l'Éternel tout-puissant, nous signons cette déclaration…, etc. »* Le rabbin Yehouda Leib Fishman-Maimon, du parti Mizrahi, l'ancêtre du parti national religieux, et qui fut un proche d'Avraham Yitzhak Ha Cohen Kook, n'est bien entendu pas d'accord. Ben Gourion impose donc un compromis. Les mots hébreux « Tsour Israël » figureront en lieu et place de « L'Éternel »[5]. Tsour a un double sens. Pour les séculiers, il signifie simplement « rocher » ; mais pour les religieux il a pour signification : « Dieu d'Israël ».

Le lendemain, à Tel-Aviv, sous le portrait de Theodor Herzl, David Ben Gourion proclame l'indépendance :

« Eretz Israël est le lieu où naquit le peuple juif. C'est là que se forma son caractère spirituel, religieux et national. C'est là qu'il

---

1. Cité par Aryeh Naor, *Greater Israel Theology and Policy*, Publications de l'Université de Haïfa, 2001, p. 93.
2. http://betar.free.fr/tagar/textesjabo.php?ID=11
3. Aryeh Naor, *Greater Israel Theology and Policy, op. cit.*, p. 96-97.
4. Aryeh Naor, *Greater Israel Theology and Policy, op. cit.*, p. 25.
5. Michael Bar Zohar, *Ben Gurion. A Political Biography, op. cit.*, p. 744.

réalisa son indépendance, créa une culture d'une portée à la fois nationale et universelle et fit don de la Bible au monde entier. Contraint à l'exil, le peuple juif demeura fidèle au pays d'Israël à travers toutes les dispersions, priant sans cesse pour y revenir, toujours dans l'espoir d'y restaurer sa liberté nationale. [...]

Nous, membres du conseil national représentant le peuple juif d'Israël et le mouvement sioniste mondial, réunis aujourd'hui, jour de l'expiration du mandat britannique, en assemblée solennelle et en vertu des droits naturels et historiques du peuple juif, ainsi que de la résolution de l'Assemblée générale des Nations unies, proclamons la fondation de l'État juif dans le pays d'Israël, qui portera le nom d'État d'Israël. [...]

L'État d'Israël sera ouvert à l'immigration des Juifs de tous les pays où ils sont dispersés ; il développera le pays au bénéfice de tous ses habitants ; il sera fondé sur les principes de liberté, de justice et de paix enseignés par les prophètes d'Israël ; il assurera une complète égalité de droits sociaux et politiques à tous ses citoyens, sans distinction de croyance, de race ou de sexe ; il garantira la pleine liberté de conscience, de culte, d'éducation et de culture ; il assurera la sauvegarde et l'inviolabilité des Lieux saints et des sanctuaires de toutes les religions et respectera les principes de la charte des Nations unies. [...]

[...] Confiants dans le rocher d'Israël, nous signons cette déclaration sur le sol de la patrie dans la ville de Tel-Aviv[1]. »

À l'issue de la cérémonie, le rabbin Fishman dit la prière « Béni soit Dieu, roi de l'univers, qui nous a donné la vie et nous a permis de vivre et d'arriver en ce temps ». Ben Gourion écoute, tête nue, sans réagir. Une partie de l'assistance dit « Amen ». Puis, tous entonnent *La Hatikva*, l'hymne national.

Tel-Aviv est bombardée le soir même. Les armées égyptienne, jordanienne, syrienne, irakienne et des irréguliers arabes palestiniens sont passés à l'offensive. Ils affrontent une

1. En 2012, le site du ministère des Affaires étrangères à Jérusalem traduit « le rocher d'Israël » par « l'Éternel tout-puissant... », http://www.mfa.gov.il/MFAFR/MFAArchive/1900_1949/La%20Declaration%20d-Independance%20d-Israel

jeune armée israélienne mieux dirigée, bien entraînée, et qui, au fil des mois, recevra, avec la bénédiction de l'Union soviétique, un armement moderne. La guerre prendra fin avec la signature de plusieurs accords d'armistice – avec l'Égypte en février 1949, puis avec le Liban, la Jordanie et la Syrie. Ce conflit aura fait plus de 6 000 morts israéliens, parmi lesquels 2 000 civils ; côté arabe, selon les sources, de 6 000 à 20 000 morts. Expulsés, ou ayant fui les combats, plus de 700 000 Palestiniens se sont réfugiés dans les pays arabes avoisinants et en Cisjordanie, dont l'annexion par le royaume hachémite empêche la création de l'État arabe de Palestine. L'armée israélienne a conquis l'ensemble du désert du Néguev et la Galilée, mais a perdu le quartier juif de la vieille ville de Jérusalem occupé par les Jordaniens qui en ont expulsé les habitants juifs et dynamité les synagogues.

La question fondamentale de la nature de l'État juif se posera pour la troisième fois à l'issue de la guerre de Six Jours en 1967, après la conquête israélienne de la Cisjordanie, de Jérusalem-Est, et, surtout, du troisième lieu saint de l'islam, l'esplanade des saintes mosquées – qui est aussi le mont du Temple, le seul lieu saint du judaïsme. Sonne alors le grand réveil du sionisme religieux, le début de la montée en puissance du fondamentalisme messianique qui, associé à la droite nationaliste, finira par transformer les données du conflit au Proche-Orient.

C'est cette histoire que j'ai voulu raconter. Celle de ce mouvement, créé en 1967 par une poignée de rabbins et d'activistes religieux, qui est devenu l'une des principales forces politiques du pays. Combattant des gouvernements de gauche – et parfois de droite –, infiltrant l'administration et l'armée, ces révolutionnaires nationalistes religieux ont réussi à créer une situation quasiment irréversible en Cisjordanie où sont installés, en 2012, 350 000 colons israéliens. Aujourd'hui, les tenants du messianisme considèrent qu'ils ont remporté la victoire et se tournent vers leur prochain objectif : arracher le droit pour les Juifs de prier sur le mont du Temple.

Pour réaliser ce travail, j'ai mobilisé mes souvenirs autant que mes archives personnelles. De nombreuses personnalités religieuses ont accepté de me rencontrer et de m'accorder des interviews, certaines filmées. Toutes m'ont dit qu'elles n'appréciaient pas le mot « colon » – *« On ne colonise pas une terre qui vous appartient ! »* Pourtant, aux yeux de la communauté internationale, Israël colonise bel et bien la Cisjordanie et Jérusalem-Est. Émilie Amroussi, ancienne porte-parole du conseil des implantations de Judée-Samarie, journaliste au quotidien *Israël Hayom*, m'a lancé, en m'accueillant dans la colonie où elle habite : *« Ne nous montre pas comme des monstres ! »*. Non, ces hommes et ces femmes ne sont pas des monstres, mais il faut bien constater que leurs discours sont souvent en complète contradiction avec les valeurs de la démocratie libérale.

Yehouda Glick, membre du Likoud et de l'Institut du Temple, m'a dit : *« Alors, tu t'intéresses à nous les "meshougaym" [fous, en hébreu] heu… les "mitnahalim" [colons, en hébreu] ? Dis bien que nous ne sommes pas des marginaux ! »* Effectivement, ils forment désormais un courant dominant au sein de la société israélienne.

Et je dois à la vérité de dire qu'ils m'ont tous reçu, sans ménager leur temps, en dépit de la méfiance qu'ils ne pouvaient qu'éprouver envers moi, un journaliste séculier tellement éloigné de leur vision messianique.

Cet ouvrage a été rendu possible grâce au soutien et à la patience d'Olivier Bétourné, mon fidèle éditeur. Karine Louesdon a effectué l'indispensable travail de relecture et d'édition. Danièle Kriegel Enderlin, mon épouse a suivi mon travail en m'apportant son indispensable regard critique.

CHAPITRE PREMIER

Les soldats du roi David

14 mai 1967. Gamal Abdel Nasser déploie son armée dans le Sinaï, exige le retrait des Casques bleus de la frontière et décrète le blocus du port d'Eilat. Israël mobilise son armée et, le 5 juin, à sept heures quarante-cinq du matin, lance une attaque surprise. L'armée de l'air détruit l'aviation égyptienne alors que les blindés passent à l'offensive dans le Sinaï. Hussein de Jordanie, qui a signé quelques jours plus tôt un traité de défense commune avec l'Égypte, donne l'ordre à son artillerie d'ouvrir le feu. Jérusalem-Ouest est bombardée. Douze Israéliens sont tués et cinq cents autres blessés. Mais, le souverain jordanien est entré en guerre sur la foi de fausses informations communiquées par Nasser. Il est persuadé que les avions israéliens ont subi de lourdes pertes et répond par une fin de non-recevoir au message du Premier ministre Lévi Eshkol qui lui propose d'en rester là et ne pas participer aux combats.

À Jérusalem, les forces jordaniennes se font de plus en plus menaçantes et l'état-major de Tsahal décide de rappeler du Sinaï la brigade parachutiste commandée par le colonel Motta Gour. Dès le lendemain, une unité d'infanterie appuyée par des blindés ouvre la voie vers l'enclave israélienne du Mont Scopus. Depuis cette colline, Moshé Dayan, le ministre de la Défense, et le général Ouzi Narkiss, le commandant de la région militaire centre, contemplent la vieille ville, ses remparts, l'esplanade des Mosquées :

Dayan : *« Quel paysage divin ! En ce jour, le 6 juin 1967, cela valait la peine ! »*

« On la prend ? » suggère Narkiss.

Dayan fait la grimace : *« Pourquoi aurions-nous besoin d'un tel Vatican*[1] *? »*

Deux membres du gouvernement d'union nationale, Yigal Allon, du parti travailliste, et Menahem Begin, du Herout, la droite nationaliste, sont allés dire au Premier ministre, Lévi Eshkol, que le *casus belli* jordanien était l'occasion pour Israël de prendre l'initiative à Jérusalem. Le cabinet donne le feu vert à l'armée[2].

Dayan hésite. Il ne veut surtout pas que des lieux saints soient endommagés ou détruits au cours des combats et, le 7 juin, ordonne aux militaires d'encercler la vieille ville puis d'attendre. Mais, apprenant que le roi Hussein a fait parvenir une demande de cessez-le-feu par l'intermédiaire des Américains, il change d'avis. Les paras de Motta Gour passent alors à l'action et pénètrent dans la vieille ville par la porte des Lions, à l'ouest. Quelques heures plus tard, les combats ont cessé. Gour, depuis son QG du Mont Scopus, annonce par radio : *« Le mont du Temple est à nous ! »*

La formule restera dans l'Histoire. Dix-neuf siècles après la destruction du sanctuaire juif par Titus, un État d'Israël souverain contrôle le Mont sur lequel se trouve le rocher de la fondation où, selon la Bible, se serait déroulé le sacrifice d'Isaac par Abraham, où Jacob aurait eu le songe. Salomon, puis Hérode, y ont bâti le Temple abritant le saint des saints. Mais, il s'agit aussi du troisième lieu saint de l'islam, le Haram al-Sharif, où, si l'on en croit le Coran, Mohamed serait monté au ciel à la rencontre des prophètes.

Un personnage hors du commun fait son apparition sur l'esplanade des Mosquées, tout essoufflé après avoir effectué en courant le trajet depuis le musée Rockefeller. C'est le

---

1. Assaf Inbari, « Welcome to the Stone Age », *Haaretz*, 6 octobre 2000. Également : Nadav Shragaï, *Ha Maavak al Har Habeit*, Tel-Aviv, Keter, 1995, p. 18.

2. Charles Enderlin, *Paix ou guerres*, Paris, Fayard, 2004, p 244-246.

général Shlomo Goren, l'aumônier-rabbin de Tsahal. Il est issu d'une famille religieuse polonaise installée en Palestine dans les années 1920. Remarqué comme un « prodige » de la Torah, Avraham Yitzhak Ha Cohen Kook, le grand rabbin d'Israël, avait fait entrer Shlomo Goren au rabbinat alors que celui-ci n'avait que 16 ans. Ses brillantes études religieuses ne l'ont pas empêché de se porter volontaire dans l'unité des policiers à l'époque du mandat britannique puis de militer au sein du groupe Stern, le mouvement clandestin antibritannique. Cela, sans pour autant cesser de fréquenter les cours très séculaires de l'Université hébraïque de Jérusalem – en mathématiques, grec ancien et philosophie. Après l'indépendance d'Israël, David Ben Gourion l'a nommé à la tête du rabbinat militaire[1]. Goren racontera plus tard sa fameuse arrivée sur l'esplanade des Mosquées :

« *Je n'ai pas dormi pendant trois nuits et le trajet du musée Rockefeller, je l'ai parcouru en courant avec mes dernières forces sous les tirs et les bombardements. Dès la porte des Lions, j'ai commencé à sonner le shofar [la corne de bélier] en priant à voix haute ainsi que la Halakha l'exige en temps de guerre. Arrivé au centre du mont du Temple, j'ai sonné à nouveau le shofar et lu la proclamation que j'avais préparée quelques jours plus tôt, déclarant tous les lieux saints en Israël ouverts à toutes les religions du monde.*

Je suis ensuite descendu devant le Mur occidental[2] *devant lequel se trouvaient de nombreux parachutistes… À midi vingt, j'ai dit la prière du Minkhah.*

J'ai envoyé une jeep chercher le rabbin Zvi Yehouda Kook. Ils sont arrivés au Mur occidental en passant par le mont du Temple[3]. »

La radio israélienne a installé un point de diffusion et, en direct, Goren sonne le shofar et s'adresse aux paras en citant le prophète Isaïe : « *Consolez ! Consolez mon peuple dit*

1. Nadav Shragaï, *Ha Maavak al Ha Habeit*, *op. cit.*, p. 30.
2. Le terme « Mur des Lamentations » date de l'époque du mandat britannique qui a débuté en 1917. Pour le judaïsme, c'est le Mur occidental du Temple Hérode.
http://www.jewishvirtuallibrary.org/jsource/History/wallname.html
3. Shlomo Goren, *Yediot Aharonot,* 7 juillet 1987.

votre Dieu[1] *! C'est le jour que nous espérions. Réjouissons-nous et soyons heureux. La vision de toutes les générations s'est réalisée devant nos yeux. La ville de Dieu, l'emplacement du Temple, le mont du Temple et le Mur occidental – symbole de la rédemption messianique du peuple – ont été délivrés de vos mains*[2]*. Héros de l'armée de défense d'Israël. Vous avez accompli aujourd'hui le serment des générations : "Si je t'oublie, Jérusalem, que ma droite m'oublie*[3] *!" Et nous ne t'avons pas oubliée, Jérusalem. Ville de nos saints, ville de notre grandeur. Votre droite, la droite de Dieu a réalisé cette rédemption historique. [...] L'esprit divin qui n'a jamais quitté le Mur occidental est un pilier de feu qui prend place maintenant au-devant des armées d'Israël et éclaire pour nous la voie vers la victoire, alors que des nuées d'honneur nous entourent face au monde. [...] À Sion et face aux restes de notre Temple, nous proclamons : Enfants, rentrez dans votre domaine*[4] *! Nous sommes à tes pieds, Jérusalem, la ville qui a été rattachée à la nouvelle Jérusalem juive [...]*[5]*.* »

Goren n'évoque pas la discussion qu'il a eue avec Ouzi Narkiss. Ce dernier en révélera le contenu, des années plus tard, à un journaliste du quotidien *Haaretz* :

Goren voulait tout simplement faire place nette : « *Ouzi ! C'est maintenant ! Fais mettre cent kilos d'explosifs dans la mosquée d'Omar et on en sera débarrassés une fois pour toutes !* »

Narkiss : « *Rabbin ! Suffit !* »

Goren : « *Ouzi ! Ton nom entrera dans l'histoire !* »

Narkiss : « *Mon nom est déjà inscrit dans l'histoire de Jérusalem !* »

Goren : « *Tu ne réalises pas quelle portée cela aurait ! C'est*

1. Isaïe 40,1. Goren ne cite pas la suite du verset : « *[...] et criez-lui que son temps d'épreuve est fini, que son crime est expié* ». Mais tous les auditeurs religieux ont fait le rapprochement avec ce passage de la Bible qui décrit la rédemption.

2. Comme on le verra plus loin, Goren parle du « Mur occidental » du saint des saints, censé se trouver à l'emplacement du Dôme du Rocher sur l'esplanade des Mosquées.

3. Psaumes 137,5.

4. Jérémie 31,16-18 : La citation complète est : « *Oui, il y a de l'espoir pour ton avenir, dit le Seigneur : tes enfants rentreront dans leur domaine.* »

5. Aryeh Naor, *Eretz Israel Ha Shlema*, Publications de l'Université de Haïfa, Zmora Bitan, 2001, p. 44-45.

l'occasion qu'il faut saisir maintenant, à cet instant ! Demain il sera trop tard ! »

Narkiss : « *Rabbin ! Si tu n'arrêtes pas, je te ferai mettre au cachot ! »*

Comprenant qu'il ne parviendra pas à ses fins, Shlomo Goren rejoint ses soldats qui, au même moment, installent une petite synagogue au cœur de ce lieu saint musulman[1].

De jeunes paras religieux, élèves de la yeshiva Merkaz Ha Rav à Jérusalem, participent à la bataille. Ils sont sous le coup d'une profonde émotion mystique. L'un d'entre eux, Hanan Porat, racontera : « *Au plus fort de la bataille, j'ai ressenti – et je l'ai dit aux copains – que nous étions en train d'écrire un nouveau chapitre de la Bible. Tous, sans distinction de grade, nous étions les soldats du roi David. Lorsque nous sommes arrivés sur le mont du Temple et devant le Mur, j'ai vu à mes côtés mes camarades parachutistes pleurer. [...] La guerre de Six Jours et la libération de Jérusalem, à laquelle j'ai eu l'honneur de participer, sont, sans aucun doute, à mes yeux, une étape importante, un événement important vers la rédemption d'Israël*[2]. »

Israël Steiglitz, convaincu que la Rédemption est imminente, a cru à l'arrivée du Messie lorsque des militaires lui ont raconté avoir vu deux vieillards : « *Je me suis dit que c'était certainement le Messie venu construire le Temple en compagnie du prophète Élie. Mais j'ai vu que tout le monde courait vers le Mur occidental, pas vers le mont du Temple. Pour une raison quelconque, les gens sont plus émus par le Mur que par le mont du Temple [...]. Je suis arrivé devant le Mur, et là, j'ai vu deux vieillards, mes professeurs de la yeshiva, le rabbin Zvi Yehouda Ha Cohen Kook et le rabbin David Hacohen. Nous nous sommes donné l'accolade, en larmes, avec le sentiment que le Messie était sur le point d'arriver – que cela ne prendrait qu'une heure ou deux [...]*[3]. »

L'esplanade des Mosquées est alors sous contrôle militaire

1. Nadav Shragai, *Haaretz*, 31 décembre 1997.
2. Témoignage de Hanan Porat dans « Terre Promise », documentaire TV, réalisé par Dan Setton, écrit par Charles Enderlin, France 2, 2008.
3. Motti Inbari, *Jewish Fundamentalism and the Temple Mount*, New York, Sunny Press, 2009, p. 34.

et le commandement donne l'ordre de placer des sentinelles à toutes les issues pour éviter tout incident. Steiglitz sera posté la nuit durant à l'entrée du Dôme du Rocher : *« Selon mes estimations et mes connaissances limitées à l'époque, j'ai pensé que c'était à peu près l'endroit du saint des saints. Là, j'ai réalisé la grandeur de la victoire. Ce n'était pas seulement un summum de conquêtes, mais un sommet dans la manifestation de l'amour divin pour le peuple d'Israël. Le Cantique des Cantiques avait sa place à cette heure – le Cantique de l'Assemblée d'Israël pour son Dieu et, en parallèle, le chant divin. Ce n'était pas de la poésie – c'était la réalité. À cet instant de miséricorde divine, la nature tout entière s'est livrée à nous, après des millénaires de souffrances tout était effacé. Effectivement, à présent : "Le Tout-Puissant vous a fait supérieurs à tous les peuples de la terre." Toutes les bénédictions de la Torah sont devenues réalité à cette heure. Où ? Au lieu même ! Au lieu même de la révélation divine. J'ai eu le privilège de participer à cela [...]*[1]. »

Ces heures passées sur le lieu le plus saint du judaïsme marqueront Steiglitz à jamais. Il changera son nom de Steiglitz en « Ariel », et consacrera sa vie à l'étude et à la reconstruction du Temple.

Un autre militaire a rejoint les paras sur l'esplanade. Gershon Salomon, un religieux, est lui aussi persuadé que l'histoire biblique est en marche. Les soldats l'applaudissent. Cet officier est une légende au sein de l'armée israélienne. Face à lui, renversé par un char, sérieusement blessé au cours d'une bataille en 1958 sur les contreforts du Golan, des soldats syriens venus pour l'achever ont pris subitement la fuite. Ils diront plus tard à des Casques bleus avoir vu des milliers d'anges autour du blessé israélien. Salomon racontera avoir entendu la voix de Dieu lui annonçant qu'il serait chargé d'une mission. Laquelle ? Il le comprend ce jour de juin 1967, sur le mont du Temple, lorsqu'un certain civil vient à sa rencontre. Il ne parle pas arabe et n'est pas vêtu comme un Palestinien. Se présentant comme un guide parlant anglais, il fait visiter l'esplanade à Salomon et aux autres militaires, désignant à leur intention le rocher de la

1. *Ibid.*, p. 35.

fondation en expliquant que là se trouve le saint des saints. Parvenu devant la porte dorée, l'homme déclare : *« Le Messie viendra par là. Même le Coran affirme que Dieu ramènera son peuple élu sur le mont du Temple. »* Et ce curieux guide de disparaître, laissant les Israéliens présents persuadés qu'ils ont eu affaire à un ange envoyé par Dieu, si l'on en croit du moins Salomon lui-même, qui a, ce jour-là, décidé de consacrer sa vie à la reconstruction du Temple[1].

LE MUR COMME ERSATZ DU TEMPLE

Archéologue amateur, Moshé Dayan admire en silence les mosquées. Auprès de lui, le procureur militaire, le colonel Meir Shemgar, attire son attention sur le drapeau israélien qui flotte sur le Dôme du Rocher. Il ordonne immédiatement de l'en enlever puis, s'apercevant qu'une compagnie de paras est en train de prendre ses quartiers sur l'esplanade, il lui ordonne d'aller s'installer ailleurs. La synagogue temporaire, mise en place par le rabbinat militaire de Goren, est ensuite évacuée. Quelques heures plus tard, le ministre de la Défense déclare à la radio israélienne : *« Nous ne sommes pas venus pour conquérir les Lieux saints des autres ou pour restreindre leurs droits religieux, mais pour assurer l'intégrité de la ville et y vivre avec d'autres dans la fraternité. »*

Le Haram/mont du Temple restera donc placé sous la responsabilité du Waqf, l'administration des biens musulmans. Une décision que Dayan a prise seul, sans consulter le gouvernement. Ouzi Narkiss est chargé d'en informer la présidence du conseil, qui l'entérine. Le grand rabbinat fait alors diffuser par la radio un « avertissement religieux » rappelant que la Halakha interdit aux Juifs de pénétrer dans l'enceinte du mont du Temple. Mais, tandis que la fête se déroule devant le mur où affluent personnalités civiles et militaires, après avoir fait sonner à nouveau le shofar, et

1. Cette histoire se trouve rapportée sur le site des « Fidèles du mont du Temple » : http://www.templemountfaithful.org/leader.htm

tout en portant un rouleau de la Torah, Shlomo Goren prend des initiatives. Il fait occuper par ses services le bâtiment Dir Abou Saoud, devant la porte des Maghrébins[1]. Les visiteurs, pour se rendre sur l'esplanade des Mosquées, y accèdent par un escalier situé dans une boutique adossée au Mur occidental.

Au cours des heures suivantes, l'armée occupe Bethléem. On sait qu'à l'entrée de la ville se trouve la tombe où, selon la tradition biblique, est enterrée Rachel, l'épouse de Jacob, décédée en donnant naissance à Benjamin. Les Palestiniens affirment qu'il s'agit d'une petite mosquée, ce que réfutent les sources juives. Le lendemain, Goren arrive à Hébron avec les unités de Tsahal. Aucun Juif n'habite plus la ville depuis 1947. Ils y étaient revenus épisodiquement après le pogrome de 1929 au cours duquel soixante-sept Juifs avaient été massacrés par des musulmans. Le rabbin se rend immédiatement au caveau des Patriarches, le second lieu saint du judaïsme, où, selon la Genèse, se trouvent la grotte et le lopin de terre acheté par Abraham il y a trois mille sept cents ans. Il s'agit d'un temple hérodien où, selon la tradition biblique, se trouveraient les tombes d'Abraham, Isaac, Jacob, Léa et Rebecca[2]. Les musulmans en ont fait la mosquée Ibrahimi. Pour eux, Abraham est le prophète qui a bâti la Kaaba à la Mecque en compagnie de son fils Ismaël. Les Juifs n'ont le droit d'approcher, pour prier, que jusqu'à la septième marche de l'escalier conduisant au sanctuaire.

La lourde porte d'entrée est fermée. Pour l'ouvrir, Goren fait manœuvrer un char. Il pénètre à l'intérieur et récite des prières. Des représentants de la municipalité font leur apparition et proposent de procéder sur place à la reddition de la ville. Le rabbin refuse : *« Dans un lieu saint on ne peut que capituler devant Dieu ! »* La cérémonie se déroulera dans les locaux de la mairie. De retour au caveau, Goren fait hisser le drapeau israélien, installe une arche contenant

1. Shlomo Gazit, *The Carrot and the Stick*, Washington DC, B'nai Books, 1995, p. 208.

2. Rachel, l'épouse de Jacob, serait, quant à elle, enterrée près de Bethléem.

des rouleaux de la Torah et proclame qu'il s'agit désormais d'un lieu de prière juif. Peu après, Moshé Dayan arrive à son tour et donne l'ordre de faire place nette : *« C'est une mosquée depuis mille trois cents ans, les Juifs doivent se contenter de la visiter et de prier devant les tombes ! »* Le drapeau est abaissé, mais Goren refuse d'obéir au ministre de la Défense. L'arche et les rouleaux de la Torah resteront sur place, au grand dam des responsables musulmans, qui protestent. Quelques semaines plus tard, ils devront accepter de réserver certaines heures de prière aux Juifs, dans le cadre d'un règlement imposé par Dayan[1].

Le 10 juin, le dernier jour de la guerre, les deux grands rabbins d'Israël examinent la question de l'accès au mont du Temple et proclament que la « Shehina » (l'immanence divine) est toujours présente à l'endroit où s'élevait le saint des saints du Temple dont l'emplacement précis est inconnu. Un Juif ne peut donc s'y rendre que s'il a été purifié selon les préceptes bibliques. Le grand rabbin séfarade Yitzhak Nissim déclare : *« Nous avons fait tout ce qui était en notre pouvoir. Ce qui reste à faire est dans les mains de Dieu. »*

Le grand rabbin ashkénaze Isser Yehouda Unterman précise à son tour : *« Le mont du Temple n'est pas encore libéré puisque des mosquées s'y trouvent. Lorsque le Messie viendra et enlèvera les mosquées, alors le Temple sera reconstruit. »* Quand ? *« Lorsque les nations ne se feront pas la guerre. La construction du Temple dépend de la paix mondiale*[2]*. »*

Le hasard du calendrier hébraïque veut que Shavouot ait lieu le 15 juin. Il s'agit de l'une des trois fêtes de pèlerinage. Ce jour-là, à l'époque du Temple, les Juifs se rendaient à Jérusalem pour faire des offrandes et commémorer le don de la Torah. Deux cent mille fidèles se rassemblent en prière devant le Mur occidental où une esplanade a été dégagée par la destruction, au bulldozer, de l'antique

1. Smuel Berkovits, *Milhamot Ha Mekomot Hakdoshim*, Or Yehouda, Hed Artzi, 2000, p. 289-290.
2. Yoel Cohen, « The Political Role of the Israeli Chief Rabbinate in the Temple Mount Question », *Jewish Political Studies Review*, vol. 11 : 1-2, Jerusalem Center for Political Affairs, printemps 1999.

« quartier maghrébin ». Les six cent cinquante habitants palestiniens en ont été expulsés. N'ayant pas entendu les appels à partir, une femme est morte, écrasée sous les débris. Selon des sources palestiniennes, l'opération aurait fait d'autres victimes. Israël reprend ainsi possession du quartier juif dont les habitants avaient été expulsés par les Jordaniens en 1948. Les Palestiniens qui l'occupaient ont été priés de partir.

Le 17 juin, Dayan, après avoir enlevé ses chaussures et s'être assis sur un tapis dans la mosquée Al-Aqsa, promet au mufti et aux imams que le Waqf, l'administration des biens musulmans, continuera de gérer ce lieu saint, libre de toute présence militaire, l'armée se tenant à l'extérieur de ses murs. Les Juifs, explique-t-il, seront autorisés à le visiter mais pas à y prier[1]. Une décision qu'il expliquera ainsi, au grand dam des sionistes religieux : « *Étant donné que pour les musulmans, le mont du Temple est une mosquée où ils prient, et que pour les Juifs, il ne s'agit que d'un site historique rappelant le passé, [...] le droit des musulmans à le contrôler doit être reconnu*[2]. »

Dix jours plus tard, la Knesset examine la nouvelle loi de protection des lieux saints. Zerah Warhaftig, membre du parti national religieux, le ministre en charge des Affaires religieuses, présente le texte : « [...] *La Terre d'Israël est une Terre sainte où se trouvent des lieux saints de toutes les religions monothéistes. Sur la terre de nos ancêtres se trouvent les lieux saints de la religion d'Israël. L'ensemble de la terre est sainte, mais il est des degrés dans la sainteté. Selon la Michna, dix degrés de sainteté ont été accordés à la Terre d'Israël, Jérusalem en a reçu huit avec, en son centre, le Mur occidental. Selon nos sages, ce Mur, la présence divine ne l'a jamais quitté [...].* » Le Mur est donc ainsi présenté comme un ersatz du mont du Temple ! En fait, et Shlomo Goren ne cessera de le répéter, le Mur occidental n'a jamais été considéré comme un lieu saint dans la tradition juive.

Au cours de cette même session, le Parlement israélien

1. Assaf Inbari, « Welcome to the Stone Age », art. cit.
2. http://www.cdn-friends-icej.ca/isreport/julaug04/return.html

vote l'annexion de Jérusalem-Est en élargissant les limites municipales de la ville, depuis le village d'Atarot au nord, jusqu'aux pentes orientales du Mont Scopus et à la tombe de Rachel au sud, à l'entrée de Bethléem. Les habitants palestiniens ne deviennent pas pour autant israéliens, mais reçoivent le statut de « résidents permanents de l'État d'Israël », comme s'ils étaient des étrangers ayant décidé de venir y vivre[1]. La communauté internationale condamne ces décisions unilatérales.

ÉTAT NORMAL OU ÉTAT MESSIANIQUE ?

Le 4 juillet, à Jérusalem, la yeshiva Merkaz Ha Rav fête la réunification de Jérusalem et la conquête de la Cisjordanie. Mille invités sont venus assister à la cérémonie. Le président de l'État, Zalman Shazar, plusieurs ministres, Shaï Agnon, le prix Nobel de littérature, sont là. Très ému, le rabbin Zvi Yehouda Ha Cohen Kook prononce le serment millénaire du peuple juif :

« *Si je t'oublie jamais, ô Jérusalem, que ma droite se dessèche ! Que ma langue s'attache à mon palais, si je ne me souviens toujours de toi, si je ne place Jérusalem au sommet de toutes mes joies !* » Il ajoute : « *Que la main qui signera des accords de concessions soit coupée.* » Puis, apostrophant les ministres : « *Que Dieu nous en préserve, ne vous contentez surtout pas de la réunification de Jérusalem ! La Terre d'Israël dans son ensemble est une ! Et il faut l'unifier. Le peuple attend de ses chefs qu'ils ne cessent d'œuvrer* [pour réaliser] *cette mission d'unification de la terre et de la nation. Je vous avertis qu'il existe dans la Torah une interdiction absolue de renoncer ne serait-ce qu'à un pouce de notre terre libérée. Nous ne sommes pas des conquérants d'un pays étranger. Nous retournons dans notre foyer, dans la patrie de nos ancêtres. Il n'y a pas ici de terre arabe, c'est un héritage divin. Plus le monde s'habituera à cette pensée, mieux ce sera, pour lui et pour nous.* [...] »

1. http://www.btselem.org/jerusalem/legal_status

Hanan Porat, en uniforme, déclare : « *Lorsque nous nous trouvions à côté du Mur occidental ou sur les collines de Goush Etzion, nous avons compris, nous les combattants, tous les combattants, toutes opinions confondues, que nous retournions [chez nous], que jamais nous ne nous séparerions de ces lieux [...]*[1]. »

Les disciples du rabbin Kook le regardent comme une sorte de prophète. Ils se souviennent que, le 13 mai, la veille de la journée de l'indépendance, il s'était ainsi lamenté : « *Où est notre Hébron ? Allons-nous l'oublier ? Et notre Sichem [Naplouse] et notre Jéricho, où ? – Allons-nous les oublier ?... Chaque morceau de cette terre appartient à la Terre de Dieu – Devons-nous renoncer, ne serait-ce qu'à un seul millimètre [de cette Terre]*[2] ? » Le lendemain, les blindés égyptiens pénétraient dans le Sinaï, déclenchant la série d'événements qui conduiraient à la guerre de Six Jours.

Toutes les conditions sont désormais réunies pour diffuser, au sein du sionisme religieux, la vision messianique de la yeshiva Merkaz Ha Rav. Ses élèves seront chargés d'une mission bien précise : repeupler la terre biblique et empêcher toute concession. C'est l'essence même de l'enseignement de Kook : la Torah, le peuple et la Terre forment un triangle décidé par Dieu. En 1947, le rabbin avait très mal accueilli le vote, par l'Assemblée générale des Nations unies, du partage de la Palestine en deux États, juif et arabe[3]. Une décision accueillie dans la joie par le mouvement travailliste dirigé par David Ben Gourion, pour qui cette décision ouvrait la voie à la création d'Israël[4].

Theodor Herzl, le fondateur du sionisme politique, avait conscience du double danger qui menaçait son projet de Foyer national juif en Palestine : le messianisme et le natio-

---

1. Menahem Barash, « Tekoutzats Ha Yad », *Yediot Aharonot*, 29 mars 1979.

2. Gershom Gorenberg, *The End of Days*, New York, The Free Press, 2000, p. 96.

3. Aryeh Naor, *Eretz Israel Ha Shlema*, *op. cit.*, p. 145-146.

4. Les organisations sionistes nationalistes, l'Irgoun dirigé par Menahem Begin et le Lehi dirigé par Nathan Yelin Mor, Israël Eldad et Yitzhak Shamir, avaient rejeté le plan de partage. Elles revendiquaient l'ensemble de la Palestine.

nalisme religieux. Dans son roman utopique, *Altneuland* (Pays ancien Pays nouveau), il imaginait ainsi la vie quotidienne dans l'État des Juifs. Ses personnages assistent à un certain opéra intitulé *Sabbataï Tsevi,* du nom du fameux pseudo-Messie juif du XVIIe siècle. Littwak, un libéral dans le roman, déclare : « *Ce n'est pas que le peuple croie en la parole de ces [faux messies]. Ils expriment la croyance du peuple et devancent une aspiration. Ou, plus exactement, ils sont le produit d'une aspiration. C'est cela. L'aspiration fait le Messie...*[1]. » Gayer, un rabbin extrémiste, affirme : « *Ceci est un État juif où seuls les Juifs ont droit à la citoyenneté. Les autres ne peuvent être que des résidents tolérés sans droits politiques.* » Les libéraux finissent par l'emporter au nom des principes universels des droits de l'homme et des sources du judaïsme : « *Même loi vous régira, tant l'étranger que l'indigène*[2]. » Dans le roman, les Arabes disposent du droit de vote et certains d'entre eux occupent des postes importants.

Herzl aspirait à l'instauration d'un État-nation juif et démocratique. Il s'agissait pour lui, en « normalisant » le peuple juif, d'apporter une solution à l'antisémitisme : « *L'antisémitisme avait pour origine la perception par les non-Juifs que les Juifs étaient anormaux [...] parce qu'ils vivaient d'une manière "anormale", coupés de leurs voisins, formant de curieuses minorités partout sans être majoritaires nulle part. Si les Juifs pouvaient disposer d'un État où ils seraient majoritaires, ils seraient normalisés*[3]. » Mais, pour le judaïsme religieux, la notion de « normalité » est anathème. Par définition, le peuple juif, élu par Dieu, ne saurait être « normal ». Et si, aux yeux des rabbins orthodoxes, la divinité seule peut décider de la création d'un nouvel État juif, les tenants de la théologie de Zvi Yehouda Ha Cohen Kook considèrent le sionisme comme un mouvement eschatologique. C'est ainsi que les sionistes socialistes, en venant en Palestine pour travailler la

1. Theodor Herzl, *Pays ancien Pays nouveau,* traduit par Paul Giniewski, Paris, Stock Plus, 1980, p. 124-125.
2. Nombres 9,14.
3. Ian S. Lustick, *Jewish Fundamentalism in Comparative Perspective,* New York University Press, 1993, p. 111.

terre, ne contribuaient pas à l'auto-émancipation du peuple juif mais obéissaient, sans le savoir, à la réalisation d'un commandement divin. Au fil des décennies, cette vision d'Israël va s'étendre au sein de la société israélienne.

Goren veut le Mont

Le 14 août, la veille du jeûne du neuf Av, Dayan reçoit le maire de la Jérusalem juive, à présent responsable aussi de la partie orientale de la ville. Teddy Kollek est mécontent. Les militaires pénètrent dans les mosquées avec leurs armes et sans enlever leurs chaussures, et puis il y a le problème de Shlomo Goren qui, depuis son bureau, dans le bâtiment Abou Saoud, n'en fait qu'à sa tête. Le rabbin général aumônier n'est pas dans les petits papiers du ministre, et Dayan donne des ordres pour remédier à la situation. Trop tard. Le 15 au soir, après le jeûne, Goren et une cinquantaine d'étudiants d'écoles talmudiques se rendent sur l'esplanade des Mosquées, portant un rouleau de la Torah et sonnant le shofar, pour y réciter des prières. Les responsables musulmans protestent vivement.

Trois jours plus tard, un samedi soir, Goren recommence. C'est le scandale. David Ben Gourion écrit alors au ministre des Affaires étrangères, Abba Eban, pour lui exprimer sa profonde inquiétude *« face aux étranges initiatives du Rabbin Goren qui visiblement s'imagine que le Dieu tout-puissant se cache dans la mosquée en allant prier dans un lieu saint musulman, donnant ainsi des arguments à nos détracteurs – nous profanons des lieux saints. À qui profite ce type d'agissements ? Le gouvernement est-il aveugle*[1] *? »*

La commission gouvernementale pour la protection des lieux saints avait déjà décidé d'agir. Son président, Zerah Warhaftig, est toutefois prié d'intervenir sans délai auprès de Goren pour qu'il cesse ses agissements sur le mont du Temple. Le général Yitzhak Rabin, le chef d'état-major, donne

1. Shlomo Gazit, *The Carrot and the Stick*, *op. cit.*, p. 210.

des ordres similaires au turbulent aumônier. Les autorités réaffirment le principe en vertu duquel tout Juif désireux d'aller prier sur le mont du Temple doit être dirigé vers le Mur occidental.

Les responsables musulmans, de leur côté, réagissent en fermant la porte des Maghrébins. Ils exigent le départ du quartier général de l'antenne du rabbinat militaire installée à Dir Abou Saoud. La situation se détériore. Le général Shlomo Gazit, qui vient d'être nommé coordinateur des activités dans les territoires occupés, demande alors à Dayan d'intervenir. Le rabbinat militaire reçoit l'ordre de quitter Dir Abou Saoud qui, en tout état de cause, doit être détruit pour faire place à une rampe d'accès. Une unité de police militaire occupe bientôt les lieux. Reste à régler le problème que pose la fermeture de la porte des Maghrébins par le Waqf. Le 31 août, la clé est confisquée par un commandant de l'armée israélienne qui, désormais, sera seule à contrôler cette entrée vers l'esplanade des Mosquées[1].

Mais Shlomo Goren ne s'avoue pas vaincu. Il adresse à la commission ministérielle de protection des lieux saints un long mémorandum dans lequel il se déclare bouleversé jusqu'au plus profond de son âme : « *Votre décision signifie que le seul endroit au monde où il est interdit à un Juif en tant que tel de prier, c'est le mont du Temple, la montagne de Dieu où Abraham voulait sacrifier son fils Yitzhak ; l'endroit vers lequel se tournent toutes les prières du peuple juif, où se trouve le saint des saints de la nation, sanctifié un millénaire avant Jérusalem… les prières devant le Mur occidental symbolisent la dispersion du peuple, la destruction du mont du Temple, alors que les prières sur le mont du Temple symbolisent le retour de la nation sur sa terre et le lieu de son temple. Le mur n'a aucune sainteté et ne saurait remplacer la montagne de Dieu : le verset "la présence divine ne quitte pas le mur occidental" s'adresse à la paroi occidentale du saint des saints, certainement pas au mur du mont du Temple. Les Juifs ont commencé à prier devant ce mur il y a seulement trois cents ans. […] que les choses soient claires : en dépit du pillage historique du saint des saints de la nation juive par les musulmans*

1. *Ibid.*, p. 209-211.

lorsqu'ils ont édifié sur place le Dôme du Rocher, nous n'avons aucune intention d'y porter atteinte, pas plus qu'au droit des fidèles [à prier] dans les mosquées du mont du Temple. Nous n'avons pas le droit, en vertu de la loi juive, de construire le troisième temple avant l'arrivée d'un prophète en Israël[1]. »

Vers l'annexion ?

Le 29 août, réunis à Khartoum, les dirigeants arabes, humiliés par la défaite, votent une résolution qui comprend « la non-reconnaissance d'Israël, la non-réconciliation avec Israël, la non-négociation avec Israël et le soutien aux droits du peuple palestinien sur sa terre ». Les dirigeants israéliens comprennent qu'il faudra du temps avant qu'une solution politique puisse intervenir. Ils se préparent donc à un long séjour sur le Golan, dans le Sinaï, à Gaza et en Cisjordanie. Le gouvernement Eshkol a examiné les possibilités d'implantation sur le Golan et dans la vallée du Jourdain. Des positions du « Nahal », les Jeunesses pionnières combattantes, vont y être installées, préfigurant les colonies à venir.

Les annexionnistes, laïcs et religieux, jusque-là marginaux, font soudain irruption sur l'avant-scène de la politique israélienne. Avant la victoire et l'occupation des nouveaux territoires, l'idée du grand Israël n'avait aucune consistance, ni pour les uns ni pour les autres. Mais voici que le 20 septembre, certains d'entre eux publient ensemble un manifeste intitulé : « Pour la Terre d'Israël entière ». On lit : « *La victoire de Tsahal a placé le peuple et l'État dans une nouvelle époque, à la croisée de son destin. La grande Terre d'Israël est à présent entre les mains du peuple juif. De même que nous n'avons pas le droit de renoncer à l'État d'Israël, nous avons le devoir de réaliser ce que nous en avons reçu : Eretz Israël. Nous devons nous engager fidèlement à veiller à l'intégrité de notre patrie, face au passé de la nation et à son avenir. Aucun gouvernement en Israël n'a le droit de renoncer à cette intégrité. Les frontières de notre pays,*

1. Nadav Shragaï, *Ha Maavak al Har Habeit, op. cit.*, p. 34-35.

aujourd'hui, constituent également une garantie de sécurité et de paix, ainsi que des sources sans précédent de puissance nationale, matérielle et spirituelle. L'immigration et le peuplement de la Terre sont les deux principes sur lesquels se fonde notre avenir [...][1]. » Parmi les signataires, on relève les noms de Shaï Agnon, le prix Nobel de littérature, des poètes Nathan Alterman et Ouri Zvi Greenberg, de Moshé Shamir l'écrivain – issu du parti de gauche, Mapam, il est passé à droite –, et de certains responsables du mouvement Kibboutz Ahdout Avoda qui, en 1947, s'étaient opposés au partage de la Palestine.

Le rabbin Zvi Yehouda Ha Cohen Kook n'a pas signé ce texte, qui définit les frontières de la Terre d'Israël en fonction des conquêtes récentes et pas en référence à la Torah, c'est-à-dire sans l'actuelle Jordanie, certaines terres libanaises et syriennes, etc. Il publie donc un appel dont le titre en hébreu, « Lo Tagourou », est tiré du verset 1,17 du Deutéronome : « *Ne craignez qui que ce soit car la justice est à Dieu.* » Le texte rappelle « *qu'il n'y a pas d'exception à l'interdiction par la Torah de remettre définitivement (Dieu nous en garde) des terres à des goïms. Toute personne en Israël, tous les grands de la Torah en Israël, tous les militaires ont l'obligation d'empêcher cela avec courage et audace. Les cieux nous aideront. [...]* » Kook stipule ensuite que nul ne saurait échapper à ce commandement, toute décision contraire étant réputée par avance nulle et non avenue pour l'éternité[2].

Ces deux documents recèlent autant de prises de position antidémocratiques. Leurs auteurs rejettent, en effet, le principe fondamental selon lequel les élus du peuple, à la Knesset et au gouvernement, sont habilités à définir, dans le cadre de négociations avec les pays voisins, les frontières de l'État. Les signataires du manifeste « Pour la Terre d'Israël entière » regardent la victoire comme une « révolution » rompant la continuité du temps historique. David Ben Gourion est totalement opposé à cette vision. Il considère que la révolution, la rupture, le tournant dans la continuité historique, ce fut la création de l'État d'Israël,

1. Charles Enderlin, *Paix ou guerres*, *op. cit.*, p. 273-274.
2. Aryeh Naor, *Eretz Israel Ha Shlema*, *op. cit.*, p. 157.

pas la guerre de Six Jours, simple épisode, et certainement pas événement fondateur d'une ère nouvelle[1].

Pour les sionistes religieux, il n'y a pas là matière à discussion. Le temps historique et l'ère messianique sont linéaires et ne font qu'un. L'avenir a été déterminé par la divinité et les humains ne peuvent rien y changer.

Menahem Begin, lui, fera adopter, au cours d'une séance solennelle du comité central du Hérout, son parti, une longue motion intitulée : « Déclaration des droits du peuple juif sur sa patrie, la liberté, la sécurité et la paix ». Sa vision n'est pas religieuse mais historique. « *Le peuple juif a un droit sur la Terre d'Israël, dans sa totalité historique, ce droit est éternel et ne saurait être remis en question. Notre peuple a bâti son royaume sur cette terre, a sanctifié sa religion, créé sa culture, reçu la vision de ses prophètes qui éclairent la voie de nombreux peuples, de l'antiquité à nos jours. Épris de liberté, les Hébreux ont affronté de nombreux ennemis puissants, combattu l'oppression, et se sont révoltés contre l'esclavagisme et n'ont jamais renoncé. [...] La puissance de l'empire [romain] les a vaincus il y a 1 898 ans et écrasé leur révolte il y a 1 835 ans. C'est ainsi que la Judée a été conquise, le Temple détruit, le cœur de la nation, Messada, a été détruit, Bétar est tombé. C'est alors que notre peuple a été déporté et dispersé parmi les nations. [...]* » La motion souligne qu'il n'est pas d'exemple dans l'histoire de l'humanité du maintien d'un tel lien entre un peuple et la terre de ses ancêtres, en dépit des distances et du temps passé.

Plus loin : « *Au nom de ce droit, la souveraineté de l'État des Juifs renaissant s'impose sur l'ensemble du territoire d'Eretz Israël, libéré du pouvoir étranger et illégal. Il faudrait que cette souveraineté soit imposée par la voie juridique.*

Les ennemis de l'État des Juifs, qui l'entourent de toutes parts, veulent détruire ceux qui sont revenus à Sion, les survivants de l'ordre de destruction allemand. Les dirigeants arabes l'ont proclamé en 1948, en 1956, et en mai et juin 1967, avant la guerre de salut. Considérant ces faits prouvés, et considérant les menaces répétées et les dangers réels, il ne saurait être question de séparer

1. *Ibid.*, p. 163-164.

le droit du peuple sur la terre de ses ancêtres et le droit à la liberté et à la sécurité pour ses fils. Ses droits sont indivisibles.

Le peuple d'Israël aspire à la paix avec les peuples arabes. La paix, après des guerres, signifie la conclusion de traités de paix qui ne peuvent, naturellement, être conclus qu'après des négociations directes entre les parties. [...] Il ne saurait être question d'ignorer, dans la perspective de la signature d'un tel traité, les conditions de sécurité liées, selon notre expérience nationale et le droit international, au contrôle que nous exerçons sur les régions qui ont servi de base d'agression à nos ennemis.

Une colonisation juive de grande ampleur en Judée-Samarie [Cisjordanie], à Gaza, sur le plateau du Golan et dans le Sinaï est l'urgence de l'heure si nous voulons assurer la sécurité de la nation.

Le peuple d'Israël croit dans le principe sacré de l'égalité des droits de tous les citoyens, sans distinction d'origine ni de religion. Un habitant arabe d'Eretz Israël qui voudrait obtenir la nationalité de l'État des Juifs devra lui prêter serment de fidélité. [...] La majorité juive en Eretz Israël, l'objectif fondamental du sionisme d'État, sera assurée surtout par le retour massif à Sion [l'immigration] qui devra être encouragé. [...][1] »

Pas question de reconnaître le droit politique des Palestiniens à une quelconque autodétermination. Begin considère ces Palestiniens comme issus d'une « ethnie » dont les individus peuvent, s'ils le désirent, devenir citoyens de l'État juif – à condition de lui prêter serment de fidélité.

La communauté internationale voit les choses autrement. En novembre, le Conseil de sécurité de l'ONU adopte une résolution qui sera au cœur de toutes les négociations futures au Proche-Orient. Portant le numéro 242, le texte stipule notamment : « *L'application des principes de la charte des Nations unies requiert l'établissement d'une paix juste et durable devant inclure les deux principes suivants :*

– le retrait des forces armées des territoires occupés lors du récent conflit ;

– la solution de toutes les revendications ou de tout état de belligérance, et la reconnaissance de la souveraineté, de l'intégrité

1. *Ibid.*, p. 158-159.

territoriale et de l'indépendance politique de chaque État dans la région et son droit de vivre en paix à l'intérieur de frontières sûres et reconnues, libre de toute menace [...][1]. »

Abba Eban, le ministre des Affaires étrangères, a veillé à ce que le texte anglais exige un *« retrait de territoires occupés »* et non *« des territoires occupés »* selon les versions française et russe auxquelles Israël ne se réfère pas. Des exercices de sémantique diplomatique dont les rabbins du sionisme religieux n'ont cure. Ils ont, depuis belle lurette, constaté la carence des trois recommandations des sages de l'antiquité :

1 : *Ne pas émigrer en masse en Terre d'Israël.* Cet interdit n'a plus lieu d'être, Dieu ayant autorisé le retour des Juifs sur leur terre.

2 : *Ne pas se rebeller contre les nations.* Les Nations unies ont autorisé la création d'un État juif en 1947.

3 : *[Se conformer à l'exigence de Dieu] lorsqu'il enjoint aux nations du monde de ne pas asservir le peuple d'Israël plus que nécessaire.* Les Nations n'ont pas tenu parole en permettant la Shoah et l'antisémitisme.

En vertu de cette même logique messianique, la Cisjordanie, Gaza, Jérusalem-Est et le plateau du Golan ne sont pas occupés mais « libérés », et les populations arabes qui s'y trouvent sont des intrus. Une théorie difficile à exposer à la communauté internationale. Un exercice auquel se livrera pourtant Harold Fisch, le recteur de l'Université religieuse Bar Ilan, près de Tel-Aviv, en publiant en anglais le credo de ce sionisme messianique, fondé d'abord sur des arguments théologiques : *« Le Juif est poussé à s'unir avec sa terre par une force aussi ancienne que l'Histoire. C'est la Terre sainte où le sanctuaire doit être construit. C'est là, et seulement là qu'Israël assure sa mission de "royaume de prêtres et de nation sainte" [...] L'alliance [entre le peuple juif et Dieu] repose sur une relation triple : Dieu, la terre et le peuple*[2]. *[...] »*

Quant aux Palestiniens : *« Il existait une réelle prise de conscience de la part des Arabes de Palestine que la terre appar-*

1. Charles Enderlin, *Paix ou guerres, op. cit.*, p. 275-276.
2. Harold Fisch, *The Zionist Revolution*, Londres, Weidenfeld and Nicolson, 1978, p. 20.

tenait aux Juifs et qu'un jour, ils viendraient la réclamer... [...] Dans la plupart des cas, les Arabes de Palestine ont conservé les noms hébraïques originaux des lieux où ils se sont installés : Gaza, Bethléem, Hébron, Tekoa, Samoa. [...] L'identité nationale palestinienne a été clairement inventée comme antithèse, voire comme une parodie, de la Nation juive. [...] Lorsque le sionisme a vu le jour, afin de répondre au besoin créatif du peuple juif, la nation arabe palestinienne a été créée afin de barrer la voie par tous les moyens à la renaissance d'Israël[1]. »

Le prétendu problème palestinien ne serait, dans cette acception, que le fruit d'un complot antijuif !

Objectif : Hébron

Quelques disciples de Merkaz Ha Rav entendent passer à l'action. À leur tête, Moshé Levinger, qui est le rabbin de Nehalim, une localité agricole orthodoxe proche de Tel-Aviv où vivent quelques familles originaires de Neveh Yaacov, un village juif situé au nord de Jérusalem et évacué en 1948. Il tente d'abord, mais sans succès, de les persuader d'y retourner lorsqu'il apprend que Hanan Porat veut reconstruire le kibboutz Kfar Etzion, au sud-ouest de Bethléem où il est né, et dont une partie des habitants avait été massacrée par les Palestiniens et les Jordaniens en 1948 également. Les deux hommes font alors cause commune et orchestrent ensemble une campagne de pressions sur le parti national religieux[2]. C'est ainsi que Lévi Eshkol, le chef du gouvernement, finit par donner son feu vert aux premiers pas de la colonisation de la Cisjordanie.

La première pierre du Kibboutz est posée, le 27 septembre, en présence de Zerah Warhaftig, le ministre des Affaires religieuses. Au cours d'une cérémonie privée, Hanan Porat compare le groupe qu'il dirige « *au chien courant devant*

---

1. *Ibid.*, p. 154-155.
2. Gershom Gorenberg, *The Accidental Empire*, New York, Times Books, 2006, p. 116-117.

le chariot » : « *Arrivé à la croisée des chemins, l'animal attend, laisse le chariot passer puis, à nouveau, passe devant*[1]. » Aux diplomates étrangers qui s'inquiètent, le gouvernement israélien explique que le Kibboutz en question n'est qu'un avant-poste militaire, ce qui ne contrevient pas, donc, aux Conventions de Genève. En fait, aucun colon de Kfar Etzion ne porte l'uniforme...

Moshé Levinger n'y demeurera que quelques semaines, avant de retourner à Nehalim pour préparer la conquête de son nouvel objectif : Hébron.

Sa première visite dans la ville des Patriarches l'avait profondément troublé et rendu insomniaque pendant des semaines. Avec Myriam, son épouse d'origine américaine, il a décidé de s'y installer pour toujours[2]. Il recrute des volontaires, mais, ne parvenant pas à acheter d'immeuble, il décide d'y louer l'hôtel Park. Son propriétaire, Faïz Kawasmeh, le frère de Fahd, le futur maire pro-OLP, signe le contrat. Les colons pourront s'y installer pendant dix jours avec « possibilité de prolonger [leur séjour] ». Le groupe, une vingtaine d'hommes avec femmes et enfants, arrive à Hébron le 11 avril 1968, la veille de Pessah, la Pâque juive. Ils ont demandé au général Narkiss l'autorisation de passer le premier jour de la fête dans la ville des Patriarches et promis de repartir le lendemain. N'y voyant pas d'inconvénient, le commandant de la région militaire a donné son accord, sans en avertir l'état-major. Yigal Allon, seul ministre informé de l'opération, sait parfaitement que les deux seuls responsables susceptibles de s'y opposer sont indisponibles[3]. Moshé Dayan, récemment victime d'un accident au cours de fouilles archéologiques, est alors hospitalisé, et le général Gazit observe le deuil après le décès de son père. Myriam, l'épouse de Moshé Levinger, organise la cuisine cachère de l'hôtel. Une soixantaine de personnes participent au Seder, le traditionnel repas pascal, parmi lesquelles se trouvent les

1. Hagaï Segal, *Hakhim Yekarim*, Jérusalem, Keter, 1987, p. 18-19.
2. Ehoud Sprinzak, *The Ascendance of Israel's Right*, New York, Oxford Press, 1991, p. 139.
3. Shlomo Gazit, *The Carrot and the Stick*, *op. cit.*, p. 164.

rabbins Haïm Druckman et Eliezer Waldman, un étudiant, Benny Katzover, un immigrant venu de France, Shlomo Aviner. Ils deviendront tous des piliers du mouvement de colonisation. Le lendemain, les militants, en chantant et en dansant, se rendent au caveau des Patriarches, un rouleau de la Torah en tête du cortège.

La fête terminée, ils annoncent au cours d'une conférence de presse leur intention de rester à Hébron « pour toujours »[1]. Au *Yediot Aharonot*, le quotidien israélien, Levinger et ses compagnons expliquent : *« Nous ne cherchons pas à provoquer l'arrivée des temps messianiques. Ce sont les temps messianiques qui nous poussent. Tout processus de renaissance du peuple juif sur sa terre est un acte divin. L'esprit de Dieu pousse le peuple à sa libération et à la construction du pays. [...] nous sommes les envoyés de Dieu et nous avons le devoir de nous installer sur cette terre*[2]*. [...] »*

L'affaire prend très vite un tour politique. Yigal Allon et Menahem Begin rendent visite aux locataires de l'hôtel Park pour les féliciter. Lévi Eshkol est furieux : son gouvernement a été mis devant le fait accompli. La tension monte alors dans cette ville musulmane de cinquante mille habitants. Le général Gazit reçoit des rapports inquiétants : certaines personnalités palestiniennes accusent Israël d'avoir organisé une provocation afin de susciter une résistance armée, un bain de sang, qui justifierait l'annexion d'Hébron[3]. À la fin du mois, une fois rétabli, Dayan affronte le problème. Dans un premier temps, les militants juifs sont, au nom de leur sécurité, transférés dans l'immeuble du quartier général militaire, à l'extérieur de la ville. Une commission ministérielle décidera, au cours des mois suivants, la construction d'une ville juive sur une colline qui se trouve à l'est du caveau des Patriarches. Ce sera Kyriat Arba, qui, aujourd'hui, accueille une population religieuse de plus de sept mille habitants.

1. Charles Enderlin, *Paix ou guerres, op. cit.*, p. 283.
2. Baroukh Nadel, *Yediot Aharonot*, 17 mai 1968. Cité dans Charles Enderlin, *Paix ou guerres, op. cit.*
3. Shlomo Gazit, *The Carrot and the Stick, op. cit.*

Selon le général Shlomo Gazit : *« La grande erreur de Dayan fut de ne pas comprendre la nature fanatique et militante des colons qui ne seraient jamais satisfaits de ce qui leur était offert. »*

Quoi qu'il en soit, le mouvement messianique vient de recevoir la preuve que sa tactique est payante. Un petit groupe d'hommes résolus peut imposer sa volonté au gouvernement en le mettant devant le fait accompli. Pour l'heure, un calme tendu s'installe à Hébron.

PRIER SUR LE MONT ?

À la fin du mois suivant, Shabtaï Ben Dov, un avocat, écrit au ministre des Cultes pour lui demander d'autoriser la prière juive sur une partie du mont du Temple. La commission ministérielle des lieux saints se réunit. Zerah Warhaftig rappelle que, légalement, rien ne s'y oppose. Son collègue de l'Intérieur, Haïm Moshé Shapira, confirme et ajoute que tout dépend de la police.

Eliahou Sasson, ministre de la Police : *« Actuellement, des dizaines de personnes pénètrent sur le mont du Temple pour y prier. Faut-il les en faire descendre ? »*

Shapira : *« Oui. »*

Shlomo Hillel, le représentant du ministère des Affaires étrangères : *« Je propose de considérer que cette question relève de la police. Je ne voudrais pas avoir à déclarer que le mont du Temple est un lieu saint exclusivement musulman. Je pense que cette question devra être tranchée plus tard… »*

Sasson : *« La police n'a pas à s'occuper des affaires politiques. Elle reçoit des ordres. Il est impossible de laisser ce genre de décision à l'initiative d'un policier posté sur le mont du Temple. La police doit savoir exactement ce que veut le gouvernement. Le gouvernement doit [clairement] autoriser ou interdire la prière [juive]. »*

Shapira : *« Je propose de ne pas soumettre le problème au gouvernement. Si le gouvernement décide de ne pas autoriser la prière [juive] là-bas, cela fera très mauvaise impression. Nous n'avons jamais dit que le mont du Temple appartient tout entier aux Arabes. Nous n'avons jamais décrété que les Juifs n'ont pas le droit de s'y rendre. Nous n'avons jamais déclaré que les Juifs n'ont pas le droit d'y installer une synagogue. Certains Juifs, membres de la commission, ont dit que du point de vue de la Halakha, il est interdit de monter sur le Mont, mais cela ne nous engage pas. Ce qui est important pour nous, c'est de savoir si nous voulons transformer cette controverse que nous avons avec les Arabes en un conflit religieux très dur. Nous décidons donc que les policiers dirigeront les fidèles juifs vers le Mur occidental*[1]. »

Une politique qui sera confirmée deux années plus tard par la Haute Cour de justice. En 2012, la police israélienne est toujours seule habilitée à interdire aux Juifs d'accéder et de prier sur le mont du Temple, au nom de « la sécurité du public ».

D'UN PYROMANE ET DE QUELQUES AUTRES

Le gouvernement israélien adopte des mesures destinées à asseoir l'annexion de fait de Jérusalem-Est. Le quartier général de la police est transféré dans la partie orientale de la ville. Résultat : une plainte jordanienne auprès du Conseil de sécurité des Nations unies qui, le 4 juillet 1969, adopte à l'unanimité de ses quinze membres une résolution condamnant Israël pour ses tentatives répétées de modifier le statut de la ville. Le texte stipule que *« toutes les mesures législatives et administratives adoptées par Israël [à cet effet], y compris l'expropriation de terres et de propriétés, sont invalides et ne sauraient prétendre changer le statut de Jérusalem*[2] *».*

Un nouveau drame va compliquer encore un peu plus les relations entre Israël et le monde musulman. Tôt le matin du 21 août, Michael Rohan, un jeune Australien, pénètre dans la mosquée Al-Aqsa. Devant le pupitre de prière historique installé par Saladin huit cents ans plus tôt, il extrait deux bonbonnes de kérosène de son sac à dos, en asperge le bois très sec et les tapis, puis y met le feu avant

1. Cité par Nadav Shragaï, *Ha Maavak al Har Habeit, op. cit.*, p. 37-38.
2. *New York Times*, 4 juillet 1969.

de prendre la fuite. L'incendie se répand rapidement. Le toit de la mosquée s'effondre en partie. Une fumée noire s'élève au-dessus de la ville. Persuadés que les Israéliens sont à l'origine de l'attentat, des dizaines de musulmans affrontent les pompiers venus combattre les flammes. Les accrochages se multiplient, et les autorités militaires doivent décréter le couvre-feu sur Jérusalem-Est.

Rohan est appréhendé le lendemain dans le kibboutz Mishmar Ha Sharon, où il travaillait comme volontaire. C'est Avinoam Brog qui avait la responsabilité de ces jeunes étrangers venus s'initier à la vie communautaire par solidarité avec Israël. Il racontera plus tard : « *Rohan parlait de Jésus et du Messie. Personne ne réalisait la gravité [de son état]. [...] Un jour, je suis allé lui rappeler de venir à une réunion de volontaires. Il m'a répondu : "Je ne viens pas. Je ne reçois d'ordres que de Dieu." "Je lui ai dit : Alors, vous devriez aller à Jérusalem, vous serez plus près de lui !" Le lendemain, il a quitté le kibboutz. Sachant mieux aujourd'hui comment fonctionne la pensée, [je pense que] cela aurait pu être le déclencheur [...].* »

Aux enquêteurs, Rohan racontera qu'il voulait permettre aux Juifs de reconstruire le Temple et ainsi accélérer la venue du Messie, c'est-à-dire, pour lui, le retour de Jésus-Christ. Les juges entérineront le diagnostic des psychiatres et le déclareront schizophrène. Hospitalisé d'abord en Israël puis en Australie, il serait décédé en 1995.

Les policiers ont découvert dans ses affaires personnelles des publications de la « Worldwide Church of God », une organisation évangélique basée en Californie. Son chef, Herbert Armstrong, prêchait la venue prochaine de Jésus tout en étant persuadé que les Britanniques sont les descendants des dix tribus perdues d'Israël... Il démentira tout lien avec Rohan. Mais de fait, la conquête de Jérusalem-Est a réveillé et renforcé les mouvements évangéliques messianiques aux États-Unis[1].

Gershon Salomon, de son côté, a créé une organisation,

1. Gershom Gorenberg, *The Accidental Empire*, *op. cit.*, p. 107. Avinoam Brog est le frère d'Ehoud, qui changera son nom en Barak et deviendra plus tard Premier ministre de l'État d'Israël.

les Fidèles du mont du Temple, qui a pour objectif « la réalisation de la foi et de l'aspiration historique du peuple d'Israël telle qu'elle est ancrée dans la Torah, selon laquelle le mont du Temple est le centre national, religieux et spirituel du peuple d'Israël et de la Terre d'Israël ». Régulièrement, en compagnie de ses sympathisants, il tente de pénétrer sur l'esplanade des Mosquées afin d'y réciter des prières. Invariablement, la police l'en empêche, mais, le 14 août 1970, les musulmans réagissent à la manifestation organisée par Salomon. Au cours de l'affrontement avec les policiers, plusieurs dizaines de Palestiniens sont blessés. En mars de l'année suivante, les Fidèles du mont du Temple feront une nouvelle tentative qui, cette fois, prendra fin dans un calme relatif. Son organisation ne sera officiellement enregistrée comme « association à but non lucratif » qu'en 1982. Jusqu'à cette date, le conseiller juridique du gouvernement ne voulait pas en entendre parler. Meir Shemgar, qui occupait ce poste en 1971, avait lui-même répondu par une fin de non-recevoir à une telle demande. Ce grand juriste, qui deviendra président de la Cour suprême, écrivait à ce propos :

« La création d'une telle association [à but non lucratif] est une insulte à l'initiative même que ses auteurs s'autorisent à entreprendre[1]. » Tout changera dix ans plus tard : entre 1982 et 2011, une vingtaine d'associations liées au mont du Temple seront autorisées[2].

Aux États-Unis, pendant ce temps, le rabbin Meir Kahana développe une théologie messianique quelque peu différente de celle qu'enseigne le rabbin Kook. Selon lui, l'histoire juive, depuis la destruction du Second Temple, est faite d'une série d'holocaustes. Le dernier en date, la Shoah, a poussé Dieu à se venger des non-Juifs en leur imposant la création d'Israël. Prêchant une vision catastrophique de l'avenir des Juifs américains, il a mis sur pied une Ligue

1. Lettre de Meir Shemgar au ministre de l'Intérieur en réponse à une demande datée du 24 novembre 1971.

2. Keshev, ONG de défense de la démocratie, « Rapport sur les menaces à l'encontre du mont du Temple », 2012. Préparé par Yizhar Beer (avant publication)

de défense juive destinée à lutter contre l'antisémitisme et combattre en faveur de l'immigration des Juifs d'URSS, discrètement encouragé en cela par les services israéliens[1].

Après avoir entrepris des attaques contre certaines représentations diplomatiques soviétiques, sous la pression du FBI, il décide d'immigrer en Israël en septembre 1971[2]. Ce départ, à l'âge de 39 ans, est aussi dans la logique de l'idée qu'il se fait alors de l'Amérique. Une terre problématique, une Sodome et Gomorrhe moderne[3]. Kahana critique ainsi la vie de luxe des Juifs américains : « *Leur but est d'éviter autant que possible toute difficulté et de s'assurer du plus de plaisir possible. Les valeurs sont entièrement centrées sur l'argent et le prix des voitures, d'un réfrigérateur, d'un appareil de télévision et des vêtements. L'objet de luxe d'hier est aujourd'hui devenu une nécessité. Le statut individuel n'est plus déterminé par la Torah et la piété mais par l'argent [...]. Les rêves d'une voiture sophistiquée, d'une belle femme, de [beaux] vêtements et de voyages en Europe sont alimentés par la culture d'un État séculaire "normal"*[4]. » Pour Kahana, le Juif n'est véritablement libre que s'il est fort, violent et agressif[5]. Une fois installé en Israël, en compagnie de quelques fidèles américains, il créera la version locale de la Ligue de défense juive, le Kach[6], qui militera

1. Notamment par le département qui œuvre en faveur de l'immigration de Juifs d'URSS et qui est alors dirigé par Yitzhak Shamir.

2. Ehoud Sprinzak, *Brother Against Brother*, New York, The Free Press, 1999, p. 195.

3. Il est intéressant de relever que c'était également la perception qu'avait des États-Unis l'islamiste Sayyid Qutb, dont Al-Qaida adoptera les théories radicales anti-occidentales. En 1948, à 42 ans, il avait effectué un séjour dans le Colorado, qui l'avait profondément choqué, comme en témoigne Roger-Pol Droit : « *Chaque jour, tout le choque. Le racisme dont il est victime, mais aussi la violence des combats de boxe, les dissonances du jazz, la tenue et les regards des étudiantes, leur liberté de mœurs.* » (Voir Charles Enderlin, *Le Grand Aveuglement*, Paris, Albin Michel, 2009, p. 21.)

4. http://www.jewishottawasouth.com/downloads/Uncomfortable%20questions%20%20for%20%20comfortable%20%20Jews.pdf

5. Ehoud Sprinzak, *Brother Against Brother*, *op. cit.*, p. 183.

6. Kahana reprenait ainsi à son compte le slogan de l'Irgoun, l'organisation secrète antibritannique dirigée par Menahem Begin avant la création de l'État d'Israël. Il utilisera également le même symbole : un poing fermé sur fond d'étoile de David.

en faveur de l'expulsion des Arabes de la Terre d'Israël et de la reconstruction du Temple.

NAISSANCE DU BLOC DE LA FOI

Secrètement, de nouvelles colonies sont construites par le gouvernement israélien dans la percée de Rafah, au sud de la bande de Gaza. L'idée est de Moshé Dayan, qui entend ainsi créer une zone tampon entre le territoire égyptien et les camps de réfugiés de Gaza. Mille cinq cents familles bédouines sont expulsées *manu militari*, en janvier 1972, sur les ordres du général Ariel Sharon, le commandant de la région militaire. La presse israélienne ne publie pas la moindre information sur cette expulsion. L'histoire ne fera les gros titres qu'un mois plus tard, lorsque le Comité international de la Croix-Rouge protestera auprès de l'état-major israélien, qui n'avait pas été préalablement informé de cette initiative[1].

En juin, les cheikhs bédouins, dont les tentes et les maisons ont été détruites, s'adressent à la Haute Cour de justice israélienne pour obtenir l'annulation de l'ordre d'expulsion. Les juges finiront par recevoir les explications des généraux : il s'agit d'une opération indispensable à la sécurité du pays. Neuf villages agricoles et une ville, Yamit, seront construits au fil des années. Plusieurs milliers d'Israéliens s'y installeront.

Le 6 octobre 1973, le jour du jeûne de Kippour, les armées égyptienne et syrienne lancent une offensive surprise sur le Golan et dans le Sinaï. La crise est internationale. L'Arabie saoudite a décrété l'embargo pétrolier. Les États-Unis et l'URSS sont au bord de l'affrontement. Il faut faire rapidement retomber la tension au Proche-Orient, et Henry Kissinger, le secrétaire d'État américain, multiplie les navettes entre Jérusalem, Le Caire et Damas. Les combats cessent après la proclamation d'un premier cessez-le-feu, dix-huit

1. Gershom Gorenberg, *The Accidental Empire*, *op. cit.*, p. 238-239.

jours plus tard. Le bilan est lourd : Israël déplore plus de 3 000 morts et 9 000 blessés. Les Arabes, 9 500 morts et près de 20 000 blessés.

En Israël, il n'est pas de famille ou d'institution qui n'ait été touchée par le conflit. Cœur sionisme religieux, les écoles talmudiques, qui permettent à des jeunes d'étudier la Torah tout en faisant leur service militaire, sont en deuil. La yeshiva de Goush Etzion a perdu huit étudiants, tombés sur le Golan et dans le Sinaï.

Son directeur est le rabbin Yehouda Amital. Rescapé de la Shoah, unique survivant de sa famille, il est arrivé en Israël peu après l'indépendance et, tout en effectuant des études religieuses, il a combattu dans les rangs de Tsahal – dont il est devenu officier de blindé. En 1973, sa vision est proche de celle du rabbin Kook. Il publie un ouvrage intitulé *Ha-Ma'alot mi Ma'amakim* (L'ascension depuis l'abîme), dans lequel il expose une interprétation bien à lui de cette guerre qui a mis à l'épreuve l'État juif : « *Il est clair que nous sommes entrés dans un processus de rédemption qui passe par le chemin de la souffrance. Cela nous oblige à exécuter le devoir de contemplation de nos actions afin que nous entendions que Dieu attend notre repentance. [...] Nous devons nous demander non pas : "Qui est juif ?" Mais : "Qu'est-ce qu'un Juif ?" Et poser ces questions courageusement, avec la même bravoure que sur le champ de bataille*[1]. *[...] La confusion et le sentiment de malaise qui ont suivi la guerre de Kippour ont révélé l'existence d'une crise profonde. C'est la crise de l'idée sioniste dans la pensée herzlienne. Herzl prétendait résoudre le "problème juif" pour les Juifs et les nations du monde. Lorsqu'Israël aura son foyer et son État, il aura sa place au sein de la famille des nations [pensait-il]. [...] Le problème juif n'a pas été résolu, l'antisémitisme n'a pas disparu et s'est [même] aggravé. [...] Les rêves de normalisation se sont avérés vides de sens. L'État d'Israël est le seul au monde qui risque la destruction. [...] Mais il existe un autre sionisme. C'est le sionisme de la rédemption, dont le grand interprète a été*

1. Yehouda Mirsky. http://www.jewishreviewofbooks.com/publications/detail/the-audacity-of-faith

le rabbin [Avraham Yitzhak] Kook. Ce sionisme n'est pas destiné à résoudre le problème juif par la création d'un État, on peut dire bien plutôt qu'il est utilisé par Dieu comme un outil afin de mener Israël vers la rédemption[1]. »

Les militants du mouvement messianique feront de cet essai leur livre de chevet.

Le 14 janvier 1974, un accord de désengagement est conclu entre Israël et l'Égypte. Les Israéliens se retireront de la zone du canal de Suez, qui pourra donc être rouvert. Henry Kissinger poursuit ses efforts en vue d'un cessez-le-feu avec la Syrie. À Jérusalem, après la démission du gouvernement présidé par Golda Meir, Yitzhak Rabin, le chef d'état-major de la guerre de Six Jours, lui succède. Les dirigeants israéliens doivent affronter les sionistes religieux pour qui la restitution de territoires aux Arabes constituerait un dangereux précédent. Des manifestations violentes se déroulent pendant les visites de Kissinger, aux cris de « Jewboy » [youpin]. Zvi Yehouda Ha Cohen Kook qualifie même, à cette occasion, le secrétaire d'État d'« époux de la shikse » (un terme yiddish insultant pour les femmes non juives). Le rabbin déclare, encore dans un de ses discours : « *J'ai dit et écrit qu'il se produira une guerre pour trancher le destin de la Judée-Samarie [la Cisjordanie], Jéricho et les hauteurs du Golan ! Aucune concession n'y est permise. Face à cette menace, nous devons, par notre enseignement et des déclarations publiques, répéter sans cesse que cette idée dépravée ne sera jamais acceptée. Cette terre n'appartient pas aux goïms [les non-Juifs]. Elle n'a pas été volée aux goïms. [...] Nous devons rappeler au gouvernement et au peuple d'Israël qu'aucune concession n'est possible sur notre terre*[2]. »

Des militants créent alors Keshet, une colonie sauvage nichée dans un bunker à l'intérieur de Kouneitra, la ville du Golan. Ils en seront expulsés lors de la signature de l'accord de désengagement avec la Syrie, le 29 mai. Mais l'implantation sera reconstruite plus à l'ouest, avec l'accord des autorités israéliennes...

---

1. Cité par Ehoud Sprinzak, *Brother Against Brother, op. cit.*, p. 116.
2. Haïm Levinson et Yaïr Ettinger, « Rabbi's Kook's followers are still debating his legacy », *Haaretz*, 11 mars 2012.

Deux mois plus tôt, au cours d'une réunion tenue dans la colonie de Kfar Etzion, plusieurs disciples de Merkaz Ha Rav ont formé une nouvelle organisation destinée à développer l'implantation juive en Cisjordanie, contre l'avis du gouvernement le cas échéant. Ils adoptent le nom de « Goush Emounim » (le Bloc de la foi) et s'en vont rencontrer Zvi Yehouda Ha Cohen Kook afin d'obtenir sa bénédiction et créer une colonie au cœur de la Cisjordanie. Le vieux rabbin hésite. Ces jeunes gens sont disposés à affronter le gouvernement, s'il le faut. Le directeur de Merkaz Ha Rav leur demande de lui accorder le temps de la réflexion et part consulter Menahem Begin. Ce dernier n'est pas favorable à cette initiative, car il redoute qu'elle ne conduise à la guerre civile. La réponse est donc négative. Les membres du groupe reviennent à la charge. Cette fois, le vieux rabbin demande l'avis de Shlomo Goren qui, lui aussi, conseille de ne pas risquer d'entrer en conflit avec les instances de l'État.

Début juin, les militants retournent chez Kook pour lui annoncer que leur décision est prise. Benny Katzover, l'un des responsables de Goush Emounim, racontera : « *Le rabbin avait l'air déçu, puis, subitement, son visage s'est éclairé ; il nous a donné sa bénédiction en nous souhaitant bonne chance*[1]. » Rabin vient alors présenter son nouveau gouvernement à la Knesset en déclarant : « *Aucun traité de paix ne sera conclu avec la Jordanie s'il comprend des concessions territoriales en Judée et en Samarie avant que le peuple n'ait été consulté à l'occasion de nouvelles élections*[2]. » Ariel Sharon, qui a quitté l'armée et créé un nouveau parti politique de droite, est de ceux qui poussent à l'action. Un soir, au cours d'une réunion tenue près de Tel-Aviv, il a expliqué aux militants : « *Si nous ne commençons pas à nous installer en Judée-Samarie [la Cisjordanie], les canons jordaniens seront de retour. Je vous le dis en tant que militaire*[3]. »

1. Levinson Ettinger, *Haaretz*, 11 mars 2012.
2. Charles Enderlin, *Paix ou guerres*, *op. cit.*, p. 373.
3. Meir Har Noï, *Hamitnahalim*, Tel-Aviv, Sifriat Maariv, 1994, p. 11.

Coloniser contre le gouvernement

Les risques de retraits sont donc bien réels et, le 5 juin, plusieurs dizaines de militants de Goush Emounim, conduits par Hanan Porat, Moshé Levinger et Benny Katzover, évitent les barrages militaires et font une première tentative d'implantation près de Naplouse. Sharon accepte d'accompagner le vieux rabbin Kook sur place. Des officiers arrivent, et demandent aux futurs colons de partir. Ces derniers refusent. Sharon appelle Yitzhak Rabin depuis l'appareil de transmission d'une Jeep. Après une longue discussion, le Premier ministre accepte une formule de compromis. Les militants ne seront pas forcés de retourner à Jérusalem mais seront autorisés à s'installer dans une base militaire voisine. Les militants se tournent alors vers le rabbin Kook et lui demandent son avis. Sharon raconte : « *Pour lui, il était inacceptable que des Juifs n'aient pas le droit de s'installer sur leur terre. Lorsque j'ai essayé de le persuader que cette solution serait préférable à une évacuation* manu militari, *qu'ils ne quitteraient pas le secteur, mais y resteraient au contraire en habitant dans cette base militaire ; que, si l'affaire était menée intelligemment, ce serait le début de l'installation en Samarie, il m'a regardé calmement et n'a dit qu'un seul mot : Non !* » Dans la soirée, tous les membres du groupe – y compris Sharon et le rabbin Kook – sont conduits de force dans des autobus et ramenés à Jérusalem[1].

Le problème devient très vite politique. Les responsables de Goush Emounim veulent, en effet, créer une colonie près de Naplouse, appelée Eilon Moreh, là où, selon la tradition biblique, Abraham a construit un autel et où la divinité lui a promis que ses « descendants seront les propriétaires de cette terre ». Tout un programme. Ils rencontrent donc des responsables gouvernementaux. Sans grand succès. Le chef du gouvernement leur expose qu'il

1. Ariel Sharon, *Warrior*, New York, Simon and Schuster, 1989, p. 362-363.

n'est pas question que les implantations déterminent les futures frontières de l'État[1].

Le 25 juillet 1974, la date est bien choisie, trois jours avant le jeûne du neuf Av, Goush Emounim n'hésite pas. Pour éviter les barrages militaires, deux convois empruntent des chemins de terre et parviennent, à dix-huit heures quarante-cinq, à Sebastia, une ancienne gare ferroviaire turque située à douze kilomètres au nord-ouest de Naplouse. La presse est immédiatement avertie. Vers 20 heures, des officiers accourent et annoncent l'évacuation des colons. Des autobus sont amenés sur place. Mais une vingtaine de militants s'enchaînent et clament qu'ils ne se retireront pas. Finalement, l'armée renonce à intervenir. D'autres volontaires arrivent alors. En tout trois cents personnes sont réunies, dont quinze députés. Parmi eux : Menahem Begin, Ariel Sharon, Zvoulon Hammer du parti national religieux, qui, plus tard, deviendra ministre de l'Éducation, Ehoud Olmert, un futur chef de gouvernement. Le lendemain, vendredi, après la prière, Katzover et Hammer hissent le drapeau national sur le bâtiment. Le rabbin Moshé Neriah annonce : *« Nous voulons construire une ville au centre de la Terre sainte, près de Sichem qui appartient à la tribu d'Ephraïm ! »* Plusieurs véhicules parviennent à franchir les barrages et à apporter des vivres, dons de sociétés amies. Une pâtisserie de Jérusalem dépêche même une camionnette chargée de gâteaux. Le Shabbat se déroule sans incident. Le dimanche suivant, tout en observant le jeûne, des dizaines d'élèves de Merkaz Ha Rav parviennent, à bout de force, à rejoindre Sebastia. Le rabbin Kook les a envoyés lui-même[2].

Le gouvernement a déclaré l'implantation illégale et fait maintenant pression pour qu'elle soit évacuée. À l'initiative de Menahem Begin, une délégation va rencontrer Shimon Pérès, qui se montre intraitable. Les responsables se réunissent alors et envisagent la suite : soit partir sans autre forme de procès, soit résister par la force, soit accepter une évacuation non violente. Ehoud Olmert et Zvoulon

1. Charles Enderlin, *Paix ou guerres, op. cit.*, p. 374.
2. Gershon Shafat, *Gush Emunim*, Beit El, SifriaBeit El, 1995, p. 82-86.

Hammer participent à la discussion. Vers minuit, Motta Gour, devenu général et chef d'état-major, vient demander aux colons de ne pas s'opposer aux soldats. Nouvelles consultations des militants, qui, finalement, décident de mettre en pratique le sacro-saint principe : « *Un Juif ne quitte pas son domicile volontairement.* » Les colons s'opposeront donc passivement aux militaires. L'évacuation se déroulera le lendemain, lundi. Mille militants, colons et sympathisants seront portés, un par un, vers trente autobus qui les ramèneront en Israël.

Goush Emounim n'abandonne pas pour autant la partie et se réorganise. Un secrétariat en bonne et due forme est mis sur pied. Une collecte de fonds est lancée aux États-Unis auprès de millionnaires sympathisants, qui répondent massivement. Au même moment, Israël doit faire face à l'offensive du monde arabe.

Le 28 octobre 1974, à Rabat, le sommet de la Ligue arabe vote une résolution déclarant l'OLP seul représentant légitime du peuple palestinien. Quinze jours plus tard, Yasser Arafat, le chef de l'organisation palestinienne, prend la parole devant l'Assemblée générale des Nations unies. Il déclare que son but est la création d'un État démocratique où chrétiens, Juifs et musulmans vivront en paix, dans la justice, l'égalité et la fraternité. Seules quatre délégations, dont celles d'Israël et des Etats-Unis, ont voté contre l'invitation de celui que les Israéliens considèrent comme un chef terroriste. Le 22 novembre, l'Assemblée générale des Nations unies reconnaît les « droits inaliénables » des réfugiés palestiniens de retrouver leurs maisons et leurs biens. Elle affirme également le droit à l'autodétermination du peuple palestinien. L'OLP se voit attribuer le statut d'observateur, ce qui ne l'empêchera pas de poursuivre ses attaques anti-israéliennes dans la vallée du Jourdain.

En mars 1975, un commando débarque à Tel-Aviv, tuant plusieurs civils. Au mois d'août, Henry Kissinger réactive sa médiation entre le gouvernement Rabin et Anouar el-Sadate, le Président égyptien.

Goush Emounim, toujours opposé à toute idée de retrait israélien dans le Sinaï, fût-il partiel, manifeste violemment à chacune de ses visites en Israël. Plusieurs banderoles lui promettent même le sort qui fut réservé au comte Bernadotte, l'émissaire de l'ONU, assassiné en 1948 à Jérusalem. L'accord de désengagement israélo-égyptien est pourtant signé le 31 août. L'armée israélienne se retire de la zone du canal de Suez.

Le 10 novembre 1975, l'Assemblée générale des Nations unies adopte une résolution définissant le sionisme comme une forme de racisme. Vingt-neuf seulement des cent quarante-deux membres de l'organisation ont voté contre. Haïm Herzog, l'ambassadeur d'Israël, ne manque pas de faire le rapprochement entre ce texte et la Shoah. Il interpelle en ces termes les délégations présentes : « *Il est symbolique que ce débat, qui pourrait bien marquer un tournant dans l'histoire de cette organisation, intervienne trente-sept ans exactement après la Nuit de Cristal. [...] Pour nous, le peuple juif, cette résolution est fondée sur la haine, la fausseté et l'arrogance. Elle est dénuée de toute valeur morale ou légale. Pour nous, le peuple juif, cette résolution n'est rien de plus qu'un chiffon de papier.* » Et Herzog de déchirer la feuille de la résolution.

La défaite de Rabin

Les Israéliens et le monde juif sont scandalisés. Yitzhak Rabin décide d'organiser à Jérusalem une importante conférence de la solidarité. Il est d'autant plus furieux qu'au même moment, à Washington, Harold Saunders, un sous-secrétaire d'État, a fait, à la Chambre des représentants, une déclaration politique favorable aux Palestiniens : « *La dimension palestinienne du conflit israélo-arabe est à bien des égards au cœur de ce conflit [...]. Les intérêts légitimes des Arabes palestiniens doivent être pris en compte dans la négociation d'une paix.* » Goush Emounim décide que le moment est venu de faire monter la pression. Le mouvement multiplie, dans cet esprit, ses appels au gouvernement Rabin : « *[...] Nous vous demandons : – d'autoriser immédiatement tous les groupes de militants qui le désirent à s'implanter en*

Judée, en Samarie, sur le plateau du Golan et aux portes du Sinaï [...] – de décider définitivement que le Golan, la Judée-Samarie, les portes du Sinaï sont partie intégrantes de la Terre d'Israël [...][1]. »

La date d'une nouvelle opération est fixée. Ce sera quinze jours plus tard, en pleine fête de Hanoucca, qui commémore la nouvelle inauguration du Temple de Jérusalem après la victoire des Maccabées sur les Séleucides, les Hellènes syriens. Selon la tradition rabbinique, au cours de cette consécration se serait produit le miracle de la lampe à huile qui aurait brûlé pendant huit jours alors qu'elle ne contenait qu'une quantité d'huile à peine suffisante pour une journée. Le 25 novembre, des centaines de volontaires sont de retour à Sebastia. Plusieurs personnalités les accompagnent : une chanteuse nationaliste, un héros des guerres d'Israël et plusieurs députés, parmi lesquels Ehoud Olmert. Le chef d'état-major, le général Motta Gour, explique alors à Rabin qu'il ne faudrait pas moins de cinq mille soldats pour évacuer un tel rassemblement.

Le Premier ministre décide de céder. Un affrontement entre des manifestants juifs et l'armée serait du plus mauvais effet au moment où se déroule la conférence de solidarité avec le peuple juif et Israël. Le gouvernement autorise même l'installation d'une trentaine de familles dans la base militaire de Kaddoum, près de Naplouse. Rabin, ulcéré, écrira en 1979 : « *Pour moi, Goush Emounim était un phénomène des plus graves, un cancer au sein de la démocratie israélienne, opposé aux fondements démocratiques de l'État. Il était nécessaire de combattre ce mouvement par les idées, afin de dévoiler la nature réelle de ses positions et de ses voies d'action. Un tel combat ne [pouvait] être mené uniquement par les baïonnettes de Tsahal, et ne [pouvait] réussir [tant que] le parti travailliste [serait] divisé face aux militants de Goush Emounim et que le ministre de la Défense, Shimon Pérès, les qualifie[rait] de véritables idéalistes et les soutien[drait]*[2]. »

1. Charles Enderlin, *Paix ou guerres, op. cit.*, p. 385.
2. Yitzhak Rabin, *Pinkas Sherout.* Tel-Aviv, Éd. Maariv, 1979, p. 551.

Ehoud Sprinzak a décrypté la tactique du mouvement. Elle comprend quatre étapes :

1. Installation surprise en un lieu des territoires occupés « pour y prier temporairement ».

2. Refus public d'évacuer le lieu en question, en invoquant des motifs religieux, tout en exprimant la volonté d'aboutir à un accord « constructif » afin d'éviter des tensions inutiles avec les militaires.

3. Signature d'un accord de compromis, stipulant l'évacuation de la colonie « non autorisée », à condition qu'une petite yeshiva soit installée sur place ou qu'une partie des colons puissent demeurer dans une base militaire voisine.

4. Obtention de la promesse du gouvernement de procéder à la construction d'une colonie permanente sur le site en question[1].

L'autre tactique est plus discrète. Goush Emounim fait jouer ses alliés au sein du ministère de la Défense. Dans l'entourage de Shimon Pérès, Moshé Netzer, un conseiller, leur est en effet plutôt favorable et donne le feu vert à une telle nouvelle opération... à condition qu'elle soit préparée secrètement. En avril 1975, une vingtaine de militants, conduits par Yehouda Etzion, se font ainsi embaucher comme employés dans une caserne de l'armée à Baal Hatzor, au nord-est de Ramallah. Dans un premier temps, ils demandent – et obtiennent – l'autorisation de dormir dans les baraquements vides d'une ancienne base militaire jordanienne. L'action est menée tambour battant. Les familles s'installent, un générateur est mis en place... Pas question de laisser ces Juifs sans lumière durant la nuit ! Un panneau est accroché : « Camp de travail. Ofra », du nom d'une ville de l'époque du Second Temple. La presse ne découvrira le pot aux roses que trois mois plus tard. Mais Haïm Tzadok, le ministre de la Justice, considère que tout cela est parfaitement légal aussi longtemps que l'on n'a pas affaire à une nouvelle localité mais seulement à un « camp de travail[2] ». En décembre, Shimon Pérès sera fêté par les

1. Ehoud Sprinzak, *Brother Against Brother*, *op. cit.*, p. 151.

2. Gershom Gorenberg, *The Accidental Empire*, *op. cit.*, p. 312-315. Idith Zertal et Akiva Eldar, *Lords of the Land*, New York, Nation Books, 2007, p. 32-35.

colons et pour l'occasion plantera un arbre[1]. Une fois de plus, Goush Emounim a gagné, en dépit de l'opposition d'Yitzhak Rabin qui s'obstine à refuser l'implantation de toute colonie nouvelle dans les territoires occupés.

À Hébron, les colons poursuivent inlassablement leur offensive pour contrôler le caveau des Patriarches. Dès le printemps 1970, Moshé Dayan a autorisé l'introduction de quelques bancs afin de permettre aux fidèles juifs de s'asseoir pendant la prière. Les accrochages avec les musulmans sont fréquents. De temps à autre, des Juifs tentent d'aller prier aux heures réservées aux musulmans, qui mènent leur propre combat. Le 1er octobre 1976, la veille du jeûne de Kippour, quelques fidèles juifs découvrent que, dans le caveau, le rideau d'une armoire contenant des rouleaux de la Torah a été déchiré. D'autres ustensiles ont disparu. Le samedi matin suivant, des centaines de colons venus de Kyriat Arba tentent d'aller prier dans l'antique synagogue Avraham Avinou, en plein centre de la vieille ville, à l'encontre des ordres du gouverneur militaire. L'armée les évacue. Pendant ce temps, les musulmans découvrent que, dans le caveau, des Corans ont été déchirés et jetés sur le sol. Apprenant la nouvelle, une foule en colère se précipite dans le sanctuaire. Des rouleaux de la Torah sont déchirés. La manifestation est violente. Les militaires interviennent. Quarante Palestiniens sont blessés. Il y a une soixantaine d'arrestations. La classe politique israélienne et les deux grands rabbins d'Israël condamnent la profanation du Coran, tandis que les responsables militaires tentent de ramener le calme dans la ville où, le 7 octobre, des milliers de colons participent aux obsèques officielles des rouleaux de la Torah déchirés par les Palestiniens[2].

Après quatre séances consacrées aux événements d'Hébron, le président du Conseil de sécurité de l'ONU publie, le 11 novembre 1976, une déclaration approuvée par l'ensemble des membres : « *[Le Conseil] manifeste la vive inquiétude et la préoccupation profonde que lui inspire la grave situation qui règne*

1. Idith Zertal et Akiva Eldar, *Lords of the Land*, *op. cit.*, p. 37-39.
2. Smuel Berkovits, *Milhamot Ha Mekomot Hakdoshim*, *op. cit.*, p. 293.

actuellement dans les territoires occupés du fait du maintien de l'occupation israélienne. [...] Réaffirme que la Quatrième Convention de Genève est applicable aux territoires arabes occupés par Israël depuis 1967. Il est donc demandé de nouveau à la puissance occupante de respecter strictement les dispositions de ladite Convention et de s'abstenir de toutes mesures qui violeraient lesdites dispositions. À cet égard, les mesures prises par Israël dans les territoires occupés qui en modifient le caractère géographique et, en particulier, la constitution de colonies de peuplement sont en conséquence vivement déplorées. Ces mesures, qui n'ont aucune validité en droit, ne sauraient préjuger de l'issue des efforts entrepris pour instaurer la paix, et constituent un obstacle à celle-ci[1]. »

Comme les autres résolutions et déclarations onusiennes, ce texte restera lettre morte. Mais bientôt, Goush Emounim n'aura plus besoin de manœuvrer pour créer des colonies dans les territoires occupés. Sous la pression de sa jeune garde conduite par Zvouloun Hammer, le parti national religieux abandonne son alliance historique avec les travaillistes et, le 17 mai 1977, Rabin perd les élections. Le Likoud nationaliste et annexionniste, dirigé par Menahem Begin, arrive au pouvoir. Pour former sa coalition gouvernementale, il se tourne vers le camp religieux nationaliste et les partis orthodoxes qui, pour les décennies à venir, resteront les alliés naturels de la droite[2].

1. Déclaration S/12233 du Conseil de sécurité de l'ONU, 11 novembre 1976.
2. Yair Sheleg, *Hadatiim Hakhadashim*, Tel-Aviv, Keter, 2000, p. 13-15.

CHAPITRE 2

La grande déception des fondamentalistes

Les militants de Goush Emounim sont aux anges. Leur rêve est sur le point de se réaliser. Le Likoud, la droite nationaliste, s'apprête à peupler la Cisjordanie de Juifs. Les premiers gestes de Menahem Begin semblent d'ailleurs le confirmer. Dès le lendemain de son élection, il se rend en effet sur la base militaire de Kaddoum, où un groupe de futurs colons attend toujours l'autorisation de fonder l'implantation « Eilon Moreh » près de Naplouse. Rabin s'y était opposé. Portant un rouleau de la Torah, le nouveau Premier ministre promet : *« Il y aura de nombreux Eilon Moreh ! »* Vingt-quatre heures plus tard, il effectue une visite officielle à Yamit, la colonie urbaine installée dans le Sinaï, au sud de la bande de Gaza.

Et, pour bien montrer son attachement à la vision annexionniste de Goush Emounim, Begin se rend à la yeshiva Merkaz Ha Rav, pour présenter ses respects au rabbin Zvi Yehouda Ha Cohen Kook. Le rabbin Yohanan Fried a décrit ainsi la rencontre : *« Begin est venu comme à Canossa, comme si cet homme, le rabbin Kook, était le représentant de Dieu. Soudain, le Premier ministre s'agenouille et s'incline devant lui. Imaginez ce qu'ont pu penser les étudiants présents ! [...] Quelle autre preuve fallait-il pour démontrer que ses divagations, c'était en fait la réalité ? [...] tout ce qu'il disait ou faisait devenait sacré*[1]. »

Le ton, le langage d'Israël changent. Plus question de parler d'« occupation ». Aux journalistes étrangers qui lui

1. D. Ben Simon, « Merkaz Ha Rav », *Haaretz*, 4 avril 1986.

demandent s'il va annexer les territoires occupés, Begin répond : *« C'est notre politique ! Ce sont des territoires libérés, pas occupés ! C'est notre terre ! Celle de nos ancêtres ! Le Président des États-Unis, Jimmy Carter, qui connaît la Bible par cœur, doit savoir à qui appartient cette terre ! Sinon nous serions des envahisseurs à Tel-Aviv aussi*[1] *! »* Les administrations israéliennes, y compris les médias dépendant de l'État, reçoivent le nouveau lexique : on ne doit plus dire « Cisjordanie » ou « rive occidentale du Jourdain », mais « Judée-Samarie ». Begin, lui, lorsqu'il parle de la nation, ne dit plus « les Israéliens » mais : « les Juifs ».

Tout donne aux annexionnistes le sentiment que les choses vont dans le bon sens, et Goush Emounim recrute des volontaires pour aller fonder une dizaine d'implantations nouvelles. Ces colonies devront être construites sur les lieux mêmes des événements bibliques ou historiques. Par exemple : Anatot, où seraient nés le prophète Jérémie et Abiathar, un grand prêtre du roi David. Beit El, où séjourna l'arche d'alliance. Beit Horon, une ville fortifiée par le roi Salomon. Betar, la place forte où s'était déroulé le dernier combat de Shimon Bar Kokhba. Givon, où David aurait vaincu les Philistins. Mevo Dotan, où Joseph fut vendu aux Madianites par ses frères. Shavei Shomron, une capitale du royaume d'Israël au VIIIe siècle[2]. En parallèle, les rabbins ont localisé, disséminées en Cisjordanie, pas moins d'une trentaine de tombes appartenant à des personnages de la Bible ou du Talmud. Outre le caveau des Patriarches à Hébron et le tombeau de Rachel à Bethléem, à Naplouse, le tombeau de Joseph est devenu un lieu de pèlerinage. Une école talmudique doit y être installée. Comme dans le cas d'autres lieux saints revendiqués par les rabbins, les musulmans affirment que l'endroit n'a pourtant aucun lien avec le judaïsme. Selon les Palestiniens, il s'agirait de la sépulture d'un imam du XIXe siècle…

1. Gershon Shafat, *Goush Emounim,* Tel-Aviv, Sifriat Beit El, 1995, p. 298.
2. Alain Dieckhoff, *Les Espaces d'Israël,* Paris, Fondation pour les études de la défense nationale, 1987, p. 149-150.

Goush Emounim veut faire vite, car si cinquante mille Israéliens habitent déjà les nouveaux quartiers juifs construits à Jérusalem-Est, sept mille colons seulement peuplent les quarante-cinq avant-postes installés en Cisjordanie et à Gaza. Mais la composition du nouveau gouvernement suscite bien vite l'inquiétude. Trois jours seulement après son élection, et alors qu'il est hospitalisé, après une légère attaque cardiaque, Begin nomme Moshé Dayan ministre des Affaires étrangères. Un transfuge du parti travailliste ! L'homme qui a laissé les musulmans contrôler le mont du Temple ! La surprise passée, les militants se mettent en quête d'explications pour le rassurer : « *Cela ne signifie pas que Dayan sera responsable de l'ensemble de la politique. L'avenir de la Judée-Samarie restera l'apanage de Begin. Et puis, le nouveau Premier ministre voulait certainement, en cooptant Dayan, tempérer l'hostilité de l'administration américaine qui n'apprécie guère ses prises de position*[1]. »

D'autres mauvaises surprises suivent pourtant. Les partisans de l'annexion – sous une forme ou une autre – de la Cisjordanie n'obtiennent que des strapontins au gouvernement et au Parlement. Le très nationaliste Yitzhak Shamir, l'ancien chef des opérations du Groupe Stern avant l'indépendance, devient certes président de la Knesset. Mais Mordehaï Tsipori, général de réserve et fidèle parmi les fidèles du Grand Israël, n'est que vice-ministre de la Défense. Le portefeuille est détenu par Ezer Weizman, un ancien commandant de l'armée de l'air, dont les positions se sont amollies avec le temps. Durant la campagne électorale, il n'a cessé de répéter que la colonisation dans les territoires occupés devait s'effectuer en conformité avec la politique gouvernementale et selon des priorités bien définies[2]. Seul point véritablement positif : Ariel Sharon, le héros de la guerre d'octobre 73, est ministre de l'Agriculture, et responsable, à ce titre, du dossier de la colonisation. Il est en contact quotidien avec Goush Emounim.

Quoi qu'il en soit, le gouvernement est investi par le

1. Gershon Shafat, *Goush Emounim, op. cit.*, p. 299.

2. Ezer Weizman, *The Battle for Peace*, New York, Bantam Books, 1981, p. 219.

Parlement le 21 juin 1977. Un mois plus tard, Menahem Begin part pour les États-Unis. Première étape : New York, où il reçoit la bénédiction de Menachem Mendel Schneerson, le rabbin de Loubavitch, qui prêche le refus de toute concession territoriale aux Arabes.

SADATE À JÉRUSALEM

Jimmy Carter reçoit Begin en faisant patte de velours. Faire pression sur le Premier ministre israélien risquerait de l'amener à durcir encore ses positions. Il sait, en outre, que le chef du gouvernement israélien est disposé à participer à une conférence de paix à Genève et qu'il accepte le principe de retraits partiels dans le Sinaï et sur le plateau du Golan. Mais il n'y aura pas d'autres compromis en Cisjordanie ou à Gaza[1]. Au cours de deux jours d'entretiens, les deux hommes finissent par conclure un accord secret. Le Président des États-Unis ne fera jamais référence à « un retrait sur les lignes de 1967 avec des rectifications mineures » et Begin – qui refuse toute perspective d'autodétermination des Palestiniens – fera preuve de retenue dans sa politique d'implantation[2].

Cela, Goush Emounim ne l'apprendra que début septembre. Quelques jours avant Rosh Hashana, le nouvel an juif, Hanan Porat est convoqué à la présidence du conseil. C'est une nouvelle déception. Menahem Begin lui explique qu'il s'attend à rencontrer bien des difficultés pour faire approuver par son gouvernement la création de douze nouvelles colonies. Et il ajoute : *« Installez-vous sur le terrain d'une manière partisane [sans l'accord du gouvernement]. Il me sera ensuite plus facile de dire : mes fils ont gagné car il est impensable que Menahem Begin fasse évacuer des Juifs de la Terre d'Israël ! »* Abasourdi, Porat refuse la proposition. Mais le mouvement

1. Ofer Grosbard, *Menachem Begin*, Tel-Aviv Resling, 2006, p. 178.
2. William B. Quandt, *Peace Process*, Washington, Brookings Institute, 2001, p. 184.

est désormais confronté à un double problème. D'une part, une fois de plus, Goush Emounim risque d'être perçu par l'opinion publique comme un mouvement opposé au gouvernement et puis, s'il ne peut pas compter sur l'aide de l'État, il devra trouver seul les fonds nécessaires au financement de l'installation des nouvelles colonies.

Après de longues discussions avec Begin, les responsables de Goush Emounim acceptent donc un compromis. Les futurs colons s'installeront d'abord dans des bases militaires, puis, progressivement, en sortiront pour créer les nouvelles implantations[1].

Mais une autre mauvaise surprise attend le mouvement, car Moshé Dayan a entamé au Maroc des négociations secrètes avec le représentant du Président égyptien. Elles aboutissent à sa visite à Jérusalem, le 19 novembre 1977.

Peu après 20 heures, ce jour-là, l'avion d'Anouar el-Sadate atterrit à l'aéroport Ben-Gourion. Une nouvelle page de l'histoire du Proche-Orient vient de s'ouvrir, et tandis que les Israéliens sont collés à leurs postes de télévision, Ariel Sharon est à l'œuvre. Durant la nuit, il a fait déposer par hélicoptère un groupe de militants du Likoud sur une colline au sud de Naplouse, près de Salfit, un village palestinien. Équipés de tentes et d'un minimum de matériel, ils forment le noyau d'Ariel, une colonie, qui, en 2009, comptera dix-huit mille habitants[2]. Cela n'empêchera pas le mouvement fondamentaliste messianique de vivre comme un cauchemar la visite de Sadate et les négociations qui en découleront.

Le Président égyptien n'a pas choisi la date de son arrivée par hasard : son premier geste, le lendemain, est de se rendre à Jérusalem dans la mosquée Al-Aqsa, pour y faire ses prières de l'Aïd al-Adha, la fête qui commémore le sacrifice d'Ismaël par Ibrahim à La Mecque[3]. Selon le Coran, au moment où ce dernier s'apprêtait à égorger son fils, l'ange Gabriel est apparu, lui intimant de ne pas tuer

1. Gershon Shafat, *Goush Emounim*, *op. cit.*, p. 319-321.
2. Charles Enderlin, *Le Grand Aveuglement*, *op. cit.*, p. 69.
3. Anouar el-Sadate, *In Search of Identity. An Autobiography*, New York, Harper and Row, 1978. p. 365-366.

son fils mais bien plutôt de sacrifier le mouton qu'il lui envoyait du ciel. (D'après le judaïsme, le « sacrifice » d'Isaac par Abraham s'est déroulé sur le rocher de la fondation, au mont du Temple.)

À la Knesset, quelques heures plus tard, Sadate met les points sur les *i* : « *Vous devez renoncer définitivement au rêve de conquête et à la croyance que la force est le meilleur moyen [de s'y prendre] face aux Arabes [...]. Comment parvenir à la paix ? Il est des vérités qu'il faut présenter dans toute leur force et leur clarté : une certaine terre arabe a été conquise par la force et Israël l'occupe toujours par la force armée. Nous exigeons fermement le retrait de ces territoires, y compris de Jérusalem.*

Le retrait complet de la terre arabe conquise en 1967 va de soi. Nous n'accepterons à ce propos aucune discussion et nous n'adresserons de supplique à personne. Une paix stable ne saurait être bâtie sur l'occupation des territoires appartenant à l'autre. [...] Le cœur du problème, c'est la question palestinienne. Personne aujourd'hui dans le monde n'accepte les slogans que l'on a entendus ici en Israël, et qui ignorent la présence du peuple de Palestine. Les droits légitimes du peuple palestinien ne peuvent être récusés ou ignorés. [...] »

Menahem Begin lui répond sans évoquer la question palestinienne, mais en rappelant que, pour Israël, Jérusalem est réunifiée : « *[...] Monsieur le président, aujourd'hui vous avez prié dans une maison de culte sacrée pour la foi musulmane, de là vous vous êtes rendu à l'église du Saint-Sépulcre. Vous avez pu constater un fait, connu de tous, de par le monde, que depuis la réunification de la ville, l'accès aux lieux saints de tous les cultes est absolument libre, sans interférence ou obstacle, pour tous les membres de toutes les religions [...].* »

Le mouvement messianique suit avec angoisse les développements des négociations israélo-égyptiennes en priant pour qu'elles échouent. Les militants qualifient le Président égyptien de « *Menteur* », d'« *Hitler sur le Nil* », et la paix qui se profile à l'horizon de « *fausse, trompeuse* ». Sur un tract, on peut lire : « *Nul ne saurait imaginer de vendre la patrie en échange de la paix !* » Menahem Begin est devenu un traître. Ouri Elitzour, de la colonie Ofra, écrit : « *Son amour de la Terre d'Israël s'est évanoui face à la première épreuve.* » Les militants traquent les responsables de la « trahison » dans l'entourage de Begin, traitent Moshé Dayan et Ezer Weizman de « chevaux de Troie » gauchistes au sein du gouvernement[1]...

Goush Emounim contre Begin

En décembre 1977, le Premier ministre présente à son gouvernement le projet d'accord qu'il s'apprête à soumettre à Washington : la souveraineté recouvrée de l'Égypte sur le Sinaï, l'ouverture de négociations sur l'avenir des implantations israéliennes dans le nord de la péninsule, l'instauration d'une autonomie administrative pour les Palestiniens de Cisjordanie et de Gaza. Jimmy Carter trouvera ce projet « intéressant ». Mais l'administration américaine considère qu'il pourrait tout aussi bien mener à la création d'un État palestinien indépendant. Pour Goush Emounim, cette perspective est évidemment inenvisageable. Le secrétariat du mouvement publie, le 24 décembre, un communiqué :

« *Le plan de paix proposé par le gouvernement ne contient nulle vérité, et n'est inspiré ni par le sens de l'honneur ni par le courage [...] il envisage une paix trompeuse, qui repose sur trois éléments :*

A : le principe d'un retrait total du Sinaï sur les frontières d'avant juin 1967 [...] ce qui entraîne la conception arabe selon laquelle l'élimination de l'agressivité israélienne est la condition de la paix. [...]

B : la perspective d'un retrait israélien des localités juives du secteur de Pithat Rafiah et de [la région de Charm el-Cheikh] afin d'en transférer la souveraineté à l'Égypte témoigne de l'irresponsabilité [du gouvernement]. [...] une telle perspective porte atteinte [...] à l'idéal du sionisme qui, à ses débuts, avait parié que l'implantation engendrerait la souveraineté.

C : Le plan d'autonomie administrative dont bénéficieraient les Arabes de Judée, Samarie et du territoire de Gaza ne se réduit pas à fixer un cadre municipal et régional, il constitue une [excellente]

---

1. Danny Rubinstein, *Goush Emounim*, Tel-Aviv, Hakibbutz Hameuchad, 1982, p. 148.

base à l'instauration d'institutions nationales arabes [qui seraient] issues d'élections générales démocratiques. Il faut être aveugle pour ne pas voir que cette autonomie conduira sans transition à la création d'un État palestinien, quelle que soit l'opposition d'Israël, et que celui-ci sera reconnu par l'immense majorité des États du monde[1]. »

En janvier 1978, les militants effectuent une tentative d'implantation devant la colline de Shilo, où, selon la tradition biblique, les Hébreux ont pendant trois siècles gardé l'arche d'alliance avant de la transférer à Jérusalem. Déguisés en archéologues, les colons sont expulsés *manu militari*...

Les négociations avec l'Égypte vont de crise en crise et, en mars, la gauche israélienne se réveille. Trois cent quarante-huit officiers de réserve adressent une pétition à Menahem Begin : « *[...] C'est avec une profonde inquiétude que nous vous écrivons. Un gouvernement qui donnerait sa préférence à la perspective du Grand Israël à celle d'un État vivant et entretenant de bonnes relations avec ses voisins nous inspirerait de profondes appréhensions. Un gouvernement qui donnerait sa préférence à la perspective de voir s'installer des implantations de l'autre côté de la ligne verte [la frontière de 1967] plutôt qu'à la fin du conflit historique et à l'établissement de relations normales [entre les États] de la région nous ferait douter de la justesse de notre cause.*

La politique gouvernementale conduisant au maintien de la domination [d'Israël] sur un million d'Arabes risque de porter atteinte au caractère juif et démocratique de l'État. [...] Nous avons [pourtant] pleine conscience des conditions de la sécurité de l'État d'Israël et des difficultés qui s'élèvent sur la voie de la paix. [...][2] »

Ces soldats-citoyens lancent, ce faisant, le mouvement La Paix maintenant, qui manifeste aussitôt en masse à Tel-Aviv. Dès sa naissance, il est l'ennemi juré de Goush Emounim. Harold Fisch, le recteur de l'Université religieuse Bar Ilan, rejette la légitimité de cette gauche anticolonisation : « *Les "modérés" refusent de considérer l'originalité existentielle de l'histoire juive [...]. Ils se conduisent comme ces Juifs assimilés de Diaspora qui, ayant à faire face à un antisémitisme vicieux, tournent leur colère contre la communauté juive elle-même où contre tel Juif qui,*

1. Gershon Shafat, *Goush Emounim*, *op. cit.*, p. 333.
2. Charles Enderlin, *Paix ou guerres*, *op. cit.*, p. 434.

par son comportement grossier, pourrait être la cause de l'antisémitisme. [...] Reconnaître comme diabolique l'hostilité arabe envers Israël, [qui n'est que] la poursuite de la guerre d'Hitler contre les Juifs, implique que l'on reconnaisse l'"anormalité" essentielle de la condition juive, la reconnaissance aussi que cette "anormalité" n'a pas cessé avec la création de l'État juif. Nombreux sont ceux qui n'y sont pas prêts. Il est inutile de leur dire que le mystère de l'existence juive implique non seulement des épreuves et des souffrances mais aussi des exaltations et des privilèges, et même le pouvoir... [...] ils ne sont pas prêts à accueillir [l'avènement] de la réalité biblique, à franchir la mer Rouge et à faire la guerre aux Amalécites[1]. »

Le processus de paix avec l'Égypte amène ce grand professeur d'université à critiquer la nature même d'Israël en 1978 : *« L'État d'Israël devait être l'antithèse de la Diaspora avec ses chagrins, sa confiance désespérante en la justice des non-Juifs, une justice qui, toujours, semblait être refusée aux Juifs. Au lieu de cela, Israël paraît avoir hérité de cette même condition. [...] Israël est devenu, comme le Juif des sociétés médiévales, le baromètre de l'état moral des nations. Lorsque le monde est menacé (par la peste noire par exemple), le Juif doit payer*[2]. »

UN RABBIN CONTRE GOUSH EMOUNIM

Le camp sioniste religieux n'est pas uni dans l'opposition à la paix. Le directeur de la yeshiva Etzion, le rabbin Amital, s'oppose à Goush Emounim. Le 21 décembre 1977, il réunit ses étudiants et se prononce en faveur d'un accord avec l'Égypte : *« Où cela va-t-il mener ? C'est un mystère. Personne ne sait s'il y aura la paix. Une paix partielle ? Une paix séparée ? Une paix totale ? Je ne sais, mais beaucoup a déjà été fait si la guerre a été reportée. [...] Je remercie Dieu pour chaque journée qui passe sans guerre, surtout dans la période actuelle. Reporter la*

1. Harold Fisch, *The Zionist Revolution*, Londres, Weidenfeld and Nicolson, 1978, p. 166.
2. *Ibid.*, p. 115.

guerre pendant la période la plus cruciale de l'histoire du peuple juif est une grande chose ! [...] La signification fondamentale de la reconnaissance de l'État d'Israël par certaines nations arabes équivaut à la reconnaissance de la royauté divine. Si un pays important comme l'Égypte est prêt à reconnaître l'État d'Israël, cela signifie véritablement qu'ils reconnaissent le royaume de Dieu. [...] Il peut se créer une situation où nous devrons renoncer à certains territoires, et il peut se créer une situation où les intérêts du peuple d'Israël exigeront que nous ne restituions rien. Ceci est le problème central. [...] Rien ne me met plus en colère – au point que j'en perde vraiment mon sang-froid – que lorsque j'entends des Juifs parler de la paix comme d'un pari. La paix peut-elle être un pari ? Qui dit cela est un menteur ou quelqu'un de désespérément naïf. Appartenant à une génération qui a perdu un tiers de son peuple consumé sur l'autel [de la Shoah], ils parlent de la paix comme d'un pari ? [...][1] »

En août 1978, le Shabak, la sécurité intérieure, lance un coup de filet dans les milieux messianiques. Huit jeunes membres d'une organisation secrète, Rédemption d'Israël, sont arrêtés et accusés d'avoir préparé un coup d'État afin de mettre en place un régime théocratique. La plupart d'entre eux sont les étudiants d'un certain Yoël Lerner, 37 ans, bien connu des services de police. Proche du rabbin Meir Kahana, il a été mis derrière les barreaux une première fois en 1974, soupçonné qu'il était d'avoir incendié une librairie distribuant le Nouveau Testament et deux institutions chrétiennes. Faute de preuve, le tribunal l'avait acquitté de ces accusations, mais condamné à vingt-six mois de prison pour avoir préparé la destruction du Dôme du Rocher et de la mosquée Al-Aqsa. En l'occurrence, les choses étaient sérieuses. Edmond Azran, sous-lieutenant d'active, membre du réseau, avait dérobé des armes, des explosifs et des détonateurs à l'armée[2]. Des entraînements militaires étaient discrètement organisés dans des champs près de Jérusalem. Une douzaine d'opérations terroristes

1. Cité par Elyashiv Reichner, in *By Faith Alone. The Story of Rabbi Amital*, Jérusalem, Koren, 2011.

2. *Yediot Aharonot*, 11 août 1978.

étaient ainsi en préparation, contre certains ministères et contre le mont du Temple.

Goush Emounim s'empresse de prendre ses distances avec ce groupe. Israël Harel, l'un des idéologues du mouvement, publie un long article dans *Yediot Aharonot.* En fait, déplore-t-il, Lerner a instrumentalisé ses élèves, des jeunes issus de couches sociales défavorisées. Connaissant son passé, l'école religieuse où il enseignait l'avait pourtant embauché à la condition qu'il ne fasse pas de politique[1].

Azran sera condamné à dix-huit mois de détention et Lerner à trois ans de prison[2].

Tôt, le matin du 11 mars 1978, douze Palestiniens débarquent de deux embarcations sur la plage de la réserve naturelle de Maagan Mikhaël, près de l'autoroute Haïfa-Tel-Aviv. Ils abattent une jeune photographe américaine venue prendre des clichés d'oiseaux. Le commando tire ensuite sur quelques voitures et parvient à prendre le contrôle de deux autobus de la coopérative routière Egged. Les terroristes enferment leurs otages dans un seul véhicule. Ceux-ci participaient à une excursion. L'alerte est donnée. L'autobus est intercepté au carrefour de Glilot, au nord de Tel-Aviv, à quelques centaines de mètres d'une base militaire importante. Policiers et soldats ouvrent le feu. Les Palestiniens ripostent. Des grenades sont lancées. L'autobus prend feu. Des parents tentent de sauver leurs enfants en les jetant par la fenêtre. Une Palestinienne les saisit et les remet dans la fournaise. La nuit venue, lorsque les combats prendront fin, les sauveteurs découvriront les corps de trente-sept otages israéliens. Il y a en outre soixante-dix-huit blessés, dont quatre dans un état grave. Neuf terroristes sont morts. Trois autres seront capturés quelques heures plus tard. Pour faciliter la traque des fuyards, et dans la crainte d'une nouvelle attaque, le couvre-feu sera imposé pendant près d'une journée au nord de Tel-Aviv.

Pour les dirigeants israéliens, cet attentat est un *casus*

1. *Yediot Aharonot,* 13 août 1978.
2. Nadav Shragaï, *Ha Maavak al Har Habeit, op. cit.*, p. 88-90 ; Ehoud Sprinzak, *Brother Against Brother, op. cit.*, p. 276-277.

belli. Cinq jours plus tard, ils déclenchent une importante opération militaire au Sud-Liban. Tsahal avance jusqu'à la rivière Litani, qu'il franchit en certains endroits. Les soldats israéliens procèdent à un ratissage systématique, capturent des centaines de combattants palestiniens. Le Conseil de sécurité de l'ONU vote alors une résolution créant une nouvelle force internationale chargée de s'interposer le long de la frontière libanaise : la FINUL, qui prend position le 30 juin 1978, à mesure que s'opère le retrait israélien. L'enclave de l'armée du Sud-Liban, la milice pro-israélienne du commandant Saad Haddad, est élargie à une bande de territoire d'une profondeur de dix à quinze kilomètres s'étendant le long de la frontière israélienne. Le général Shlomo Gazit, le chef des renseignements militaires, s'était élevé contre la création d'une telle zone de sécurité. Il craignait l'installation d'implantations juives dans cette région, ce qui menacerait plus encore, pensait-il, le conflit israélo-arabe.

L'autonomie pour les Palestiniens ?

D'autres mauvaises nouvelles attendent Goush Emounim. Le 17 septembre 1978, à Camp David, sous la houlette de Jimmy Carter, Menahem Begin et Anouar el-Sadate signent deux accords cadres. Le premier trace les grands principes de la paix entre les deux pays. Israël reconnaît la souveraineté égyptienne jusqu'à la frontière internationale définie à l'époque mandataire. L'armée israélienne va bientôt se retirer de l'ensemble du Sinaï. Et va donc devoir évacuer toutes les colonies qui y ont été construites depuis 1967… Le second texte, intitulé « Cadre pour la paix au Proche-Orient », prévoit l'octroi d'un régime d'autonomie pour les Palestiniens de Cisjordanie et de Gaza, à savoir : la création d'une autorité d'autogouvernement librement élue, le retrait des forces israéliennes (appelées à être redéployées sur des secteurs déterminés), la mise sur pied d'une force locale qui pourrait comprendre des citoyens jordaniens. Mais ce n'est pas tout : *« Les négociations seront fondées sur toutes les provisions et principes de la résolution 242 du Conseil de sécurité. Les négociations résoudront, entre autres questions, le tracé des frontières et la nature des arrangements de sécurité. L'issue de ces négociations devra également reconnaître le droit légitime du peuple palestinien et ses justes exigences. Ainsi, les Palestiniens participeront à la détermination de leur avenir* [...][1]. » Toutes choses absolument inacceptables pour l'extrême droite nationaliste et le mouvement messianique.

En fait, Begin a fait là une concession plus apparente que réelle puisqu'il n'est jamais question de droit à l'autodétermination mais d'« autonomie individuelle ». En hébreu, le Premier ministre israélien continue d'ailleurs d'appeler les Palestiniens les « Arabes d'Eretz Israël ». Selon Aryeh Naor, qui fut son secrétaire de gouvernement, il considérait, en tout état de cause, que seuls les Juifs disposent d'un droit historique sur la Terre d'Israël[2].

Quarante-huit heures plus tard, Goush Emounim riposte pourtant par une tentative d'implantation à Hawara, près de Naplouse. Les colons, qui appartiennent au groupe « Eilon Moreh », sont immédiatement encerclés par l'armée. Ezer Weizman arrive sur place dans la soirée. À Hanan Porat et au rabbin Levinger, il annonce : « *Moi, je n'ai pas promis beaucoup d'Eilon Moreh*[3]. » Dans son autobiographie, le ministre de la Défense raconte la suite :

« *Dans le passé, j'étais en faveur du Grand Israël, déclare-t-il à ses deux interlocuteurs. Mais mon objectif aujourd'hui – et il est au-dessus de tout –, c'est la paix avec les Arabes. C'est pourquoi je suis venu vous convaincre de quitter cet endroit.* »

Levinger : « *Vous vivez dans l'illusion.* »

Weizman : « *Peut-être ! Mais que serait-il arrivé si Nasser, en 1965, était venu en disant "Faisons la paix ?" Eh bien, tout le monde aurait dansé de joie, sans que nous ayons la Judée ou la Samarie ou Gaza ! [...] Et à présent, quand j'affirme vouloir instaurer des relations pacifiques avec eux, vous me dites que je me fais des illusions ? Je pense que nous devons trouver le moyen*

1. Charles Enderlin, *Paix ou guerres, op. cit.*, p. 444-445.
2. Aryeh Naor, *Eretz Israel Ha Shlema, op. cit.*, p. 184.
3. Gershon Shafat, *Gush Emunim, op. cit.*, p. 344.

de continuer à vivre au Moyen-Orient, et je crois que la voie que je propose offre une forte probabilité de coexistence. [...] La solution que propose le gouvernement israélien est un moindre mal. En tant que Juif et Israélien, je voudrais nous voir contrôler l'ensemble de la Terre d'Israël, jusqu'au Jourdain. Je voudrais que la Samarie soit comme la Galilée. Mais, comprenez que ce que nous n'avons pas pu accomplir durant toutes ces années est difficilement réalisable à présent. »

Hanan Porat : *« Parlons-nous de châteaux en Espagne ? Avons-nous renoncé à la possibilité d'imposer notre souveraineté sur la Judée et la Samarie ? »*

Weizman : *« Il est plus probable que nous l'ayons perdue [...]. »*

« Au Diable Sadate ! J'espère qu'il prendra une balle ! » lance un colon. Weizman leur répond : *« Au moins, vous ne m'avez pas traité de "traître !" »*

« Mais c'est ce que nous pensons ! En signant ces accords, vous trahissez le peuple et la Terre d'Israël[1]. *»* Rien n'y fait. Les colons sont évacués de force.

Après d'ultimes pourparlers, le traité de paix est signé à Washington le 26 mars 1979. L'équilibre stratégique du Proche-Orient vient de basculer. L'Égypte, le plus important des pays arabes, n'est plus l'ennemi de l'État juif. Pour la première fois depuis sa création en 1948, Israël établit des relations diplomatiques avec un État arabe. Begin a les mains libres. Les négociations sur l'autonomie palestinienne prévues par l'accord avec Sadate sont une formalité sans objet, vite expédiée. La délégation israélienne qui en est chargée est d'ailleurs dirigée par Yossef Burg, le ministre de l'Intérieur, président du parti national religieux ! En tout état de cause, l'OLP et le Front du refus arabe boycottent ces pourparlers. Menahem Begin, on l'a dit, entend se contenter de discuter de l'« autonomie des personnes » pour les « Arabes d'Ertz Israël », et non du statut des terres sur lesquelles ils vivent. Sa vision des Palestiniens rejoint ainsi parfaitement celle de Goush Emounim, et il entend d'ailleurs relancer la colonisation. Il s'agit d'abord pour

---

1. Ezer Weizman, *The Battle for Peace*, Toronto, Bantam Books, 1981, p. 220-221.

lui de tenir sa promesse de construire l'implantation Eilon Moreh, dont les futurs habitants attendent toujours dans le camp militaire de Kaddoum...

Droit historique et titres de propriété

Le 7 juin 1979, des terres de Roujeib, un village palestinien près de Naplouse, sont réquisitionnées. Mais les propriétaires des terrains font appel devant la Haute Cour de justice israélienne. Pour Goush Emounim, il ne devrait pas y avoir de problème. Le rabbin Shlomo Aviner, un disciple de Kook, et directeur d'une école talmudique consacrée à l'éducation des futurs prêtres du Temple, développe une explication qu'il voudrait définitive : « *Voici une analogie. Un homme pénètre sans permission dans la maison de son voisin et y habite pendant des années, et lorsque le propriétaire revient, l'intrus déclare : "C'est ma maison. J'y habite depuis des années." Durant tout ce temps, il n'était qu'un voleur ! [...] Certaines personnes pourraient dire qu'il y a une différence entre habiter dans un endroit pendant trente ans et y vivre pendant deux mille ans. Posons la question : Existe-t-il une loi de prescription qui accorde au voleur le produit de son larcin ? [...] Tous ceux qui se sont installés ici savaient parfaitement qu'ils vivaient sur une terre appartenant au peuple d'Israël. Donc, le groupe ethnique qui s'est installé à cet endroit n'a aucun droit de propriété sur la terre*[1]. »

La justice israélienne voit évidemment les choses tout autrement. C'est que les Conventions de Genève interdisent l'expropriation et la confiscation de terres par un occupant, sauf quand la sécurité d'Israël est en jeu. Quatre mois plus tard, les juges ordonneront donc le démantèlement de la colonie. Elle sera reconstruite sur une colline avoisinante qui dépend de l'administration des domaines, dont la tutelle revient à... l'administration militaire israélienne. Les fondamentalistes messianiques réalisent qu'au XXe siècle, le droit

1. Cité par Yehoshafat Harkabi, in *Israel's Fateful Decisions*, Londres, Tauris, 1988, p. 149.

historique (et religieux) ne saurait valoir titre de propriété, et d'autant moins que la politique et la raison d'État s'en mêlent.

Cela n'empêche pas la colonisation de se développer très officiellement, avec l'aide directe du département des implantations de l'Organisation sioniste mondiale. Le Likoud a nommé à la tête de cet organisme Mattitiahou Drobles. Enfant rescapé du ghetto de Varsovie, réfugié en Argentine après la Seconde Guerre mondiale avant d'immigrer en Israël en 1950, il a milité au sein du parti de Menahem Begin, et son but est de peupler la Cisjordanie de Juifs. Ses experts ont dressé un plan qui vise à créer soixante colonies en cinq ans. Selon le ministère de l'Intérieur, 22 800 Israéliens habitent alors les territoires occupés.

L'administration militaire de la Cisjordanie a reconnu trois conseils régionaux juifs, sur le modèle existant en Israël. Les colonies, au fur et à mesure de leur construction, ont désormais des maires élus, prélèvent des taxes municipales, tracent des plans d'urbanisation. Le tout sur les terres domaniales dépendant donc de l'occupant. Goush Emounim, mouvement extraparlementaire composé de volontaires, s'efforce alors de laisser le champ libre sur le terrain à « Amana », une organisation de colonisation reconnue par le ministère de l'Agriculture et le département des implantations de l'Agence juive, et qui émane de Goush Emounim. Les principaux militants de l'organisation deviennent des édiles élus. Très vite les maires des colonies créent « Moetzet Yesha » (le conseil des localités de Judée-Samarie) qui devient l'interlocuteur de l'armée et du gouvernement, mais est aussi l'instrument politique des colons. Une infrastructure militaire territoriale est par ailleurs mise en place : elle intègre des réservistes habitant la Cisjordanie et qui font donc, sur place, des gardes et des patrouilles. Chaque colonie dispose d'un responsable de la sécurité.

Le départ des deux ministres opposés à la politique d'implantation de Begin facilite les choses. Moshé Dayan a donné sa démission le 2 octobre 1979. Il a compris que les négociations sur l'autonomie palestinienne ne mèneraient nulle part. En mai 1980, Ezer Weizman quitte le ministère de la Défense pour les mêmes raisons. Le rêve d'une paix régionale s'estompe.

Détruire les mosquées, disent-ils

L'urgence, pour les groupes fondamentalistes, c'est d'empêcher le retrait du Sinaï, et surtout l'évacuation des colonies israéliennes construites dans la percée de Rafah. Le précédent serait trop grave pour le mouvement messianique. Secrètement, un petit groupe prépare une opération appelée à bouleverser le Proche-Orient : la destruction du Dôme du Rocher et de la mosquée Al-Aqsa à Jérusalem. Le promoteur de ce projet s'appelle Yehouda Etzion, l'un des fondateurs de la colonie d'Ofra. Ce n'est pas un adepte de la doctrine théologique du rabbin Kook. Et il n'est pas issu de Merkaz Ha Rav, mais d'une école talmudique installée près de Haïfa. Il rejoindra ensuite une yeshivat hesder[1]. Son maître à penser s'appelle Shabtaï Ben Dov[2]. Ce dernier, né à Vilnius en 1924, a immigré en Palestine à l'âge de 11 ans. Adolescent au début des années 1940, il a été condamné par les autorités britanniques pour sa participation au « Etzel en Israël », l'organisation terroriste antibritannique dirigée par Avraham Stern. Après la guerre d'Indépendance et des études universitaires, Ben Dov s'est lancé dans l'étude des textes sacrés, publiant plusieurs ouvrages qui seront les livres de chevet de Yehouda Etzion.

Yehoshoua Ben Shoshan est sur la même ligne que Etzion, qui le recrute. Il faut agir pour accélérer la venue des temps bibliques. Issu d'une vieille famille séfarade de Jérusalem, religieux, il est officier dans un commando d'élite. Blessé lors de la guerre d'octobre 1973, il a poursuivi des études

1. École talmudique accueillant des jeunes religieux effectuant cinq ans de service répartis en trois ans et demi d'études religieuses et un an et demi de service militaire.

2. Shabtaï Ben Dov n'est autre que l'avocat qui, en 1968, avait demandé au gouvernement d'autoriser la prière juive sur le mont du Temple.

talmudiques dans la yeshivat hesder Merkaz Ha Rav. Depuis 1978, il est le commandant de la défense territoriale du nord de la Cisjordanie. Le général Benjamin Ben Eliezer, le gouverneur militaire, l'a nommé à ce poste en sachant parfaitement qu'il faisait entrer le loup dans la bergerie...

À plusieurs reprises, Ben Shoshan a en effet organisé et dirigé des opérations d'implantation sauvage. Les militaires chargés d'y faire obstacle l'ont découvert à la tête des colons qu'ils affrontaient. L'autre officier recruté par Etzion s'appelle Menahem Livni. Il est commandant en second d'un bataillon du génie, vit à Kyriat Arba, la colonie d'Hébron, mais il est surtout un disciple du rabbin Levinger. Dans le réseau se trouve également Hagaï Segal d'Ofra, éditorialiste et fondateur de *Nekouda*, la revue de Goush Emounim.

Tous ces hommes recrutent alors quelques complices, et ils commencent par prendre l'avis de quelques rabbins. Sept d'entre eux se seraient prononcés contre la destruction des mosquées. Le rabbin Shlomo Aviner est ainsi contacté. À la question : Faut-il détruire l'abomination ? (le Dôme du Rocher et la mosquée Al-Aqsa), il répond par la négative. Le rabbin Yehouda Meir Guetz, responsable du mur occidental, rejette lui aussi cette idée, en expliquant que l'État d'Israël serait obligé de financer la reconstruction des mosquées détruites. À Hébron, le rabbin Levinger se dit lui aussi opposé, d'autant que, selon lui, pour réussir une opération de ce type, il faut, au préalable, préparer le public en suscitant un profond changement spirituel[1]. Ben Shoshan conclura, après plusieurs rencontres avec le rabbin Kook, que ce dernier n'est pas opposé à l'opération. Un cabbaliste, de son côté, aurait lui aussi donné une réponse positive. Aucun de ces rabbins n'alertera les services de sécurité du complot qui se trame.

En fait, le consensus théologique au sein du sionisme religieux, et en particulier de Goush Emounim, est fondé sur la notion de « processus eschatologique » débutant par la base. Il est indispensable, d'abord, de peupler toute la Terre d'Israël et d'attirer le public non religieux vers la

1. Nadav Shragaï, *Ha Maavak al Har Habeit, op. cit.*, p. 109-110.

Torah. La plupart de ces rabbins considèrent, dans ces conditions, qu'il est interdit de vouloir précipiter l'arrivée de la rédemption. Pour l'heure, sans prendre la décision de passer à l'action, le réseau de Yehouda Etzion entame des préparatifs, effectue des dizaines de repérages autour de l'esplanade des Mosquées. À l'aide d'explosifs volés dans une base militaire, vingt-cinq charges explosives de précision sont préparées. Le réseau se procure des silencieux pour équiper leurs pistolets mitrailleurs Ouzi afin, en cas de nécessité, de liquider les gardiens du Waqf. Mais au fil des semaines, en l'absence de feu vert d'une autorité rabbinique de premier plan, les volontaires se désistent les uns après les autres. Seuls Etzion et Livni sont fermement décidés à passer à l'action.

Un événement viendra brouiller leurs plans. Le 2 mai 1980, un commando du Fatah tue six colons à Hébron. Le Shin Beth capture les quatre auteurs de l'attaque quelques jours plus tard. Menahem Livni propose alors à Etzion de riposter. Leur cible : le Comité de guidance nationale formé des maires pro-OLP de plusieurs localités palestiniennes. Un mois plus tard, durant la nuit, à Naplouse, Nathan Nathanson, le responsable de la sécurité de la colonie de Shilo, Ira Rappaport, un immigrant américain, et Moshé Zar, un promoteur immobilier spécialisé dans l'achat de terres palestiniennes, piègent la voiture de Bassam Shakaa. Il perdra ses deux jambes dans l'explosion. À Ramallah, la charge est placée dans le véhicule de Karim Khalaf, le maire de la ville, par Yitzhak Novik et Hagaï Segal d'Ofra. Lui aussi est sérieusement blessé. Une charge explose ensuite dans le garage du maire d'Al-Bireh au moment où un artificier de la police tente de la désamorcer. Ce dernier y laissera ses deux yeux. Un officier avait été averti de l'attentat par Novik, qui craignait que des soldats s'approchent du véhicule. Ce militaire n'aura pas informé les services de sécurité[1].

Les colons et l'extrême droite nationaliste applaudissent à tout rompre à la série d'attentats. Un député du parti

1. Robert I. Friedman, *Zealots for Zion*, New York, Random House, 1992, p. 26.

national religieux déclare : *« Que tous les ennemis d'Israël périssent ainsi*[1] ! » Quarante-huit heures plus tard, le général Benjamin Ben Eliezer, recevant les responsables du conseil des implantations, exprime toute sa satisfaction. Et d'ajouter : *« Dommage que le travail n'ait été fait qu'à moitié. »* Tout le monde était content déclarera l'un des colons, *« nous ne savions pas qui étaient les auteurs des attentats mais tous nous avions le sourire »*. Es qualité, Nathanson participe à la rencontre et croit comprendre que le réseau jouit du soutien tacite des autorités[2].

Avraham Ahituv, le patron du Shabak, l'agence de contre-espionnage israélienne, est furieux. Persuadé que Goush Emounim a mis en place un réseau terroriste secret depuis plus d'un an, il réclame au Premier ministre l'autorisation de mettre les dirigeants du mouvement sur écoutes. Mais Menahem Begin, ancien détenu du Goulag soviétique, lui répond invariablement qu'en Israël, les services de sécurité n'espionnent pas les Juifs. Une longue enquête commence. Mesure préventive, le rabbin Meir Kahana est placé en détention administrative, sans procès. L'un des colons tués à Hébron était un de ses fidèles.

Le combat contre le retrait du Sinaï et l'évacuation des colonies de la percée de Rafah demeurent les priorités des mouvements fondamentalistes messianiques. Du coup, Hanan Porat lance l'idée d'un nouveau parti politique qui réunirait annexionnistes laïques et sionistes religieux. Le rabbin Kook y est favorable et suggère quelques noms. Le professeur Youval Neeman, un grand physicien[3], et deux anciens du LEHI, le groupe Stern : Israël Eldad, l'idéologue, et Geoula Cohen, la militante. Cette nouvelle formation prend le nom de Tehiya, ce qui signifie « Renaissance » en hébreu. Façon comme une autre de se référer aux « dix-huit principes de la Renaissance » selon Avraham Stern, le fondateur de l'organisation qui avait combattu les Britanniques

1. Cité par Ehoud Sprinzak, *Brother Against Brother*, *op. cit.*, p. 97.
2. Robert I. Friedman, *Zealots for Zion*, *op. cit.*, p. 27.
3. Il est l'un des initiateurs du nucléaire israélien.

avant l'indépendance de l'État, et dont la charte prévoyait, à l'issue d'un processus néo-messianique, la reconstruction du Temple. On y lit :

« *1. La nation. Le peuple juif est un peuple élu, à l'origine du monothéisme et de l'enseignement des Prophètes, le porte-étendard de la culture humaine, le gardien d'un patrimoine glorieux. Le peuple juif est éduqué [dans l'esprit] du sacrifice et de la souffrance. Sa vision de la survie et sa foi en la rédemption sont indestructibles.*

2. La patrie. La patrie se trouve dans la Terre d'Israël dont les frontières ont été définies par la Bible (“À tes descendants je donnerai cette terre depuis le fleuve d'Égypte jusqu'à la grande rivière, l'Euphrate”, Genèse 15, 18). C'est la terre des vivants où la nation entière vivra en sécurité.

3. La nation et sa terre. Israël a conquis la terre par l'épée. C'est là qu'il est devenu une grande nation et là qu'il renaîtra. Israël seul a donc un droit sur cette terre. C'est un droit absolu qui n'a jamais expiré et n'expirera jamais.

4. Les objectifs. 1) Rédemption de la terre. 2) Établir la souveraineté. 3) La renaissance de la nation [...]

Voici les objectifs du mouvement durant la période de souveraineté et de rédemption.

11. Souveraineté. Rétablissement de la souveraineté juive sur la terre après sa rédemption.

12. Régime de justice. L'établissement d'un ordre social dans l'esprit de la morale juive et la justice des Prophètes. Dans un tel ordre social, il n'y aura ni affamés ni chômeurs. Tous vivront harmonieusement dans le respect mutuel et l'amitié et seront un exemple pour le monde

13. Bâtir le désert. Reconstruire les ruines et bâtir le désert pour une immigration de masse. [...]

14. Les étrangers. Résoudre le problème des populations étrangères [les Arabes habitant la Terre d'Israël] par un échange de populations.

15. Réunir les exilés. Réunir dans leur État souverain tous les exilés [juifs].

16. Puissance. La nation juive deviendra une entité militaire, politique, culturelle et économique de premier plan au Proche-Orient et sur le pourtour de la Méditerranée.

17. Renaissance. La renaissance de la langue hébraïque comme langage de la nation entière. La renaissance de la puissance historique et spirituelle d'Israël. La purification du caractère national par le feu de la renaissance.

18. Le Temple. Construire le troisième Temple [juif] comme symbole d'une nouvelle ère de rédemption totale[1]. »

Le parti Tehiya voit officiellement le jour en octobre 1979. Deux de ses membres, Geoula Cohen et l'écrivain Moshé Shamir, sont des transfuges du Likoud et, une fois élus députés, combattront à la Knesset au nom des principes de leur nouvelle formation. Le 30 juillet 1980, Cohen parviendra ainsi à faire adopter une loi fondamentale proclamant Jérusalem ville unifiée et capitale d'Israël. Initiative condamnée à deux reprises par le Conseil de sécurité des Nations unies, le 20 août de la même année. Les résolutions condamnant Israël ont été votées par quatorze voix pour et une seule abstention, celle des États-Unis[2].

Pour autant, ce morceau de bravoure ne permettra pas au parti Tehiya d'avoir plus de trois élus aux élections législatives du 30 juin 1981 : Geoula Cohen, Youval Neeman et Hanan Porat. Pas de quoi gêner Menahem Begin, dont le Likoud obtient quarante-huit sièges. Kach, la liste kahaniste, ne parvient pas à faire son entrée à la Knesset. Son numéro deux sur la liste électorale n'était autre qu'Israël Ariel (Steiglitz), qui a pris ses distances d'avec l'enseignement de la yeshiva Merkaz Ha Rav pour embrasser la théologie nouvelle du rabbin Kahana.

1. Charles Enderlin, *Par le feu et par le sang, op. cit.*, p. 67-69.
2. http://unispal.un.org/UNISPAL.NSF/0/DDE590C6FF232007852560DF0065FDDB

Le mont du Temple, en bas et en haut

Un autre événement menace de bouleverser le Proche-Orient et de faire obstacle au retrait dans le Sinaï. Le 22 juillet, en faisant effectuer des fouilles dans le souterrain qui longe le Mur occidental, le rabbin Meir Yehouda Guedz a découvert une gigantesque salle de trente mètres sur soixante sous l'esplanade des Mosquées. Il est convaincu qu'un peu plus loin se trouve la base du rocher de la fondation, et, selon la Cabbale, les trésors du Premier Temple. Peut-être même l'arche d'alliance[1] ! Ce serait évidemment un événement de portée mondiale. Seuls sont mis dans le secret quelques officiels.

Au sein du gouvernement, le ministre de la Défense, Ariel Sharon, son collègue aux Affaires religieuses, Yossef Burg, et Ygaël Yadin, vice-président du conseil. Menahem Begin, lui, n'est pas mis au courant : ne serait-il pas susceptible d'ordonner la fermeture immédiate de cette salle afin de ne pas perturber les négociations qui se déroulent alors en Égypte ? Les grands rabbins d'Israël se rendent discrètement sur place. Ovadia Yossef, le séfarade, exprime des doutes sur l'aspect religieux de l'entreprise et les risques de profanation. Shlomo Goren, lui, encourage Guedz à poursuivre les travaux[2].

Le 9 août 1981, soit le 9 du mois d'Av selon le calendrier hébraïque, les Fidèles du mont du Temple tentent à nouveau de pénétrer sur l'esplanade des Mosquées, dans la vieille ville de Jérusalem. Une quinzaine d'entre eux, parmi lesquels Gershon Salomon, et deux rabbins, Levy Yitzhak Rabinovitch et Moshé Segal, parviennent à franchir le barrage de police. Ils commencent à lire à voix haute les poèmes du livre des Lamentations de la Bible[3]. Plusieurs policiers tentent en vain de les éloigner. Le rabbin hurle : « *Vous ne me sortirez pas d'ici vivant !* »

---

1. Témoignage du rabbin Guedz recueilli par l'auteur, décembre 1990.
2. Nadav Shragaï, *Ha Maavak al Har Habeit*, *op. cit.*, p. 214-222.
3. Megilat Ikha.

Des jeunes Palestiniens se dirigent alors vers le groupe, armés de bâtons. La tension monte. Finalement les Juifs sont évacués sous des volées de pierres. Devant la porte des Maghrébins, ils achèvent leurs prières et chantent la *Hatikva*, l'hymne national. Plusieurs militants sont interpellés, accusés d'entrave à la force publique. Salomon et Segal déclarent alors aux journalistes que le gouvernement porte seul la responsabilité de cette situation, dans la mesure où il empêche les Juifs de prier sur le mont du Temple et n'impose pas sa souveraineté sur l'ensemble de Jérusalem. Salomon affirme, en outre, que plusieurs députés appartenant à divers partis politiques ont décidé de mettre en place un groupe de pression afin de mettre fin à cette situation[1].

Une semaine plus tard, sur l'esplanade des Mosquées, entendant de l'hébreu sorti d'un puits, des employés du Waqf découvrent les travaux en cours. Des visages apparaissent dans l'ouverture située dans le plafond de la salle souterraine. Guedz réalise que son secret a été éventé. Craignant que les Palestiniens ne jettent des pierres – voire une grenade – sur ses ouvriers, il fait installer des échafaudages en guise de plafond. Rien ne filtre dans la presse jusqu'au 27 août, jour où la radio israélienne diffuse la nouvelle de la découverte. Le jour même, le Waqf, la Ligue arabe et l'OLP publient des communiqués accusant Israël de saper les fondations du Haram al-Sharif. Guedz et le rabbinat répondent par des explications pour le moins alambiquées : ce serait par hasard qu'ils auraient découvert la salle se trouvant sous l'esplanade des Mosquées. Il s'agissait seulement pour eux, disent-ils, de protéger une armoire contenant des rouleaux de la Torah, et qui avait été endommagée par de l'eau qui suintait du mur... Sur place, les musulmans ne l'entendent pas de cette oreille. La nuit venue, des jeunes Palestiniens descendent installer une cloison devant l'entrée percée par les Juifs. L'affaire se terminera quarante-huit heures plus tard par une bagarre dans les souterrains. La police décidera finalement de laisser

1. *Haaretz*, 10 août 1981.

le Waqf achever la construction du mur interdisant l'accès à la salle découverte par Guedz[1].

Contre le retrait du Sinaï

Le conseil des implantations de Judée-Samarie soutient et finance sur ses fonds publics le mouvement contre le retrait du Sinaï, qui a vu le jour en octobre 1981. Celui-ci est dirigé notamment par Ouri Elitzour et Hanan Porat. Avec la bénédiction de leurs rabbins, de nombreux colons ont quitté leur domicile en Cisjordanie et à Gaza pour s'installer dans les localités de la percée de Rafah, certains avec femme et enfants. Au fil des mois, la région est transformée en véritable place forte. Et maintenant, des centaines de manifestants s'apprêtent, dans la ferveur, à faire face à l'armée. Leurs chefs religieux parlent d'un « saint combat pour la Terre sainte ». Devenu, *de facto*, le rabbin de Yamit, Israël Ariel (Steiglitz) prêche la résistance physique et lance des appels aux soldats pour qu'ils désobéissent à l'ordre d'évacuation. Moshé Levinger annonce qu'on pourrait assister à des suicides.

Le rabbin Yehouda Amital, lui, est favorable au retrait. Il a interdit à ses étudiants de se rendre à Yamit pendant la période d'étude. Ils ne sont autorisés à y aller que pendant les vacances de Pessah, la Pâque juive. Le chef de la yeshiva Etzion ne considère pas cette région du Sinaï comme particulièrement sainte, ce qui lui vaudra de virulentes critiques de la part des rabbins proches de Merkaz Ha Rav. Déjà, il a rejeté la vision de la Shoah selon Zvi Yehouda Ha Cohen Kook : « *Dire que l'holocauste était destiné à faire venir les Juifs en Terre d'Israël est une chose que je ne saurais accepter en aucun cas. Un million et demi d'enfants ont été assassinés pour amener les Juifs en Terre d'Israël*[2] *?* » Mais, Yehouda Amital est de plus en plus isolé au sein du sionisme religieux.

1. *Haaretz*, 30 août 1981.
2. Yair Sheleg, *Haaretz*, 10 juin 2005.

L'opération débute le 26 février 1982. Vingt mille soldats sont déployés, équipés de gigantesques cages accrochées à des grues afin de neutraliser, *manu militari*, les colons barricadés sur les toits. La bataille, filmée par des équipes de télévision, prend fin trente-six heures plus tard. Le dernier drame se sera déroulé devant un bunker où un groupe de militants du Kach s'était barricadé avec des explosifs et du cyanure. Ils menaçaient de se suicider. Meir Kahana, lui-même, a été rappelé des États-Unis, où il se trouvait en visite. Un hélicoptère militaire l'a conduit sur place depuis l'aéroport Ben-Gourion. Il parviendra finalement à persuader ses disciples de quitter les lieux sans mettre leurs menaces à exécution.

Le lendemain, toutes les maisons de la région de Yamit seront détruites par les bulldozers de l'armée[1]. Le psychodrame messianique est terminé. La paix avec l'Égypte a entravé le processus de rédemption rêvé par les fondamentalistes. Et les chefs de Goush Emounim en concluent que leur erreur a été de ne pas s'être adressés à l'opinion publique avant d'entreprendre leur combat. Ils pensent néanmoins que le message adressé au gouvernement est clair : l'évacuation de Cisjordanie et de Gaza est impensable. Hanan Porat déclare alors : « *Jamais nous n'avons assisté à une telle dévotion, une telle intensité, une énergie, des initiatives de telles magnitudes. [...] nous avons produit un réveil formidable au sein de notre jeunesse*[2]. » Il n'empêche : le mouvement a subi une défaite, et la tristesse qui domine parmi les militants sera encore aggravée, le 9 mars, par le décès de leur mentor, le rabbin Zvi Yehouda Ha Cohen Kook. Des milliers de fidèles assisteront à ses obsèques.

La lutte pour sa succession à la tête de la yeshiva Merkaz Ha Rav débute dès la fin de la période de deuil. La plupart des enseignants demandent au rabbin Avraham Shapira, le

---

1. Ehoud Sprinzak, *The Ascendance of Israel's Right*, *op. cit.*, p. 103-105 ; *Brothers Against Brothers*, *op. cit.*, p. 173-174 ; Charles Enderlin, *Paix ou guerres*, *op. cit.*, p. 466.

2. Cité par Ehoud Sprinzak, *The Ascendance of Israel's Right*, *op. cit.*, p. 153.

directeur administratif, de nommer le rabbin Zvi Tau, considérant qu'il est le plus apte à poursuivre l'enseignement de Kook. Shapira refuse, et prend la direction spirituelle de l'établissement. Tau, à l'instar de Kook, prêche la prééminence des institutions de l'État et condamne les appels à l'insubordination lancés par certains rabbins. Deux camps ennemis se forment, ce qui va considérablement affaiblir l'influence de la yeshiva au sein du sionisme religieux.

Meurtre sur le Haram al-Sharif

À huit heures et demie, au matin du 11 avril 1982, un soldat armé d'un fusil d'assaut M16 pénètre sur l'esplanade des Mosquées et ouvre le feu en direction des policiers qui tentent de l'arrêter. Devant le Dôme du Rocher, il tue un des gardiens du Waqf et en blesse quatre autres, avant de s'enfermer à l'intérieur du lieu saint musulman. Plusieurs centaines de jeunes Palestiniens se précipitent alors sur place et affrontent les forces de police qui, après plus de deux heures, parviendront à évacuer l'assaillant. Mais le calme ne reviendra sur l'esplanade qu'en début d'après-midi.

Les organisations palestiniennes proclament la grève générale dans les territoires occupés. Un peu partout, à Jérusalem-Est et en Cisjordanie, des manifestants attaquent à coups de pierres des barrages de la police ou de l'armée, faisant des dizaines de blessés dans les deux camps. L'agitation va durer plus d'une semaine.

L'auteur de cet attentat s'appelle Alan Goodman. Originaire de Baltimore, aux États-Unis, il a effectué plusieurs séjours en Israël. Quelques semaines plus tôt, à 38 ans, il avait rejoint l'armée israélienne et venait de commencer son entraînement. Dans la chambre du petit hôtel où il séjournait, les enquêteurs ont trouvé des tracts du mouvement Kach de Meir Kahana, qui financera d'ailleurs sa défense[1]. Considéré comme psychologiquement instable mais responsable de ses

1. *Yediot Aharonot,* 12 avril 1982.

actes, il sera condamné à la détention à vie et renvoyé à Baltimore en octobre 1997 après avoir purgé quinze ans de prison. Avant de monter dans l'avion pour les États-Unis, il déclarera ne rien regretter. Baroukh Marzel, un ancien responsable du Kach, affirmera que Goodman n'avait, avant son acte, aucun lien avec son mouvement.

Bar Kokhba et la guerre annoncée

Goush Emounim n'avait vraiment pas besoin de cela, alors que les militants qui sont attachés à sa cause tentent d'échapper à l'accusation d'extrémisme. Mais un événement va contribuer à remonter le moral des troupes : Menahem Begin a décidé de rappeler au monde et au public israélien le lien entre l'Israël contemporain et son passé biblique. Ainsi, le 11 mai, une cérémonie hautement symbolique se déroule dans le désert de Judée, sur une colline près de la mer Morte. Aux côtés du Premier ministre, deux cents personnalités, parmi lesquelles le Président de l'État, les membres du gouvernement et Shlomo Goren, le grand rabbin d'Israël, qui officie. On procède, ce jour-là, aux funérailles militaires des ossements découverts durant les années 1950, dans une grotte de la région, et qui, selon les archéologues, auraient appartenu à des combattants de Shimon Bar Kokhba engagés contre les Romains au Ier siècle ap. J.-C.

Ce chef militaire avait été proclamé « Messie » par un grand maître de la Torah, le rabbin Akiva Ben Moshé. Puis, pendant plus de deux ans, il avait remporté quelques victoires, libéré une partie du territoire de la Judée et était même parvenu à reconquérir Jérusalem. Mais Rome ne pouvait admettre la sécession d'une de ses provinces, et douze légions étaient venues écraser la rébellion. La dernière bataille de Bar Kokhba s'était déroulée en 135, à Bétar, la ville où il s'était réfugié. Tous ses habitants avaient été massacrés par les Romains. Selon la tradition juive, ce massacre est intervenu le 9 du mois d'Av. Rabbi Akiva, après avoir été fait prisonnier, fut torturé à mort. C'est alors que l'Empire romain changea le nom de Judée en Palestina. À l'emplacement de Jérusalem, une nouvelle ville fut construite, appelée Aelia Capitolina. Et si quelques petites communautés en rechappèrent, notamment en Galilée, la majorité du peuple juif vécut désormais dans l'Exil, la Diaspora.

Des ossements issus de ces massacres avaient été conservés à l'Université hébraïque de Jérusalem. Accroché par un filin à un hélicoptère, le grand rabbin d'Israël, Shlomo Goren, alla ce jour-là les déposer dans la grotte où ils avaient été trouvés, tandis que la garde d'honneur de Tsahal présentait les armes et tirait une salve d'honneur.

La gauche et les laïcs firent des gorges chaudes de ces obsèques tardives. Mais les sionistes religieux accueillirent avec une grande satisfaction le message que leur adressaient ainsi Menahem Begin et la droite nationaliste. Leur vision de l'histoire juive était identique : il existait un lien direct entre la défaite de Bar Kokhba et l'Israël contemporain. Le peuple juif, qui avait surmonté la destruction totale et la dispersion infligées par Rome, était indestructible[1]. À l'emplacement de la Bétar biblique, une colonie juive verrait bientôt le jour.

Pour l'heure, la gauche a d'autres problèmes. C'est un secret de Polichinelle : Menahem Begin et Ariel Sharon préparent une vaste opération militaire au Liban, motivée officiellement par le souci de faire cesser les tirs de roquettes de l'OLP (Organisation de libération de la Palestine) sur la Galilée. Mais des généraux ont discrètement fait savoir que, de fait, il s'agit de modifier la carte géopolitique du Proche-Orient en détruisant la capacité militaire de l'OLP de Yasser Arafat en soutenant les chrétiens maronites assiégés par l'armée syrienne et en plaçant Bachir Gemayel, le chef des phalangistes, à la tête de l'État libanais en vue de conclure un accord de paix.

Le 3 juin 1982, Shlomo Argov, l'ambassadeur d'Israël à Londres, est grièvement blessé par un terroriste palestinien. Le gouvernement Begin tient son *casus belli*, même si l'assaillant appartient à l'organisation dissidente d'Abou

1. Charles Enderlin, *Paix ou guerres*, *op. cit.*, p. 468.

Nidal, et non à l'une des organisations qui composent l'OLP. Le lendemain, l'aviation israélienne passe à l'action contre des positions palestiniennes à Beyrouth, et dans la nuit du 5 au 6 juin, les unités de blindés et d'infanterie de Tsahal pénètrent en territoire libanais et se dirigent vers le nord. Alors qu'elles étaient censées n'occuper qu'une bande de quarante kilomètres au Sud-Liban, le 14 juin, elles parviennent aux abords de Beyrouth et encerclent les quartiers musulmans. Pour la première fois dans l'histoire du Proche-Orient, Israël assiège une capitale arabe.

Pour ou contre la guerre ?

La droite religieuse soutient totalement la guerre contre l'OLP, l'ennemi d'Israël et surtout des colons en Cisjordanie et à Gaza, régulièrement attaqués par des Palestiniens. Et puis certains rabbins considèrent que le Sud-Liban fait partie de la Terre d'Israël. Israël Ariel (Steiglitz) publie même, à cette occasion, un fascicule destiné à démontrer que, selon la Torah, ces terres ont été attribuées par Dieu à trois tribus israélites, Asher, Naftali et Zebulon.

Le rabbin Yehouda Amital, de son côté, est extrêmement inquiet. Ses étudiants ont été mobilisés et sont au front. L'un d'entre eux a été tué, un autre, tombé dans une embuscade avec son unité, est porté disparu. Son sort ne sera jamais élucidé. À Tel-Aviv, le 3 juillet, à l'appel du mouvement La Paix maintenant, cent mille personnes manifestent contre la guerre. Une semaine plus tard, le Likoud organise une contre-manifestation qui réunit également cent mille participants, parmi lesquels de nombreux militants de Goush Emounim. Begin accuse le parti travailliste de briser le consensus national en temps de guerre.

Un accord est conclu grâce à la médiation américaine, et, le 1er septembre, Yasser Arafat quitte Beyrouth à destination de Tunis sous la protection de légionnaires français. Le même jour, Ronald Reagan, le Président des États-Unis, prononce un discours très critique envers la politique israélienne : « *[...] Le départ de Beyrouth des Palestiniens dramatise l'absence de foyer [national palestinien]. Les Palestiniens ressentent douloureusement que leur cause n'est plus qu'une affaire de réfugiés. Certes, l'accord de Camp David [...] évoque les droits légitimes du peuple palestinien et sa juste exigence. [...] Les États-Unis ne soutiendront pas la réquisition de terrains supplémentaires à des fins d'implantations. [...]* »

Menahem Begin adresse immédiatement une lettre à Ronald Reagan, dans laquelle il évoque la « pérennité » du peuple juif : « *Ce que certains appellent la Cisjordanie n'est autre que la Judée et la Samarie, et cette vérité historique est éternelle. [...] La vérité est qu'il y a des millénaires de cela, il était un royaume juif de Judée et de Samarie où nos rois vénéraient Dieu, où nos prophètes ont exprimé la vision d'une paix éternelle, où nous avons développé une riche civilisation que nous avons emportée dans nos cœurs et nos esprits pendant notre long périple de plus de dix-huit siècles ; avec elle, nous sommes retournés dans notre foyer.* »

Le fiasco libanais

À Beyrouth, Bachir Gemayel vient d'être élu Président du Liban, au cours d'une réunion du Parlement organisée par... Tsahal. Durant la soirée, il rencontre le Premier ministre israélien à Nahariya, dans le nord d'Israël, pour lui annoncer qu'il ne signera pas de traité de paix avec l'État juif, du moins pas dans un avenir proche. La discussion s'achève sur un désaccord. Puis Gemayel retourne à Beyrouth. Deux semaines plus tard, l'aventure libanaise tourne au fiasco.

Le 14 septembre 1982, une explosion secoue un immeuble d'Achrafieh, le quartier chrétien. C'est un attentat. On relève vingt-quatre morts, parmi lesquels Bachir Gemayel lui-même, venu participer à une cérémonie phalangiste. Sharon et Begin ordonnent à Tsahal d'occuper Beyrouth-Ouest. Ils autorisent ensuite les phalangistes à pénétrer dans les camps palestiniens de Sabra et Chatila où, sous les regards de militaires israéliens, les miliciens chrétiens massacrent une partie de la population. Le bilan exact ne sera jamais connu. Diverses sources feront état de mille à cinq mille morts.

La communauté internationale est unanime à condamner Israël. Begin réunit son cabinet et déclare : *« Des goyim tuent des goyim et ils accusent les Juifs ! »* Puis il fait publier un communiqué rejetant *« l'accusation de crime rituel proférée à l'encontre de l'État juif, de son gouvernement et de son armée »*. Selon ce communiqué, les militaires israéliens ne se trouvaient pas à l'intérieur des camps au moment des massacres commis *« par une unité libanaise »* et seraient au contraire intervenus pour faire cesser la tuerie. Sans cette intervention, le nombre de victimes aurait été plus important encore... Ces explications ne convainquent personne, d'autant moins que la presse israélienne publie révélation sur révélation. Les phalangistes ont bien pénétré dans les camps avec le feu vert de l'armée[1].

Face à la gauche qui réclame une commission d'enquête judiciaire en bonne et due forme et la démission d'Ariel Sharon, Begin tergiverse. Il en accepte le principe mais tente d'en réduire les pouvoirs. Au sein du sionisme religieux, la quasi-totalité des rabbins sont opposés à toute forme d'enquête. Shlomo Goren considère que l'implication de Tsahal dans l'affaire de Sabra et Chatila est insignifiante. Le rabbin Shaul Yisraeli, le directeur de la yeshiva Merkaz Ha Rav, explique qu'Israël n'a pas à assumer la responsabilité des guerres civiles arabes. Il manifeste son soutien à Ariel Sharon en l'invitant à venir rencontrer ses étudiants. De plus en plus isolé, Yehouda Amital dit sa fureur. Il publie, le 23 septembre, un communiqué condamnant l'attitude des ministres membres du parti national religieux en faveur de Begin :

« Le massacre de Beyrouth, qui s'est déroulé sous occupation militaire israélienne, a été marqué – au-delà de ses aspects éthiques [...] – par une profanation du Nom Divin en Israël et dans les autres nations. [...] Il est regrettable que les représentants du judaïsme religieux au gouvernement et à la Knesset ne soient pas

1. Eric Silver, *Begin*, Londres, Weidenfeld and Nicolson, 1984, p. 236-237.

conscients qu'en votant ainsi ils placent l'honneur du Premier ministre avant l'honneur des Cieux[1]. »

Menahem Begin n'a pas le choix. Zvouloun Hammer, ministre du parti national religieux, et Yitzhak Navon, le Président de l'État, ont pris position en faveur d'une commission d'enquête judiciaire. Et le 24, à Tel-Aviv, se déroule une manifestation monstre réunissant des centaines de milliers d'Israéliens à l'appel des partis d'opposition et de La Paix maintenant. Le chef du gouvernement finit par céder. Quelques jours plus tard, *Maariv* publie la réponse de plusieurs rabbins à Amital, sans le nommer : « *Au Liban, Israël mène une guerre prescrite pour sanctifier le nom divin. Le regain d'antisémitisme en Europe provoqué par la guerre n'est qu'une nouvelle étape dans l'histoire de la haine des Juifs*[2]. »

Le rabbin Eliezer Waldman, l'un des fondateurs de Kyriat Arba, avance une explication plus poussée : « *Certains ont dit que nous sommes allés au Liban pour y mettre de l'ordre afin de sauver la Galilée. Nous disons que le rôle d'Israël est de mettre de l'ordre dans le monde. Cette expression fait sursauter de nombreux étudiants de la Torah... mais il ne faut pas en avoir peur et échapper à ses responsabilités. Nous devons établir un ordre de foi et de sainteté [Selon le prophète Israïe : 55. 7] : Ma maison sera dénommée maison des prières pour toutes les nations*[3]. » Les guerres d'Israël feraient donc partie intégrante du processus messianique en cours...

La Terre prime-t-elle sur le peuple d'Israël ?

En novembre, alors qu'Israël a commencé à se replier vers le Sud-Liban, Hanan Porat, dans une interview à *Nekouda*, l'organe du mouvement des colonies, réaffirme que la région

1. Elyashiv Reichner, *By Faith Alone. The Story of Rabbi Yehouda*, Jérusalem, Maggid Books, 2011, Chap. 14 de l'édition électronique.
2. Cité par Elyashiv Reichner, *By Faith Alone. The Story of Rabbi Yehouda, op. cit.*, Chap. 14 de l'édition électronique.
3. Aviezer Ravitzky, *Messianism, Zionisme and Jewish Religious Radicalism*, Tel-Aviv, Am Oved, 1993. p. 117.

fait partie de la Terre d'Israël : « *Non seulement elle fait partie intégrante des territoires inclus dans les frontières de la promesse [divine], mais aussi des régions que nous avons l'obligation de conquérir et de peupler. [...] Celui qui croit en la vérité de la Torah et dans sa pérennité ne peut faire, au moins en principe, la différence entre la Judée, la Samarie et le Sud-Liban*[1]. »

Un mois plus tard, Amital signe sa rupture définitive avec Goush Emounim dans la même revue : « *[...] Dans l'ordre de l'échelle des valeurs [se trouvent] : Israël, la Torah et Eretz Israël. L'intérêt du peuple d'Israël supplante l'intérêt de la Terre d'Israël. [...] Nous évoquons souvent le danger qui plane sur la Terre d'Israël, mais on entend trop rarement une expression d'angoisse face au danger qui guette le peuple d'Israël. [...] Il n'existe aucun commandement autorisant à risquer une vie en Israël pour conjurer le mal dans le monde. Toutes les discussions sur un prétendu commandement [issue de la Torah] ordonnant l'élimination d'Amalek ne sont que bavardage et n'ont pas leur place dans un lieu de prière [...]*[2]. »

Hanan Porat publie sa réponse le 28 mars : « *[...] Le commandement de peupler la Terre oblige le peuple d'Israël à conquérir son pays (en l'arrachant) des mains des étrangers qui l'occupent, fût-ce au prix d'une guerre. Comment cela s'accorde-t-il avec l'aspiration morale à la paix ? En quoi cela met-il en danger Israël ? [...] Il faut souligner que nous n'avons pas l'obligation de faire la guerre pour éliminer les étrangers qui habitent en Terre d'Israël. Au contraire, selon Maïmonide : "On ne fait pas la guerre à un homme sans lui proposer d'abord la paix. Qu'il s'agisse d'une guerre autorisée ou d'une guerre prescrite. [...]" Quoi qu'il en soit, si les peuples qui occupent la terre ne sont pas prêts à accepter le peuple d'Israël, à reconnaître sa souveraineté sur Eretz Israël, le commandement de conquérir la Terre est obligatoire, fût-ce au lourd prix d'une guerre. Même si, dans le cadre de la discussion, nous ignorons le problème de l'application de cette jurisprudence, en principe, du point de vue de la Torah, la valeur de la Terre d'Israël excède celle de la paix. [...] Je suis persuadé qu'en retournant chez*

1. *Nekouda*, n° 52, novembre 1982.
2. *Nekouda*, n° 53, décembre 1982.

nous, en Terre d'Israël, nous posons les fondements du troisième royaume : "Il arrivera, à la fin des temps, que la montagne de la Maison du Seigneur sera affermie et se dressera au-dessus des collines et toutes les nations y afflueront" (Isaïe 2-2) [...][1]. »

Le 7 février 1983, la commission d'enquête dirigée par le juge Yitzhak Kahan dépose ses conclusions : les massacres de Sabra et Chatila à Beyrouth ont été bel et bien commis par des phalangistes, mais Israël en porte indirectement la responsabilité. Ariel Sharon et les chefs militaires, en autorisant les forces libanaises chrétiennes à pénétrer dans les camps de réfugiés palestiniens, n'ont pas tenu compte des conséquences éventuelles de cette autorisation. Des soldats et des officiers israéliens ont appris – ou réalisé – qu'une tuerie se déroulait à quelques mètres de leurs positions et ne sont pas intervenus. La commission en profite pour mettre l'accent sur les principes éthiques et moraux que l'État d'Israël doit exiger de ses combattants :

« *Il nous semble que Tsahal doit se conformer aux obligations morales fondamentales y compris en temps de guerre, sans pour autant porter atteinte à sa capacité militaire. [...] Mais la fin ne justifie jamais les moyens, et les valeurs humaines éthiques fondamentales doivent être conservées dans l'usage des armes. [...] [Certains] ont avancé l'argument que, au cours de massacres précédents perpétués au Liban même, des vies bien plus nombreuses qu'à Sabra et Chatila ont été sacrifiées, que l'opinion mondiale n'en a pas été choquée et qu'aucune commission d'enquête n'a été mise sur pied. Nous ne pouvons justifier cette approche puisque notre but était [justement] de faire la lumière sur les faits relatifs à la perpétration des atrocités en question. Son importance est donc à considérer dans la perspective morale qui inspire Israël et son fonctionnement d'État démocratique lui-même revendiquant les principes fondamentaux du monde civilisé*[2]. »

Les juges considèrent qu'Ariel Sharon doit quitter le ministère de la Défense. Dans un premier temps, celui-ci refusera de démissionner et Begin renoncera à le limoger. La droite et Goush Emounim, d'ailleurs, les soutiennent.

---

1. *Nekouda*, n° 56, mars 1983.
2. Cité par Charles Enderlin, *Paix ou guerres*, *op. cit.*, p. 448.

Dans une atmosphère extrêmement tendue, le 10 février, la gauche manifeste devant la présidence du conseil. Un militant d'extrême droite lance une grenade, qui tue Emile Grinzweig, un responsable de La Paix maintenant, et blesse dix autres personnes, parmi lesquelles Avraham Burg, le fils du ministre. L'auteur de l'attentat est un certain Yona Avrushmi. Condamné à la prison à vie, il déclarera avec fierté, après sa libération en 2011 à la suite de remises de peine : « *Je suis l'une des personnes qui font que la gauche israélienne a disparu, mon nom est inscrit dans l'histoire, peut-être pas enregistré en grosses lettres mais toujours inscrit. La Paix maintenant n'existe plus, on ne les entend plus. Il n'y a plus de gauche en Israël [...]*[1]. »

Sharon finira donc par démissionner, mais restera au gouvernement comme ministre sans portefeuille. Raphaël Eytan, le chef d'état-major, et deux autres généraux quitteront l'armée. Menahem Begin, quant à lui, quittera le pouvoir le 15 septembre 1983, profondément déprimé. Son aventure libanaise a mal tourné. Il est vrai que la première étape de cette guerre très impopulaire a pris fin sur un bilan très lourd : 465 morts et 2 383 blessés côté Israéliens, quand plus de 22 000 Palestiniens, Libanais et Arabes de diverses nationalités ont également perdu la vie. Mais surtout, le grand projet géopolitique de Begin et Sharon a eu plusieurs conséquences inattendues. Les chefs de l'OLP, exilés à Tunis, ne sont plus sous la coupe de la Syrie et des services soviétiques. Et ils commencent à réfléchir à une solution négociée du problème palestinien. Surtout, les chiites libanais, sous l'influence de la révolution khomeyniste, ont pris les armes et attaquent maintenant quasi quotidiennement les forces israéliennes repliées dans une étroite zone de sécurité au Sud-Liban. Tsahal y perdra 265 soldats jusqu'à son retrait en 2000.

1. http://www.nrg.co.il/online/1/ART2/263/537.html

CHAPITRE 3

Par les armes, s'il le faut

Tard le soir du 10 mars 1983, un groupe d'étudiants de la yeshiva de Kyriat Arba est interpellé devant la muraille sud de l'esplanade des Mosquées, à Jérusalem. Ils sont équipés de pelles. Au même moment des policiers pénètrent, arme au poing, dans l'appartement du rabbin Israël Ariel. Il est arrêté en compagnie d'une trentaine d'autres étudiants. Selon la presse israélienne, le groupe préparait son installation sur l'esplanade des Mosquées[1]... Tous les suspects démentent. Israël Ariel et vingt-huit jeunes sont traduits en justice. L'acte d'accusation décrit notamment comment vingt-deux d'entre eux se sont purifiés dans un bain rituel avant d'entreprendre de monter sur le mont du Temple. Six mois plus tard, ils seront tous acquittés. Le juge, Yaacov Bazak, considérera que l'accusation n'a pas apporté la preuve qu'ils avaient l'intention de « susciter un conflit entre les religions[2] ».

Le 7 juillet, une voiture palestinienne s'arrête place du marché en plein centre d'Hébron. Trois Palestiniens en sortent et poignardent Asher Aharon Gross, un jeune étudiant de yeshiva. Grièvement blessé, mourant, les passants croient qu'il s'agit d'un Arabe. Myriam Levinger, qui est infirmière, est appelée sur les lieux mais les quitte sans lui porter secours. Menahem Livni, le numéro deux du réseau terroriste juif, décide de riposter. Dix-neuf jours

1. *Washington Post,* 12 mars 1983.
2. *Maariv,* 11 mars 1983, et presse israélienne.

plus tard, deux hommes masqués font irruption dans le collège islamique d'Hébron, ouvrent le feu et lancent une grenade. Il s'agit de Ouzi Sharabaf et de Shaoul Nir, qui connaissaient personnellement Gross ; un troisième, Barak Nir, a fait le guet. Trois étudiants palestiniens sont tués. Après l'attentat, Yehouda Etzion, le chef du groupe, dira qu'il s'y serait opposé[1].

Cette fois, le Shabak et Avraham Shalom, son nouveau patron, ont le feu vert pour retrouver les coupables et démanteler cette organisation secrète qui menace de mettre la Cisjordanie et Gaza à feu et à sang. Le service de sécurité finit par découvrir un premier indice lors de l'examen au détecteur de mensonge d'une nouvelle recrue, un jeune religieux. À la question : « Avez-vous participé directement ou indirectement à un attentat anti-arabe ? », il répond par la négative, mais la machine réagit. C'est un mensonge. L'examinateur ne dit rien et suggère au candidat d'inscrire sur une feuille de papier ce qu'il cache et lui promet de ne pas le lire. Le jeune homme s'exécute, écrit les noms de Yehouda Etzion et d'Yitzhak Ganiram, qui devait commettre un attentat contre le maire de Bethléem, puis déchire et jette le papier dans la corbeille. Peu de temps après, il sera convoqué par un agent du Shabak qui exhibera sous ses yeux la fameuse feuille[2]… De nombreuses personnalités de Goush Emounim sont mises sur écoutes mais, avertis par le jeune religieux, les chefs du réseau cessent toute activité.

Les colons et la loi

Le 24 novembre, Menahem Livni assiste, lors d'une période de réserve, à la libération des quatre mille cinq cents Palestiniens prisonniers au camp d'Ansar, au Sud-Liban, en échange

1. Ami Pedahzur et Arie Perliger, *Jewish Terrorism*, New York, Columbia University Press, 2011, p. 63. Également : Robert I. Friedman, *Zealots for Zion*, New York, Random House, 1995, p. 29.
2. Hagaï Segal, *Hakhim Yekarim*, *op. cit.*, p. 156.

de six soldats israéliens détenus par le Fatah depuis plus d'un an. Dans le cadre de cet accord sont également libérés soixante-trois Palestiniens condamnés en Israël, parmi lesquels des responsables de l'attaque contre les colons à Hébron en mai 1980. Livni est scandalisé et déclare à ses camarades : *« Les Arabes utilisent contre nous nos règles de morale. Si le gouvernement n'agit pas contre cette population hostile [...] nous devrons nous retirer, non seulement du Liban mais aussi de Judée-Samarie*[1]. »

De plus en plus, les colons prennent les choses en main et réagissent par des opérations de représailles aux manifestations d'hostilité de la population palestinienne à l'encontre de la loi israélienne. En 1983, un chercheur, David Weisburd, a effectué une étude systématique des attitudes anti-arabes dans 22 colonies appartenant à Goush Emounim. À la question : *« Pour les colons, est-il nécessaire de réagir, rapidement et indépendamment [de l'armée et de la police], au harcèlement par les Arabes ? »* 76,1 % ont répondu par l'affirmative, 14,8 % ont dit non[2]. À noter que, parmi les personnes interrogées, 50,4 % ont déclaré n'avoir jamais subi de jets de pierres, 23 % une seule fois, et 26,6 % à plusieurs reprises[3]. L'attitude de cette population juive envers les Palestiniens s'exprime à travers deux autres sondages : 67,7 % estiment que la Cisjordanie devrait être annexée dans les cinq ans, mais 71,1 % seraient, dans ce cas, opposés à l'octroi de la citoyenneté israélienne qui donnerait le droit de vote aux Palestiniens[4]. Weisburd cite un colon : *« Il faut avoir de bonnes relations avec les Arabes, autant que possible. Mais montrer de la fermeté s'ils font des problèmes. En raison de leur mentalité, les Arabes ont l'habitude des situations dans lesquelles chacun sait qui détient le pouvoir. Si on vous lance une pierre, vous ne filez pas en disant Shalom ! Deux plutôt, vous lancez deux pierres à votre tour, et ensuite vous faites "Sulha !" [réconciliation]*[5]. »

---

1. *Ibid.*, p. 158.
2. David Weisburd, *Jewish Settler Violence. Deviance, A Social Reaction*, Penn State Press, 1989, p. 70.
3. *Ibid.*, p. 73.
4. *Ibid.*, p. 81.
5. *Ibid.*, p. 82. Cité également par Enoud Spinzak, *The Ascendance of Israel's Radical Right*, *op. cit.*, p. 92.

Le problème de l'application de la loi aux Israéliens habitant les territoires occupés émerge début 1984, avec la publication du rapport quasiment oublié de maître Yehoudit Karp, l'adjoint d'Yitzhak Zamir, le conseiller juridique du gouvernement. En mars 1981, douze professeurs de droit des Universités de Tel-Aviv et Jérusalem avaient réclamé que soit ouverte une enquête en bonne et due forme sur les actes de violence commis par des colons. Or, la commission, formée par Yehoudit Karp, a découvert que, sur soixante-dix plaintes déposées par des Palestiniens, cinquante-trois ont été classées sans suite par « manque d'intérêt pour le public », impossibilité d'identifier les suspects, absence de preuves, etc. Parmi les exemples cités, il y a le cas de deux homicides commis, en mars 1982, l'un dans le village de Sinjil, près de la colonie de Shilo, et l'autre, à Bani-Naïm, sur la route d'Hébron. Les suspects juifs avaient refusé de se rendre à une convocation au commissariat, affirmant qu'ils ne traiteraient qu'avec la police militaire. Les enquêteurs en sont restés là. Dans l'affaire de Bani-Naïm, le mandat d'arrêt n'avait pas été suivi d'effet. Une délégation de colons de Kyriat Arba s'était rendue au QG de la police de Cisjordanie pour expliquer qu'elle se refusait à toute coopération avec les policiers ou le procureur de district, les considérant comme « des agences hostiles ». Le principal suspect du meurtre faisait partie de la délégation[1]. Le rapport décrit une situation où la police et les autorités militaires laissent faire les colons et s'en font ainsi leurs complices. Avant de démissionner de la présidence de sa commission, le 15 mai, Yehoudit Karp adressera une lettre à Zamir : « *Cette situation doit [nous] inquiéter considérablement en raison du grand danger et des conséquences à long terme qu'elle comporte pour l'ordre social et le régime de la loi en Judée-Samarie. Il est indispensable et urgent d'agir pour établir une politique claire en mobilisant à cette fin les moyens nécessaires*[2]. »

---

1. Rapport Karp, 23 juin 1982, en hébreu. Texte original, p. 30.
2. Rapport de la commission d'enquête sur le massacre du caveau des Patriarches à Hébron, présidée par le juge Meir Shemgar, 1994, p. 173 (en hébreu).

Début février 1984, la commission s'adressera, cette fois, au ministre de la Justice en personne, affirmant qu'elle a reçu de nouvelles plaintes de Palestiniens. Son rapport, qui avait été tenu secret jusqu'alors, est publié partiellement par le quotidien *Haaretz*[1]. Cette fois le gouvernement n'a pas le choix et adopte une résolution déclarant la loi israélienne entièrement applicable aux Israéliens dans les territoires occupés. Les responsables militaires sont chargés d'y veiller avec l'assistance de la police.

Terreur contre terreur

Le 12 avril, à Ashkelon, quatre Palestiniens armés parviennent à prendre le contrôle d'un autobus israélien et le détournent vers la bande de Gaza. L'armée intervient. Une passagère, une soldate et deux des terroristes sont tués au cours de l'assaut, les deux autres par des agents du Shabak. Le réseau terroriste juif, dormant depuis l'affaire du collège islamique, décide de riposter contre les transports en commun palestiniens. Quinze jours plus tard, le 27, à quatre heures trente du matin, Shaoul Nir, Barak Nir et Ouzi Sharabaf piègent à l'explosif cinq autobus d'une compagnie de Jérusalem-Est. Les charges sont programmées pour exploser en début d'après-midi lorsque les véhicules transporteront des musulmans revenant de la prière du vendredi. C'est ce qu'attendait le Shabak, qui surveillait discrètement tous les membres du réseau.

Les trois hommes sont interpellés quelques minutes plus tard, alors qu'ils partaient prier devant le Mur occidental. Le Shabak et la police ont opéré ensemble. Il y aura en tout vingt-sept arrestations, certaines le jour même, d'autres la semaine suivante. La presse découvre bien vite qu'il s'agit de la crème de Goush Emounim. Outre Menahem Livni, officier de réserve, Yaacov Hennmann, pilote de chasse, Yossi Tsouria, gendre du général commandant les services

1. *Haaretz*, 5 janvier 1984.

d'éducation de Tsahal, Menahem Neueberber, gendre du rabbin Levinger, un proche du rabbin Eliezer Waldman, le directeur de la yeshiva militaire de Kyriat Arba, Hagaï Segal, journaliste éditorialiste de *Nekouda,* Moshé Zar, le promoteur immobilier, Zeev Hever, l'ex-président du conseil municipal de Kyriat Arba, le rabbin Dan Beeri, un protestant d'origine française converti au judaïsme... Yehouda Etzion, qui n'était pas dans le secret de l'attentat contre les autobus, est également mis sous les verrous[1].

Depuis leurs cellules, les suspects surveillent les réactions à l'annonce de l'existence du réseau. D'abord au sein de Goush Emounim, où on a d'abord cru à un complot du Shabak et de la gauche contre leur mouvement. Yesha, le conseil des implantations, publie un communiqué : *« Nous sommes convaincus que les habitants des localités juives de Judée, Samarie et Gaza ne sont pas impliqués dans ces actes criminels et qu'il n'y existe pas d'organisation subversive. »* Puis, lorsque les derniers doutes seront levés, le conseil condamnera ces « crimes terroristes ». Le rabbin Yoël Bin Noun, dont Yehouda Etzion fut l'élève, ira même jusqu'à qualifier les activités du réseau de manifestation de *« révolte contre la royauté [juive] mettant en danger l'existence même de l'État »*. Le rabbin Israël Ariel, qui s'était éloigné de Goush Emounim, lui répondra que les activités du réseau ne relèvent pas nécessairement du crime « contre la royauté » puisque le gouvernement d'Israël ne dispose pas de tous les attributs d'un royaume (juif) légitime[2]...

Face à ces réactions, Menahem Livni rédige un texte destiné à prouver que le réseau avait le soutien de sept rabbins importants, et que ceux-ci auraient donné leur bénédiction à certains attentats. Au premier rang desquels Moshé Levinger, qui est d'ailleurs interpellé. Retenu derrière les barreaux pendant dix jours, il envisage, par solidarité, d'avouer, mais plusieurs membres du groupe le persuadent de garder le

---

1. Hagaï Segal, *Yediot Aharonot,* 1er mai 2009, supplément hebdomadaire, p. 14.
2. Ehoud Sprinzak, *The Ascendance of Israel's radical right, op. cit.*, p. 155-156.

silence. Considéré comme le principal pionnier et promoteur de la colonisation en Cisjordanie, sa condamnation pourrait porter un coup très dur au mouvement. Dan Beeri dira plus tard : « *J'ai l'impression que le gouvernement ne voulait pas le traduire en justice. Cela aurait suscité un scandale énorme*[1]. »

Le procès des membres du réseau s'ouvre le 19 juin. Les sympathisants de Goush Emounim ont organisé des collectes de fond, en Israël et à l'étranger, pour financer la défense des accusés et soutenir leurs familles. Yaacov Bazak, le président du tribunal, est lui-même un religieux, et le portrait du rabbin Kook est accroché dans son bureau[2]. À ses côtés siègent Zvi Cohen qui, plus tard, sera le président de la commission électorale du Likoud, et Shmouel Finkelman, qui, en qualité de juge militaire, a condamné les Palestiniens responsables de l'attaque au cours de laquelle six colons avaient trouvé la mort à Hébron en mai 1980. Régulièrement suspendus, les débats vont s'étendre sur plus d'un an.

Israël est entré en période électorale. Les sondages paraissent favorables au parti travailliste, dirigé par Shimon Pérès. De fait, le bilan du Likoud au pouvoir n'est pas brillant. Depuis 1982, Tsahal est embourbée au pays des cèdres où ses pertes sont quasi quotidiennes. L'économie est au plus mal, avec une inflation dépassant 480 % par an en moyenne. Menahem Begin a quitté le pouvoir, remplacé à la tête du Likoud et du gouvernement par un Yitzhak Shamir qui expédie les affaires courantes.

Meir Kahana à la Knesset

Un candidat attire l'attention : Meir Kahana, le rabbin raciste qui, en dépit de ses échecs électoraux antérieurs, se présente à nouveau. En 1973, avec 12 800 voix, il avait frôlé le seuil du 1 % nécessaire pour obtenir un siège à la Knesset. En 1977, seuls 5 000 électeurs avaient voté pour

1. Robert I. Friedman, *Zealots for Zion*, *op. cit.*, p. 31.
2. Hagaï Segal, *Hakhim Yekarim*, *op. cit.*, p. 243.

lui. Le troisième de rang sur la liste électorale du parti Kach est un certain Baroukh Goldstein. D'origine américaine, ce dernier a achevé ses études de médecine l'année précédente aux États-Unis, avant d'immigrer à l'âge de 28 ans. Fidèle parmi les fidèles, ce kahaniste s'était déjà fait remarquer en publiant sa réponse à un éditorial du rabbin Arthur Hertzberg, le très modéré vice-président du Congrès juif mondial, qui avait pris position contre l'annexion de la Cisjordanie : « [...] *Si Israël veut éviter le type de problèmes que connaît l'Irlande du Nord aujourd'hui, il doit agir avec résolution pour retirer de ses frontières la minorité arabe qui s'y trouve. Cela ne peut être réalisé qu'en offrant des encouragements aux Arabes [israéliens] pour qu'ils partent de leur plein gré, exactement comme la population juive vivant dans de nombreux pays arabes a dû partir, d'une manière ou d'une autre. Avant de prendre instinctivement fait et cause pour la démocratie, les Israéliens devraient se demander si l'éventualité d'une majorité de soixante et un députés arabes à la Knesset est une perspective acceptable pour eux. Israël devra bientôt choisir entre un État juif et un État démocratique*[1]. »

Depuis sa détention administrative, en 1980, après l'attentat contre les maires palestiniens dont il était d'ailleurs innocent, Kahana a révisé sa stratégie et fait désormais campagne sur le danger démographique arabe. Pour survivre, dit-il, Israël doit priver ses citoyens arabes de leurs droits civiques. Kahana milite pour un « service de travail obligatoire » pour les Arabes, et il met l'accent sur *« le danger que leur concupiscence représente pour les jeunes filles juives »*. L'historien Simon Epstein relève les traits communs entre son discours et celui des nazis : *« Je n'ai pas besoin – dit Kahana – d'intellectuels qui viennent me dire que les Arabes sont aussi des hommes. C'est vrai, mais les nazis aussi sont des hommes ». [...] Autrement dit, la catégorie "êtres humains" n'est pas homogène, elle inclut aussi des monstres et des criminels, et on peut en faire partie tout en appartenant à un sous-groupe maléfique. Les nazis, voici plus d'un demi-siècle, pratiquaient une rhétorique polémique analogue. "C'est vrai que le Juif est aussi*

1. *New York Times*, 30 juin 1982.

un homme. Aucun d'entre nous n'en a jamais douté. Mais la puce aussi est un animal" écrivait Goebbels. [...] Kahana, sans le savoir, a retourné contre les Arabes une formule que les nazis employaient contre les Juifs, adaptant ce même discours de haine totale aux vicissitudes de l'Histoire et aux conditions locales : les puces pour Goebbels et les nazis pour Kahana jouent le rôle de repoussoir, indispensable à la démonstration[1]. »

La commission électorale vote la disqualification du Kach. Kahana fait appel de cette décision auprès de la Haute Cour de justice, qui lui donne raison. Il n'y a pas de loi, en Israël, interdisant à un candidat de se présenter en raison de ses opinions, aussi extrémistes et antidémocratiques soient-elles.

Le 23 juillet 1984, à l'issue du vote, c'est la surprise. Le Likoud fait un meilleur score que prévu et se retrouve à égalité avec la gauche. Les deux grands partis entament de longues négociations de coalition. Signe du virage à droite de la société israélienne, Kahana est élu député. Son slogan de campagne, « Donnez-moi la force de m'occuper enfin d'eux ! » a persuadé plus de vingt-six mille électeurs de voter pour lui. Le même jour, deux cents militants kahanistes défilent dans la vieille ville de Jérusalem en scandant : « Les Arabes dehors ! »

Les lois de Kahana

La gauche, les travaillistes, La Paix maintenant montent aussitôt au créneau et affrontent régulièrement les kahanistes. C'est ainsi que le 13 août, plusieurs milliers de manifestants antiracistes se retrouvent devant le Parlement, tandis que les députés nouvellement élus prêtent serment. Meir Kahana crée alors le scandale. À la formule constitutionnelle – l'engagement d'observer les lois de l'État –, il ajoute en effet un verset des Psaumes, signifiant ainsi que la loi de

1. Simon Epstein, *Les Chemises jaunes. Chronique d'une extrême droite raciste en Israël*, Paris, Calmann-Levy, 1990, p. 21-30.

la Torah est supérieure à celles de la Knesset[1]. Après un court débat, le président de séance finit par recevoir sa prestation de serment.

Le 3 décembre, le rabbin raciste soumet deux propositions de lois à la présidence de la Knesset qui, illico, les rejette. La première est intitulée « Loi de prévention de l'assimilation des Juifs et pour la sainteté d'Israël ». D'emblée, il est question d'interdire toutes les activités où des Juifs pourraient se trouver en contact avec des non-Juifs. Camps d'été, centres communautaires, visites à l'étranger en cas d'hébergement par des non-Juifs. Interdiction serait ainsi faite aux kibboutzim d'accueillir des volontaires non juifs, etc. Juifs et non-Juifs fréquenteraient des plages séparées, et un non-Juif ne pourrait habiter dans un quartier à majorité juive qu'avec l'assentiment de ses habitants. Interdiction serait faite à des Juifs et à des Juives d'épouser un conjoint non-juif. Ce n'est pas tout : les rapports sexuels *« complets ou partiels* [sic] *»* seraient interdits entre Juifs/Juives et non-Juifs/non-Juives. Les contrevenants seraient passibles de trois années de prison. Les rapports entre une prostituée juive et un non-Juif seraient punissables de cinq années de détention... Le texte prévoit également que les mariages existants entre conjoints juifs et non juifs seraient dissous.

L'autre proposition de loi soumise par Kahana est intitulée « Loi de citoyenneté israélienne et échange de population juive et arabe ». Le texte rappelle d'abord que, selon la Halakha, n'est juive qu'une personne née d'une mère juive. Les non-Juifs, quels qu'ils soient, ne peuvent que recevoir le statut de « résident étranger ». Ils n'auront aucun droit politique, ne pourront remplir aucune fonction officielle et il leur sera interdit d'habiter Jérusalem. Ceux qui n'accepteraient pas ces nouvelles règles seront expulsés. Kahana demande également qu'avant la mise en application de cette loi, les non-Juifs ne bénéficient plus des assurances sociales et soient contraints à des travaux d'utilité publique[2].

1. http://www.ahavat-israel.com/am/kahane.php. Également Simon Epstein, *Les Chemises jaunes*, *op. cit.*, p. 39.
2. Yoav Kotler, *Heil Kahana*, Tel-Aviv, Modan, p. 412-420.

Il est clair que ces propositions ressemblent à s'y tromper aux lois Troisième Reich. Simon Epstein constate : « *L'inspiration nazie des lois de Kahana ne se repère pas seulement sur le fond mais aussi par la forme. [...] On est frappé par la similitude rédactionnelle entre les unes et les autres. La ressemblance peut avoir trois raisons : 1 : Il n'existe pas mille manières de formuler une même idée. 2 : Manquant d'imagination, les conseillers de Kahana auraient appliqué le modèle nazi, faiblement modifié, à la réalité israélienne, mais cela est peu plausible. 3 : Cette ressemblance serait volontaire et délibérée, afin de choquer l'opinion et de heurter de front les tabous de la conscience collective juive*[1]. »

En fait, des textes de la même veine circulent dans certains milieux nationalistes religieux, signés par des sommités rabbiniques. Par exemple, Eliezer Waldenberg, un rabbin spécialiste des questions d'éthique médicale juive, a déclaré au quotidien *Haaretz*, après avoir reçu le prestigieux prix Israël pour ses travaux : « *Je suis favorable au maintien de la loi [juive] qui interdit à des non-Juifs d'habiter Jérusalem. Et si nous prétendons l'appliquer correctement, nous devons expulser tous les non-Juifs de Jérusalem. [...] de la même manière il nous est interdit d'autoriser des non-Juifs à être majoritaires dans n'importe quelle ville israélienne*[2]. » Le rabbin Shalom Dov Wolpe, du mouvement Habad, écrivait en 1983 : « *Selon la Halakha, il est interdit à des non-Juifs de vivre à Jérusalem, et, si l'on s'en réfère au jugement de Maïmonide, il est même interdit d'autoriser un résident étranger [défini selon les lois noahides, les lois de Noé*[3]*] à habiter Jérusalem. [...] Qu'il ne soit pas possible de les expulser de force ne signifie pas que nous devons les encourager à y vivre*[4]. »

Certains exégètes vont encore plus loin et identifient les Arabes à Amalek, l'ennemi éternel du peuple juif. Israël Hess, le rabbin aumônier du campus de l'Université religieuse Bar Ilan, a ainsi publié dans *Bat Kol*, l'organe des étudiants, un article intitulé « *Le commandement du génocide*

1. Simon Epstein, *Les Chemises jaunes*, *op. cit.*, p. 60.
2. *Haaretz*, 9 mai 1976.
3. Selon la tradition juive, les sept impératifs éthiques transmis par Dieu à Noé en vue de son alliance avec l'humanité.
4. S. D. Wolpe, *The Opinion of Torah*, Tel-Aviv, Kyriat Gat, 1983. Cité par Yehoshafat Harkaby, *Israel's Fateful Decisions*, *op. cit.*, p. 152.

dans la Torah ». Il s'agit d'un commentaire des versets 25,17-19 du Deutéronome. « *Souviens-toi de ce que t'a fait Amalek au sortir de l'Égypte. Comme il t'a surpris chemin faisant, et s'est jeté sur tous tes traînards, par-derrière. Tu étais alors fatigué, à bout de force, et lui ne craignait pas Dieu. Aussi lorsque l'Éternel, ton Dieu, t'aura débarrassé de tous tes ennemis d'alentour, dans le pays qu'il te donne en héritage pour le posséder, tu effaceras la mémoire d'Amalek de dessous le ciel. Ne l'oublie point.* » Et aussi, Samuel 15, 3, Dieu à Saul : « *Maintenant va frapper Amalek, et anéantissez tout ce qui est à lui. Qu'il n'obtienne point de merci ! Fais tout périr, homme et femme, enfant et nourrisson, bœuf et brebis, chameau et âne.* » Aux yeux d'Israël Hess, toute nation qui déclare la guerre à Israël, comme Amalek, doit être détruite : homme, femme, enfant. Son texte s'achève ainsi : « *Le jour viendra où nous serons appelés à réaliser le commandement divin de détruire Amalek*[1]. » Cet article lui vaudra d'être rayé des cadres d'enseignement par la direction de l'université.

À noter que ces commentaires bibliques étaient fondés sur les traités de Moshé Maïmonide, rabbin et philosophe juif médiéval, qui fait jurisprudence en matière de Halakha, la loi juive. Le professeur Yehoshafat Harkaby, grand arabisant et spécialiste du Proche-Orient, considère qu'en évoquant ces lois apportées à régir les relations entre la Terre sainte et les non-Juifs, Maïmonide n'avait à l'esprit que le royaume qui verrait le jour après la Rédemption, et non pas l'État d'Israël d'aujourd'hui.

Annexer ou pas ?

Les dirigeants politiques du parti national religieux tiennent un discours différent. Yehouda Ben-Meir, vice-ministre des Affaires étrangères, considère ainsi qu'« *annexer [la Cisjordanie] et absorber la population qui s'y trouve, puis la transformer en citoyens de seconde classe, serait antijuif*[2] ». Cela

1. Cité par Yehoshafat Harkaby, *Israel's Fateful Decisions*, *op. cit.*, p. 153.
2. *Jerusalem Post*, 3 décembre 1982.

lui vaudra une réaction de la part de Mordehaï Nisan, nationaliste religieux, qui enseigne l'histoire du Proche-Orient à l'Université hébraïque de Jérusalem. Il répondra à Ben-Meir que ce ne serait absolument pas antijuif mais relèverait au contraire de la pure et simple application de la loi juive... Nisan compare le traitement qui serait ainsi infligé aux non-Juifs en Israël au statut (discriminatoire) de Dhimmis imposé aux chrétiens et aux Juifs dans les pays arabes. À ses yeux, l'inégalité est la norme dans la région, et donc, une base acceptable pour la paix... En cela, il légitime la discrimination antijuive dans les États islamiques[1].

Dans un ouvrage intitulé *L'Ascension de la droite radicale israélienne*, Ehoud Sprinzak énumère les possibilités offertes aux Palestiniens par les porte-parole de Goush Emounim : « *Accepter la légitimité de la doctrine sioniste [religieuse !], et donc, bénéficier de tous les droits civiques – y compris celui d'être élu à la Knesset –, mais avec, en contrepartie, le devoir de servir dans l'armée. Obéir honnêtement aux lois de l'État sans reconnaître formellement le sionisme. Recevoir les droits de résident étranger, mais sans les droits politiques. Émigrer vers les États arabes avec l'aide financière d'Israël*[2]. »

Ouri Elitzour va au-delà de la première option, et dans un article intitulé « *Annexion ou État palestinien, il n'y a pas de troisième solution* », interpelle son propre camp : « *Le parti travailliste ne parle pas d'État palestinien mais sait que c'est à cela que conduit sa politique. Le Likoud ne parle pas d'annexion car, en fait, il n'en veut pas. La gauche est plus courageuse que la droite. Il y a vingt ans, elle disait clairement : État palestinien. Chez nous, on craint de dire ouvertement : Annexion, avec tout ce que cela signifie, à savoir que les Arabes auront le droit de vote à la Knesset. [...] le statut de "résident étranger" n'existe nulle part dans le monde. Dans un État démocratique, chaque personne a le droit de participer aux élections et décider ainsi [de ceux qui exerceront le] pouvoir là où il vit. Les formules du style "Ils voteront pour élire les députés au Parlement jordanien et nous à la Knesset et tout ira bien" n'ont aucune portée.*

---

1. Voir Yehoshafat Harkaby, *Israel's Fateful Decisions, op. cit.*, p. 158.
2. Ehoud Sprinzak, *The Ascendance of Israel's radical right, op. cit.*, p. 122.

« Si [l'annexion] est notre projet national, le monde finira par l'accepter. [...] Sur le long terme, le prix à payer pour le contrôle de la Terre d'Israël, c'est l'octroi de cartes d'identité israéliennes et le droit de vote aux Arabes qui y vivent. Mais il est trop tôt pour y procéder [...] et il faudra attendre trente ans et avancer par étapes. Mais nous devons déclarer qu'en fin de compte, tel est bien notre projet et que nous sommes disposés à en payer le prix. [...] Si nous soumettons au vote ces deux possibilités – un État palestinien ou l'annexion d'un million et demi d'Arabes –, je suppose qu'il se trouvera une majorité au sein du peuple [israélien] en faveur de l'État palestinien. C'est le fruit du courage de l'extrême gauche. L'idée d'annexion ne recueille pas de soutien parce que nous-mêmes – ses principaux partisans – n'osons pas affronter l'opinion publique car nous sommes minoritaires [...][1]. »

Shimon Pérès, le leader travailliste, et Yitzhak Shamir finissent par se mettre d'accord et forment un cabinet d'union nationale le 14 septembre. Le gouvernement est paritaire, treize ministres issus de chacun des deux partis. La présidence du conseil sera assumée pendant deux ans par Pérès puis par Shamir qui, en attendant, occupe le ministère des Affaires étrangères.

Le succès de Meir Kahana et le virage vers l'extrême droite d'une partie de l'opinion inquiètent la gauche israélienne. Les travaillistes proposent au Likoud le vote d'une loi qui permettrait d'empêcher la réélection du rabbin raciste car certains sondages annoncent que sa liste pourrait obtenir trois à six députés en cas de scrutin anticipé... Le parti de Shamir accepte, mais exige simultanément le vote d'une loi interdisant tout contact avec l'OLP[2].

Le texte « antiraciste » est prêt dès novembre. Le gouvernement l'adopte en avril 1985 et le transmet à la commission des lois de la Knesset... où il sera bloqué pendant de longs mois : les partis religieux craignent qu'il ne soit utilisé pour faire condamner certaines prescriptions religieuses. Le problème sera surmonté pour l'introduction d'un article spécifiant : *« La publication d'une citation issue d'écritures reli-*

1. *Nekouda*, n° 140, mai 1990.
2. Charles Enderlin, *Paix ou guerres*, *op. cit.*, p. 327.

gieuses ou de livres de prières, ou d'un rite religieux, ne sera pas considérée comme une infraction à la loi, sauf si l'on y a procédé dans l'intention d'inciter au racisme. »

QUAND LES TERRORISTES JUIFS SONT CONDAMNÉS

Les accusés du réseau terroriste juif sont défendus par quelques-uns des meilleurs avocats du pays qui, pendant des mois, ont tenté de démontrer l'illégalité des aveux obtenus par le Shabak. Leurs arguments ont tous été rejetés par les juges, et le procès entre dans sa phase finale en mai 1985.

Yehouda Etzion, le premier, prend la parole et s'adresse à la Cour. Il déclare s'être senti obligé de préparer une opération destinée à « purifier » le mont du Temple du « bâtiment » qui s'y trouve, à l'emplacement du saint des saints. « *Un bâtiment qui symbolise le contrôle de l'islam sur le mont du Temple et ainsi de l'ensemble de la Terre d'Israël.* » Il reconnaît avoir participé à l'attentat contre plusieurs maires palestiniens, qu'il qualifie d'« assassins ». « *Les préparatifs de cette opération n'ont duré qu'un mois, à compter des meurtres de six jeunes à Hébron. J'insiste. Cette opération était à tel point juste que l'État d'Israël aurait dû reconnaître notre acte comme relevant de l'autodéfense. La situation d'alors ne nous donnait pas le choix. Il s'agissait de préserver la vie.* »

Yossi Yeshouroun, son avocat, annonce ensuite aux juges qu'il a l'intention de démontrer que le Dôme du Rocher est devenu un foyer de nationalisme arabe et n'est pas, pour les musulmans, un lieu saint. Et puis, ajoute-t-il, le mont du Temple ne saurait faire l'objet d'un débat juridique « *puisque deux religions le revendiquent et nous allons présenter au tribunal les preuves que le Comité d'orientation des maires palestiniens est en fait une organisation [qui est] à l'origine du terrorisme en Cisjordanie* ». Dorit Beinisch, le procureur[1], répond qu'elle s'oppose à l'audition de tout témoignage qui ne serait pas

1. Plus tard, Dorit Beinisch deviendra juge puis présidente de la Cour suprême.

directement lié aux imputations de crime[1]. Les juges la suivent et décident qu'ils n'entendront aucun témoignage sur la situation sécuritaire en Cisjordanie ou sur les activités du Waqf.

Les accusés sont furieux. Pendant l'année écoulée, ils avaient préparé une défense très politique, recueilli des centaines de documents, contacté nombre de témoins. Tout cela n'aura servi à rien.

Un événement va renforcer leur colère. Le 21 mai, en échange de trois soldats israéliens détenus par l'organisation palestinienne d'Ahmed Jibril, Israël relâche mille cent cinquante détenus palestiniens et étrangers condamnés ou en procès pour terrorisme. Parmi eux, Kozo Okamoto, de l'armée Rouge japonaise, dont l'attaque terroriste avait fait vingt-six morts à l'aéroport de Tel-Aviv en 1972, les assassins d'Aharon Gross, le Palestinien responsable de l'attentat au réfrigérateur piégé, place de Sion à Jérusalem, qui, en juillet 1975, a tué dix-sept Israéliens, etc. La droite monte alors au créneau et exige, en parallèle, sinon la libération, du moins la clémence pour les membres du réseau juif. C'est la position d'Yitzhak Shamir, le numéro deux du gouvernement d'Union nationale. Une pétition en ce sens recueille des centaines de milliers de signatures. Mais rien n'y fait, la justice est indépendante et suit son cours.

Le 10 juillet 1985, Menahem Livni, Shaoul Nir et Ouzi Sharabaf, reconnus coupables de mort d'homme, se voient infliger la condamnation prévue par la loi : la détention à perpétuité. Yehouda Etzion est condamné à dix ans de prison, dont trois avec sursis. Yehoshoua Ben Shoshan, à quatre ans et demi. Barak Nir, à neuf ans. Boaz Henneman, à trois ans. Hagaï Segal, Yitzhak Novik, Nathan Nathanson, à trois ans chacun. Moshé Zar, à quatre mois. Deux des trois juges condamnent dix membres du réseau pour avoir préparé la destruction du Dôme du Rocher. Minoritaire, Yaacov Bazak, le président du tribunal, s'était prononcé

1. Hagaï Segal, *Hakhim Yekarim*, *op. cit.*, p. 253-255. Également : Ychuda Etzion, « I felt an obligation to expurgate Temple Mount », *Nekouda*, n° 88, juin 1985.

pour l'acquittement, le complot n'ayant pas été suivi, selon lui, d'un début de réalisation.

Le terrorisme palestinien a installé un climat d'insécurité que les kahanistes mettent à profit dans leur propagande anti-arabe. Aux attentats à la bombe, aux attaques commises à l'étranger (détournements d'avions, prises d'otages) des années 1970 ont succédé les meurtres individuels. Des soldats, mais aussi des civils, sont kidnappés et assassinés par des Palestiniens dans les territoires occupés.

Le 22 juillet, Yossef Eliahou, 35 ans, et Léa Almakaïs, deux enseignants d'Afoula en Galilée, sont portés disparus. Le lendemain, leur véhicule est retrouvé taché de sang. Le soir même, des jeunes Juifs s'en prennent à tous les Arabes qu'ils croisent sur leur chemin. Une manifestation spontanée se déroule dans le centre de la ville. L'agitation ira *crescendo* jusqu'à la découverte des corps mutilés des deux victimes, le 26, dans une grotte près de Jenine. L'armée et la police israéliennes appréhendent trois suspects palestiniens. À Afoula, une foule en colère déclenche une ratonnade aux cris de « mort aux Arabes » et accueille Meir Kahana en scandant : « Le Messie est là[1] ! » On procède à plusieurs arrestations. L'émeute reprendra quatre jours plus tard, après l'assassinat, à Naplouse, d'un Israélien travaillant pour l'administration militaire.

L'année 1985 aura été, de ce point de vue, particulièrement chargée[2]. 27 Israéliens auront trouvé la mort. À l'étranger, Israël et l'OLP ont poursuivi leur combat. Le 25 septembre, trois Israéliens ont été tués à Chypre. Le 1er octobre, soixante-huit Palestiniens et dix-huit Tunisiens ont trouvé la mort dans le bombardement du QG de Yasser Arafat, à Tunis, par l'armée de l'air israélienne. Six jours plus tard, un commando palestinien a pris le contrôle d'un paquebot italien, l'*Achille Lauro*, et assassiné un Juif américain paraplégique.

1. http://unispal.un.org/UNISPAL.NSF/0/E76193C8FF10700D0525681200754BB9. Simon Epstein, *Les Chemises jaunes*, *op. cit.*, p. 87.

2. http://lindasog.com/public/terrorvictims.htm, http://www.jewishvirtuallibrary.org/jsource/Peace/osloterr.html

Shamir et Goush Emounim contre Pérès

À la tête du gouvernement, Shimon Pérès prend une initiative diplomatique. Avec l'aide de ses jeunes conseillers, il envisage de réunir une conférence internationale sur le Proche-Orient où les Palestiniens seraient représentés par une délégation conjointe avec la Jordanie. Yitzhak Shamir en accepte le principe mais à condition qu'il y soit question de négociations directes et pas de concessions territoriales. Cela n'empêche pas Goush Emounim de monter au créneau.

Le 4 novembre, Moetzet Yesha, le conseil des implantations, publie un communiqué sous forme de déclaration de guerre : *« Les propositions et les projets du Premier ministre reviennent à abolir l'État d'Israël en tant qu'État sioniste [...] Tout pouvoir israélien [qui renoncerait à une partie d'Eretz Israël] sera traité comme le général de Gaulle avait agi avec le régime de Vichy du maréchal Pétain, qui avait trahi le peuple français. »* L'auteur de ce texte s'appelle Elyakim Haetsni. D'origine allemande, vétéran de la guerre d'Indépendance, avocat, ce militant d'extrême droite néo-fondamentaliste est venu s'installer dans la colonie juive d'Hébron en 1972. Munich, Pétain, Vichy sont autant de thèmes récurrents dans ses discours et ses écrits.

En l'occurrence, il est allé trop loin en mettant en cause la légitimité du gouvernement d'union nationale. En décembre, *Nekouda* publie des réactions très critiques. Le rabbin Moshé Shapira d'Ofra écrit : *« Cette résolution sur l'illégalité du gouvernement dans le cas où il renoncerait à certaines parties d'Eretz Israël suscite des doutes sur le fonctionnement de Moetzet Yesha. [...] Le texte confronte non seulement l'État d'Israël à un "État Judée-Samarie", mais le peuple d'Israël au peuple de Judée-Samarie. [...] Le projet de désobéissance civile d'Elyakim Haetsni est connu depuis des années par tous ceux qui ont participé aux réunions de Moetzet Yesha ou de Goush Emounim. Nous l'avons toujours considéré avec humour. [...] Le ton de cette résolution est autodestructeur ! »* Dans la même édition de *Nekouda*, le rabbin Yoël Bin Noun ironise : *« Les arguments d'Elyakim Haetsni me font penser à ce pirate de l'air qui détournerait un avion avec un pistolet sans chargeur. [...] Pouvons-nous imaginer un instant que Pérès ignore que le pistolet est vide de balles ? Le Premier ministre reçoit matin et soir ceux qui le supplient d'accorder des permissions de sortir ou autres avantages à leurs camarades [du réseau terroriste juif] détenus à la prison de Tel Mond. Il sait parfaitement de combien de volontaires Haetsni dispose pour [se soulever contre le gouvernement] et aller en prison*[1]. »

Le 8 janvier 1986, Dov Shilanski, le très nationaliste – il appartient au Likoud – président de la commission parlementaire de l'Intérieur, décide de faire parler de lui. En compagnie d'une délégation de vingt-cinq députés, mais aussi de Gershon Salomon, il effectue une visite sur le mont du Temple/esplanade des Mosquées, dans la vieille ville de Jérusalem. Les fidèles musulmans réagissent et manifestent. Après l'intervention de la police, le calme revient sur le lieu saint. Mais, une semaine plus tard, escorté par six cents gardes-frontières, en compagnie d'une nouvelle délégation d'une quinzaine de députés, il se rend sur place, officiellement pour « enquêter sur les constructions et autres activités illégales du Waqf ». Plusieurs centaines de manifestants palestiniens leur font face, scandant : « Par le sang et le feu, nous te défendrons Al-Aqsa ! » Le rabbin Eliezer Waldman, qui appartient au parti Tehiya, tente de dire une prière, mais les forces de l'ordre l'évacuent avec les autres députés. En signe de protestation, des commerçants de Jérusalem-Est observent une grève générale.

Un nouvel incident interviendra le vendredi 6 juin, le dernier jour du ramadan, lorsqu'un groupe de militants nationalistes religieux tentera de pénétrer sur l'esplanade des Mosquées. La police les en empêchera. Fin octobre, avec l'autorisation spéciale du Waqf, les fidèles du mont du Temple effectueront une brève visite sur place, à nouveau protégés.

1. *Nekouda*, décembre 1985.

Mais où est donc passée la génisse rousse ?

La presse commence à s'intéresser à l'initiative du rabbin Israël Ariel. Il a créé dans la vieille ville de Jérusalem l'Institut du Temple, officiellement enregistré auprès de l'administration comme « Institut pour l'étude et la construction du Temple ». Son but est de sensibiliser des couches différentes de la population en Israël et dans le monde, pour tout dire un public juif aussi bien que non juif, en vue de *« construire le Temple qui sera un lieu de prière pour tous les peuples »*.

Il s'expliquera ainsi dans *Yediot Aharonot* : *« Nous devons bâtir le Temple comme nous devons obéir aux commandements de la Torah [...]. Nous œuvrons pour cela. Le premier Congrès sioniste n'avait pas créé l'État mais forgé les outils organisationnels qui ont conduit à sa création. Il en va de même pour le Temple. Il ne tient qu'à vous que le Temple ne soit pas seulement une légende ! [...]*

« On ne construit pas un temple à la va-vite. Il y a les limites dues à la Halakha [la loi juive]. Certaines choses ont été oubliées au fil des générations. Il est difficile de les concevoir deux mille ans après. Par exemple, retrouver l'emplacement de l'autel [des sacrifices]. Dans le Talmud, il est décrit comment, à leur retour, les exilés de Babylone ont procédé. Ils ont creusé et retrouvé les fondements du Temple. Puisque le Temple construit par Hérode est fait de pierres monumentales, il n'y a pas de doute que l'on devrait en retrouver les vestiges dans les fondements rocheux. On dispose aujourd'hui d'instruments modernes pour y parvenir.

« [...] il faut se rendre de temps à autre sur le mont du Temple, en demeurant dans la sainteté et la pureté. C'est-à-dire : y pénétrer dans la crainte du lieu saint, après s'être plongé dans un bain rituel, n'aller que là où c'est permis, pas dans le secteur du Dôme du Rocher où il est écrit que l'étranger s'en approchant mourra. Sur le Mont, il faut se prosterner en écartant les bras et les jambes, couché à même le sol en direction du saint des saints.

« [...] Il y a deux manières de conquérir la montagne. Faire sauter le Dôme du Rocher. Aucun Juif ne le regrettera s'il devait être emporté par une explosion. C'est le rôle du gouvernement israélien de préparer le Mont [...]. Si la question est d'enlever les

mosquées, il est possible qu'une opération, comme celle de Yehouda Etzion, soit suffisante. Mais pour bâtir le Temple, la difficulté ce sont les murs spirituels qui nous séparent du Mont. [...] Notre rôle est d'abattre les murailles qui le séparent du peuple juif [...][1]. »

L'objectif du rabbin est double. Persuader le public israélien de l'importance fondamentale du mont du Temple, le seul lieu saint juif, et, concrètement, s'apprêter à remettre en vigueur le rituel tel qu'il existait il y a deux mille ans. Des campagnes de dons sont organisées en Israël et à l'étranger. Il faut reconstituer, à partir des textes, les ustensiles nécessaires aux sacrifices des divers types d'animaux, bovins, agneaux, oiseaux. Les trompettes en argent. Le chandelier en or massif, les habits du grand prêtre tels qu'ils sont décrits dans la Torah (L'Exode 28,6) : *« L'éphod en or, azur, pourpre, écarlate et lin retors, artistement brochés »*, mais aussi le pectoral composé de douze pierres précieuses disposées sur quatre rangées et gravées des noms des douze tribus d'Israël. Les experts partent alors en quête des colorants issus des plantes et des coquillages qui étaient utilisés à l'époque...

Problème : pour purifier tout ce qui touche au mont du Temple, il faudrait un ingrédient aujourd'hui introuvable – la cendre d'une génisse rousse mélangée à de l'eau lustrale. La Torah précise : *« Ceci est un statut de la loi qu'a prescrit l'Éternel, à savoir : Avertis les enfants d'Israël de te choisir une vache rousse, intacte, sans aucun défaut, et qui n'ait pas encore porté le joug*[2]. » L'animal sera sacrifié selon un rituel précis, puis incinéré avec du bois de cèdre, de l'hysope et de l'écarlate. Ses cendres seront ensuite placées dans un récipient contenant de l'eau lustrale recueillie par un enfant élevé dès son jeune âge pour y procéder suivant un rituel bien précis. Seuls ces ingrédients permettront de purifier les prêtres lorsqu'ils ont touché ou se sont approchés d'un mort[3]. Les rabbins, analysant au cours des siècles ce commandement, en avaient conclu qu'il était d'origine

1. *Yediot Aharonot*, 5 juin 1987.
2. Nombres 19,2-8.
3. http://www.templeinstitute.org/red_heifer/red_heifer_contents.htm

divine puisqu'il ne correspondait à aucune logique. Selon la tradition, de Moïse à la destruction du Second Temple, neuf vaches rousses seulement ont ainsi été sacrifiées. Les fondamentalistes messianiques attendent la dixième, convaincus qu'elle sera la dernière.

En octobre 1986, comme prévu par les accords de coalition, Yitzhak Shamir assume la présidence du conseil et Shimon Pérès le remplace au ministère des Affaires étrangères. Toutes les tentatives pour parvenir à un accord avec le roi Hussein de Jordanie ont échoué. Shamir y a veillé. La cohabitation est favorable à la colonisation.

Goush Emounim mobilise contre l'Intifada

L'année suivante, on comptera plus de 69 000 colons en Cisjordanie. Les dirigeants israéliens, politiques et militaires, ne prennent absolument pas conscience que la population palestinienne supporte de moins en moins l'occupation. Le taux de chômage en hausse, et qui frappe d'abord les jeunes, les tracasseries de l'administration militaire, les humiliations quotidiennes.

Le 8 décembre 1987, à Gaza, après un accident de la route au cours duquel sept ouvriers palestiniens du camp de réfugiés Djebalyah ont trouvé la mort, des manifestations éclatent un peu partout. Les unités militaires, débordées, finissent par ouvrir le feu. Très rapidement l'agitation fait tache d'huile. Au bout de quelques semaines, l'OLP finit par prendre les choses en main et dirige le soulèvement auquel les Palestiniens ont donné le nom d'« Intifada ». En Cisjordanie comme à Gaza, des jeunes Palestiniens attaquent l'armée à coups de pierres[1].

Yitzhak Shamir et les dirigeants de Goush Emounim considèrent qu'il n'y a là rien de bien nouveau. C'est encore une étape dans le combat que mène le mouvement national palestinien contre le sionisme. Et le chef du gouvernement

1. Charles Enderlin, *Paix ou guerres, op. cit.*, p. 536-538.

laisse Yitzhak Rabin, le ministre de la Défense, gérer la situation. Pas question pour lui de réprimer durement les manifestations comme le réclament les colons. Les soldats ont l'ordre de n'ouvrir le feu qu'en cas de légitime défense et d'utiliser, autant que possible, matraques, gourdins et gaz lacrymogènes. Plusieurs milliers de personnalités palestiniennes sont néanmoins placées en détention administrative.

Si les colonies sont, pour la plupart, devenues autant d'îlots protégés par les militaires, sur les routes leurs habitants n'hésitent pas à ouvrir le feu et, à l'occasion, à organiser des opérations punitives dans telles ou telles localités de Cisjordanie ou de Gaza. Le 11 janvier, à l'entrée du village de Beitin près de Ramallah, une douzaine d'adolescents palestiniens construisent un barrage de pierres et de pneus qu'ils s'apprêtent à incendier lorsqu'un véhicule survient. Deux civils israéliens en sortent et ouvrent le feu. Un Palestinien est tué, un autre blessé. Les auteurs des tirs, des colons, sont identifiés durant la journée. Il s'agit de Pinhas Wallerstein, résident d'Ofra, le président du conseil régional des vingt-sept colonies du secteur. Il était accompagné de son chef de la sécurité. Amram Mitzna, le général commandant la région militaire, déclare aussitôt qu'ils ont agi en état de légitime défense. Wallerstein, d'abord accusé d'homicide involontaire, sera finalement condamné à un an de prison dont sept mois avec sursis, pour « homicide par négligence ».

Fin février 1988, le bilan des affrontements fait état de soixante-quinze morts palestiniens, tandis que un millier de jeunes souffrent de fractures diverses dues aux matraquages. À plusieurs reprises des groupes de colons, parfois accompagnés de soldats, effectuent des raids de représailles et d'intimidation dans des localités palestiniennes. Le 8 mars, des habitants de Kyriat Arba organisent ainsi un raid armé dans la ville d'Hébron, endommageant des voitures, tirant à l'arme automatique sur des maisons. Le lendemain, le 9, des colons d'Ariel lancent une opération de ce genre dans des villages proches de Naplouse. Yitzhak Rabin, le ministre de la Défense, déclare le 9 mars que tout cela ne fait qu'aggraver la situation. Mais rien n'y fait, et, le 20 mars, l'officier-juriste responsable du département du droit international écrit à son supérieur, le procureur militaire :

« 1. Au cours de la semaine écoulée, nous avons assisté à une vague de grande ampleur d'infractions à la loi par des citoyens israéliens à l'encontre d'habitants locaux [palestiniens], cela dans le cadre d'opérations d'"Israéliens faisant eux-mêmes justice".

2. Nous n'avons pas reçu d'information sur les mesures prises par la police et le procureur contre les auteurs de ces infractions.

3. Inutile de rappeler la gravité que doit nous inspirer les cas où des habitants israéliens des territoires font usage de la violence et de moyens punitifs contre des habitants locaux.

4. Je me permets de rappeler qu'en vertu des règles de droit, telles qu'elles s'appliquent en Israël et dans les territoires, la police israélienne et Tsahal disposent de tous les pouvoirs nécessaires pour enquêter et traduire en justice dans les cas de ce type.

5. Nous estimons qu'il faut agir d'urgence, et avec détermination, pour imposer la loi et l'ordre à tous les habitants des territoires, y compris aux citoyens israéliens [...][1]. »

Début avril, *Nekouda* publie un numéro spécial intitulé : « Face à la tempête ». D'emblée, Israël Harel, le rédacteur en chef, met en garde ses lecteurs : *« Certaines des opinions exprimées ici sont plus modérées que [celles qui sont inspirées par] l'idéologie de droite telle qu'elle domine dans les implantations juives. »* Par exemple, celle du très modéré rabbin Menahem Froman de Tekoa, une colonie proche de Bethléem. *« Il ne faut pas laisser les émeutiers porter atteinte aux relations entre les peuples en Eretz Israël »*, écrit-il, et de proposer aux colons de *« considérer les positions morales des [Palestiniens] qui les attaquent »*. Zvi Zameret, un universitaire résident d'Ephrat, à l'ouest de Bethléem, suggère de son côté à la droite de lancer *« une initiative de paix fondée sur des négociations avec toute partie arabe qui l'accepterait, y compris l'OLP. Seules des négociations directes permettront d'avancer en direction d'une solution crédible [...] »*.

La plupart des autres intervenants, il est vrai, sont plus radicaux. Hanan Porat considère, par exemple, qu'il faut

1. Rapport Shemgar sur le massacre du caveau des Patriarches, *op. cit.*, p. 179.

mater d'une main de fer toute manifestation de terrorisme ou d'atteinte à la souveraineté israélienne. Il propose de procéder à l'expulsion en masse de Palestiniens. Le rabbin Yitzhak Shilat, de Maale Adoumim, à l'est de Jérusalem, va dans le même sens : « *Nous n'avons jamais invité les nomades palestiniens à venir s'installer dans notre pays. Ces étrangers s'y sont infiltrés pendant que nous n'étions pas là. C'est uniquement par la miséricorde dont notre âme est imprégnée que nous ne les avons pas expulsés. [...] Ceux qui ne veulent pas vivre en paix avec nous doivent être expulsés vers leurs peuples et leurs pays. S'ils avaient quelque fierté, ils seraient d'ailleurs partis d'eux-mêmes. [...]*[1] »

DRAME À BEITA

C'est dans cette atmosphère que seize adolescents de la colonie Eilon Moreh décident, le 6 avril, d'effectuer une excursion près de Beita, un village palestinien, afin, diront-ils, « *de leur montrer que nous sommes les propriétaires de ce pays* ». Ils sont accompagnés par deux gardes armés. L'un d'eux, Roman Aldobi, s'est déjà fait remarquer : il est interdit de séjour à Naplouse, sur ordre du général commandant la région. Il voulait y créer une colonie sauvage autour de la tombe de Josèphe...

En chemin, le groupe croise quelques jeunes Palestiniens. La discussion s'envenime, et Aldobi ouvre le feu et tue un agriculteur. Arrivés à Beita, les colons sont accueillis à coups de pierres. Des coups de feu retentissent. Deux habitants du village sont tués, un troisième sérieusement blessé. Tirza Porat, une jeune Juive, gît étendue au sol, baignant dans son sang. Elle est la fille du rabbin Yossef Porat, un des fondateurs d'Eilon Moreh. Elle est surtout la première victime du mouvement de colonisation depuis le début de l'Intifada.

Aldobi, lui, a été sérieusement blessé par un jet de pierre.

1. Ori Nir, *Haaretz*, 7 avril, 1988.

Plusieurs habitants accueillent et protègent plusieurs filles du groupe, d'autres appellent des ambulances. Les secours arrivent sur place. Les militaires bouclent le secteur. Les colons réagissent immédiatement et accusent les villageois de s'être livrés à un pogrome. Zvouloun Hammer, le ministre des Affaires religieuses, réagit et demande à l'armée de *« couper les bras de ces sauvages et [d']écraser le crâne de cette vipère mortelle »*. Selon les premières informations diffusées par les radios et la presse de droite, Tirza Porat aurait été assassinée par des villageois.

À ses obsèques, le lendemain, le rabbin Haïm Druckman, député du parti Tehiya, prononce un discours et demande d'*« éliminer Beita de la surface de la terre »*. Les centaines de colons présents applaudissent. Et scandent : *« Il faut limoger Mitzna ! [Le général commandant la région militaire] »* Yitzhak Shamir, qui est présent sur place, déclare à son tour : *« Chaque meurtre renforce le peuple juif, l'unit et approfondit son lien avec cette terre ! »* Plusieurs orateurs réclament la construction immédiate d'une colonie au nom de Tirza.

L'armée n'attend pas la conclusion de l'enquête et détruit au bulldozer quatorze maisons du village. Selon les militaires, leurs habitants auraient participé à l'attaque des excursionnistes. Il y a des dizaines d'arrestations. Un jeune Palestinien a été tué au cours de l'opération. À Jérusalem, la réunion du gouvernement, le 11, est extrêmement tendue. Yitzhak Rabin, le ministre de la Défense, révèle que la jeune fille a été tuée par une balle… apparemment tirée par l'un des gardes israéliens. Rien n'y fait ! Ariel Sharon, le ministre du Commerce et de l'Industrie, suggère de détruire Beita et de construire une colonie à son emplacement. Il ajoute que l'issue de l'enquête ne doit pas suggérer que les Juifs sont à l'origine de ce drame. De fait, les colons accuseront Dan Shomron, le chef d'état-major, de manipuler l'enquête en laissant entendre que l'excursion n'avait pas été coordonnée avec l'armée et qu'il n'aurait pas fallu passer par Beita. Ils le critiqueront aussi pour avoir rappelé que plusieurs villageois avaient protégé de jeunes Juifs.

Plusieurs équipes de télévision, dont celle de France 2, se rendent alors dans le village de Beita et découvrent, outre les destructions, que des dizaines de jeunes Palestiniens ont été matraqués par des soldats et souffrent de fractures. Le 13, les examens, balistiques et pathologiques établissent définitivement que Tirza Porat a été tuée par une balle provenant de l'arme d'Aldobi. Cela n'empêchera pas, six jours plus tard, l'expulsion au Liban de six habitants de Beita, accusés d'avoir organisé l'« attaque ». L'un d'entre eux avait saisi les armes des deux gardes de l'excursion, mais sans s'en servir. Cette mesure extrême ne suffira pas à calmer les colons. Dans *Nekouda,* Benny Katzover, le président du conseil régional des implantations, écrira : « *Le rapport publié par l'armée, après l'enquête, est destiné à masquer la soif de meurtre des Arabes et à promouvoir la calomnie qui circule dans la gauche et les médias, selon laquelle tout cela est arrivé à la suite d'une provocation juive*[1]. »

Les relations entre l'armée et les colons sont de plus en plus tendues. Goush Emounim accuse l'échelon politique de ne pas donner carte blanche aux militaires pour écraser l'Intifada.

Un raid de l'armée va calmer ces critiques pour quelque temps. La Sayeret, le commando d'état-major, débarque à Tunis le 16 avril 1988, et assassine Abou Jihad, le numéro 2 de l'OLP, qui, au sein de l'organisation, est en charge du soulèvement palestinien. Il est aussi l'un des responsables de l'attentat du 7 mars contre un autobus transportant des employés du centre nucléaire de Dimona. Venu d'Égypte, un commando du Fatah avait pris le contrôle du véhicule, tuant un Israélien. Les trois terroristes et deux femmes avaient trouvé la mort au cours de l'assaut donné par une unité d'élite. Les Palestiniens des territoires occupés avaient observé une grève générale de trois jours en signe de deuil.

---

1. Voir mes reportages à France 2, la presse israélienne et américaine de l'époque. Une version complète des événements se trouve également dans Idith Zertal et Akiva Eldar, *The Lords of the Land, op. cit.*, p. 106-111.

LA DROITE RELIGIEUSE CONTRE LES IMAGES

Goush Emounim et la droite nationaliste se sont découvert un nouvel ennemi : la presse israélienne et les correspondants étrangers qui diffusent les images de jeunes Palestiniens, parfois pieds nus, affrontant des militaires. L'Intifada fait régulièrement l'ouverture des journaux télévisés en Europe et aux États-Unis.

Début février, une scène filmée par un cameraman israélien, près de Naplouse, a fait le tour du monde. Quatre soldats tabassaient méthodiquement à coups de pieds, de casques et de pierres deux Palestiniens. Partiellement censurée par la télévision nationale, la vidéo a fait la une de la presse à l'étranger. À Londres, le *Daily Mirror* a titré : *« Une unité de tortures israélienne filmée en action »*. En Espagne, un quotidien publie une caricature montrant un Führer satisfait « des fils d'Hitler ». À Nicosie, une manifestation violente se déroule devant l'ambassade d'Israël. Plusieurs délégations annulent leur visite prévue de longue date en Israël. Elie Wiesel, écrivain et prix Nobel de la Paix, déclare dans une interview au *Yediot Aharonot* : *« Je n'ai jamais vu une haine aussi intense envers Israël dans le monde*[1]. »

Découvrant l'affaire, le général Mitzna a immédiatement ordonné la libération des deux Palestiniens dont les blessures étaient superficielles et traduit les coupables en cour martiale. Une réaction inadmissible pour les colons et la droite nationaliste, qui ont pris fait et cause en faveur des militaires. C'est ainsi que Goush Emounim lance sa première campagne sur le thème : *« Les médias israéliens sont les ennemis de l'État ! »*

Inquiet de la tournure que prennent les événements, le Club des présidents des organisations juives américaines vient à Jérusalem pour rencontrer Yitzhak Shamir. Le Premier ministre israélien leur fait la leçon : *« Les Juifs, à l'étranger,*

1. http://www.haaretz.com/weekend/magazine/freeze-frame-1.336986. Ainsi que mes reportages à France 2.

ont le devoir moral de soutenir le gouvernement d'Israël, jamais un gouvernement étranger contre nous. Il est absolument antijuif et dangereux de se joindre à un front anti-israélien avec des non-Juifs[1]. »

Un rappel à l'ordre du chef du gouvernement israélien qui a besoin de leur soutien face aux initiatives diplomatiques de George Shultz, le secrétaire d'État, qui s'affaire alors en vue de la réunion d'une conférence internationale sur le Proche-Orient. Les pressions sont intenses. Déjà, l'administration américaine a annulé les garanties bancaires accordées à Israël… « *L'enjeu, c'est la vie ou la mort* », dira Shamir, évoquant les propositions venues de Washington[2].

Le roi Hussein de Jordanie brouille soudain les cartes en annonçant, le 31 juillet 1988, son désengagement complet de la question palestinienne. Il déclare n'avoir plus aucune revendication sur la Cisjordanie et coupe les ponts avec les organisations des territoires occupés, à l'exception du Waqf, qui demeure sous la responsabilité du royaume hachémite. La communauté internationale – et Shimon Pérès – réalisent aussitôt qu'il n'y a plus d'option jordanienne pour assurer la paix au Proche-Orient et qu'ils devront donc désormais se tourner vers l'OLP. Le 16 septembre, George Shultz change d'ailleurs de ton et évoque pour la première fois les « droits politiques légitimes des Palestiniens ». En coulisse, des diplomates vont tenter de convaincre l'organisation d'Arafat d'accepter la résolution 242 du Conseil de sécurité, de renoncer à la violence et de reconnaître le droit d'Israël à l'existence. Le chef palestinien finira par s'exécuter le 15 décembre 1988 devant l'Assemblée générale des Nations unies. Les États-Unis entament alors officiellement un dialogue avec l'OLP.

Entre-temps, Israël a changé de gouvernement. Avec quarante sièges de députés contre trente-neuf aux travaillistes, le Likoud a remporté les élections du 2 novembre. Shamir forme un nouveau cabinet d'union nationale. Il demeure Premier ministre, mais sans alternance. Rabin conserve la

1. Charles Enderlin, *Paix ou guerres*, *op. cit.*, p. 541-542.
2. *Yediot Aharonot*, 15 mars 1988.

Défense, mais Pérès n'est plus aux Affaires étrangères et passe aux Finances. Moshé Arens est le chef de la diplomatie. À Washington, une nouvelle administration s'est mise en place. George Bush a remplacé Ronald Reagan à la Maison-Blanche. Son secrétaire d'État, James Baker, est un Texan au franc parler. En octobre 1989, avec la participation des Égyptiens, il tente de relancer le processus de paix et propose d'amorcer le dialogue israélo-palestinien au Caire. L'initiative est soumise au gouvernement israélien. Les six ministres Likoud votent contre, les six ministres travaillistes y sont favorables. Il n'y a pas de majorité. Baker ne se considère pas vaincu pour autant et finira par proposer que la délégation palestinienne qui viendrait en Égypte soit composée exclusivement de résidents de Cisjordanie et de Gaza. Convaincu que l'OLP tirera les ficelles de la rencontre, Shamir entend rejeter les propositions américaines.

Benjamin Netanyahu entre en jeu

Moshé Arens a mené les contacts avec James Baker et les Égyptiens. Il pense, lui, que le gouvernement doit donner le sentiment qu'il va de l'avant, quitte à claquer la porte à la négociation si les événements tournaient à l'avantage des Palestiniens. Il n'apprécie donc pas l'attitude de son protégé, Benjamin Netanyahu, le vice-ministre des Affaires étrangères, qui pousse Shamir à dire non aux Américains. C'est lui qui a lancé la carrière de ce jeune homme. Ambassadeur d'Israël à Washington, il l'avait fait venir auprès de lui, puis avait soutenu sa nomination au poste de représentant d'Israël aux Nations unies… Mais désormais, Netanyahu ignore son parrain, vole de ses propres ailes, et n'hésite pas à tirer à boulets rouges sur les principaux alliés d'Israël.

James Baker piquera une colère légendaire en découvrant l'une de ses déclarations : *« Il est surprenant qu'une superpuissance comme les États-Unis, qui est supposée être le symbole de l'impartialité et de l'honnêteté internationale, fonde sa politique sur la distorsion et le mensonge. […] J'ai constaté au sein de l'admi-*

nistration Bush une absence de volonté de condamner la campagne terroriste que l'OLP mène dans les territoires. Je n'ai reçu aucune réponse lorsque j'ai présenté à de hauts fonctionnaires américains des faits relatifs au terrorisme de l'OLP et les prises de position de cette organisation sur la destruction d'Israël. À Washington, on veut l'ignorer. [...] » Trop c'est trop, et, furieux, le chef de la diplomatie américaine interdira à Netanyahu l'entrée du département d'État jusqu'en 1994[1].

Benjamin Netanyahu trace ainsi son chemin vers la présidence du Likoud. Aux yeux de la droite, son pedigree est impeccable. L'engagement sioniste de sa famille remonte à la fin du XIXe siècle. Son grand-père, le rabbin Nathan Mileikowski, avait été un disciple de la yeshiva de Volozhin en Biélorussie, l'école talmudique où l'avait précédé le rabbin Avraham Yitzhak Ha Cohen Kook. Prêchant le retour en Terre d'Israël, ses discours enflammés avaient attiré sur lui l'attention des institutions sionistes naissantes, qui l'avaient envoyé en mission dans plusieurs localités de Sibérie, en Pologne, puis aux États-Unis. Au cours d'un de ses séjours à Varsovie était né, en 1910, Benzion, le père de Benjamin. Rabbi Nathan s'installera définitivement à Jérusalem en 1929, où il participera à la création de la yeshiva Merkaz Ha Rav du rabbin Kook. Il décédera en 1935, à l'âge de 54 ans.

Benzion a hébraïsé son nom en Netanyahu – ce qui signifie « don de Dieu ». Durant ses études à l'Université hébraïque de Jérusalem, il milite dans l'aile la plus dure du sionisme dit « révisionniste », au sein du groupe formé par Abba Ahiméir et sa cellule secrète, le Brit Ha'Birionim, dirige diverses publications du mouvement nationaliste où Zeev Jabotinsky le remarque et, en 1938, le convoque à New York pour en faire son secrétaire personnel. Après la mort du vieux leader en août 1940, tout en poursuivant son doctorat à Philadelphie, le jeune homme assume la direction de la Nouvelle organisation sioniste américaine au sein de la communauté juive, adversaire déclaré des sionistes travaillistes de Ben Gourion. Considérant que l'administration démocrate est indifférente

1. Les deux hommes se réconcilieront en 1994. Voir James Baker, *op. cit.*, p. 447 ; Charles Enderlin, *Paix ou guerres, op. cit.*, p. 565.

au sort des Juifs européens dans l'Europe occupée par les nazis, Benzion fait alors campagne auprès du parti républicain avec lequel il tisse des liens qui resteront dans l'ADN familial[1]. À l'issue de son mariage en 1944, trois enfants naissent. Yonathan en 1946 à New York, Benjamin trois ans plus tard à Tel-Aviv, et Iddo à Jérusalem en 1952.

Le père ne trouve pas sa place dans les institutions universitaires de l'État d'Israël naissant et retourne enseigner aux États-Unis[2], où les fils ont terminé leur scolarité avant de rentrer effectuer leur service militaire en Israël – dans l'unité d'élite de Tsahal, le commando d'état-major « la Sayeret ». L'aîné, que la famille destine aux plus hautes fonctions, fera carrière dans l'armée alors que Benjamin envisage son avenir aux États-Unis sous le nom de Ben Nitaï[3]. Il passe des diplômes d'architecture puis de gestion au Massachusetts Institute of Technology (MIT) avant d'être embauché par le Boston Consulting Group, où il rencontre un certain Mitt Romney – qui deviendra gouverneur du Massachusetts et candidat à la présidence des États-Unis en 2012.

Yonathan, devenu commandant de la Sayeret, est tué en 1976 sur l'aéroport d'Entebbe, en Ouganda, au cours du raid organisé par Israël en vue de libérer la centaine de passagers israéliens d'un vol d'Air-France détenus en otages par des terroristes. Poussé par ses parents, Benjamin change ses plans, devient l'héritier par défaut, et, en 1978 rentre en Israël pour y créer l'Institut Yonathan Netanyahu de lutte antiterroriste.

C'était le début de sa carrière politique. À Washington, son excellent anglais, sa parfaite connaissance de la scène politique américaine et les contacts que Benzion avait noués avec les républicains, en font très vite le chouchou de la capitale

1. http://thejewishchronicle.net/view/full_story/14348323/article-From-father-to-son-the-Netanyahu-legacy-in-Washington

2. La famille accuse les universités israéliennes de l'époque d'avoir rejeté Benzion Netanyahu en raison de ses attaches avec le mouvement « révisionniste », ce que démentent plusieurs personnalités académiques.

3. Nitaï était le nom de plume de Benzion. Selon certaines sources, il aurait, à l'époque, pris la nationalité américaine, ce qui n'a jamais été confirmé.

fédérale et de ses médias. Surtout, sa faconde fait oublier l'idéologie familiale, résolument à droite et annexionniste. C'est ainsi que Benzion avait vivement critiqué le chef du Likoud lors des accords de Camp David avec l'Égypte. Menahem Begin regardait ce professeur comme un dangereux extrémiste, incapable de comprendre qu'exercer le pouvoir implique que l'on fasse des choix. En l'occurrence, le retrait du Sinaï permettait de neutraliser l'ennemi d'Israël le plus puissant – et donc de renforcer la colonisation en Cisjordanie. Mais Benzion a une vision théologique de l'histoire[1].

Dans un ouvrage qui est considéré comme son œuvre essentielle, et qui a été publié en 1995, *Les Origines de l'Inquisition en Espagne au XVe siècle*, Benzion affirme que l'antisémitisme a vu le jour en Égypte plusieurs siècles avant l'ère chrétienne, lorsque des populations locales ont attaqué une garnison juive[2]. Analysant la campagne de l'inquisition espagnole contre les marranes, il entend démontrer en historien que la plupart de ces Juifs convertis ne pratiquaient pas secrètement le judaïsme, mais étaient bel et bien devenus catholiques. La haine des autorités espagnoles à leur égard n'était donc pas théologique mais purement raciste, fondée sur le principe de *limpieza de sangre*, la pureté du sang. Le terme de *marranos* signifiant « porc » ! Benzion était frappé par le fait que les persécutions antijuives étaient systématiquement précédées par des campagnes de déshumanisation soigneusement préparées, avant comme pendant l'Inquisition[3]. Et cela, les Juifs refusent de le comprendre : *« La cécité des Juifs en Diaspora face à certains développements historiques recelant un danger mortel est proverbiale. Elle a pour origine un sens politique affaibli et la tendance naturelle dans tout homme à ne pas tirer de conclusions radicales [qui le conduiraient à] renoncer à une situation confortable. Mais, quelles qu'en soient les raisons, le phénomène est là. De même que les Juifs d'Allemagne n'ont pas envisagé l'arrivée au*

1. http://www.haaretz.com/opinion/bibi-is-no-shamir.premium-1.448404
2. Benzion Netanyahu, *The Origins of the Inquisition in Fifteenth Century Spain*, New York, Random House, 1995, p. 4-15.
3. Jeffrey Goldberg, « The Point of No Return », *The Atlantic*, septembre 2010.

pouvoir d'Hitler, dans la période qui a précédé, les Juifs n'ont pas vu, même pendant les années qui ont précédé l'expulsion [d'Espagne], la vague monstrueuse qui s'approchait d'eux et s'apprêtait à les submerger[1]. » Benzion est persuadé que les Arabes n'abandonneront jamais leur volonté de détruire Israël. Son fils, Benjamin, a absorbé cet enseignement et en fait l'élément central de sa stratégie, en gravissant, au fil des ans, tous les échelons de la politique israélienne.

Quand Goush Emounim se reconnaît dans le gouvernement Shamir

Shamir conduit le pays à une crise majeure avec les États-Unis. Shimon Pérès en est persuadé. Les portes de l'Union soviétique se sont ouvertes avec la Perestroïka, et les immigrants arrivent par centaines de milliers. Pour intégrer ces nouveaux venus, Israël a besoin des garanties bancaires que seule l'administration américaine peut lui accorder. Convaincu qu'« il faut dire oui à James Baker », le dirigeant travailliste prend l'initiative d'une motion de censure contre son propre gouvernement. Shamir limoge alors les travaillistes. Le cabinet d'union nationale est censuré, mais Pérès ne parvient pas à former une nouvelle coalition. Les partis ultra-orthodoxes considèrent que la droite est décidément plus proche de la religion que la gauche et n'ont aucune intention de briser l'alliance qu'ils ont conclue avec le Likoud en 1977.

Le 11 juin 1990, Shamir forme une nouvelle coalition. Pour Goush Emounim, c'est la *dream team*. Les chefs du Tehiya en font partie. Le professeur Youval Neeman est ministre, comme Geoula Cohen, l'ancienne militante du groupe Stern qui, désormais, habite Kyriat Arba. Surtout, Ariel Sharon s'est vu confier le portefeuille de la construction et la responsabilité de l'intégration des nouveaux immigrants. Quarante-huit heures plus tard, le Premier ministre

1. Benzion Netanyahu, *Don Issac Abravanel*, Ithaca, Cornell University Press, 1998, p. 45.

annonce la couleur dans une interview au *Jerusalem Post* : la colonisation va se poursuivre et s'amplifier. Il n'y aura aucune discussion avec les Palestiniens qui s'opposent au plan d'autonomie israélien. Les habitants arabes de Jérusalem-Est ne pourront en aucun cas participer à des négociations ou à des élections dans ce cadre[1].

Moshé Arens, le nouveau ministre de la Défense, effectue, le jour même, une tournée d'inspection dans les principales colonies en annonçant : *« La sécurité des habitants juifs de Judée-Samarie est une des principales priorités de ce gouvernement. »*

Après cette fin de non-recevoir, James Baker pique une nouvelle colère et déclare, devant la commission des Affaires étrangères de la Chambre des représentants, à Washington : *« À moins que les parties ne renoncent à leurs positions intransigeantes, il n'y aura pas de dialogue, il n'y aura pas de paix, et les États-Unis ne peuvent [faire des miracles] [...]. Si vous ne comprenez pas,* dit-il à un représentant partisan d'Israël, *[...] quelqu'un là-bas doit bien savoir que notre numéro de téléphone est le 1.202.456.14.14. Lorsque vous serez [redevenu] sérieux au sujet de la paix, appelez-nous*[2] *! »*

Une extrême tension règne alors dans les territoires palestiniens depuis le massacre commis le 20 mai, à Rishon-le-Zion, près de Tel-Aviv, par un Israélien. Revêtu de l'uniforme de Tsahal, il s'est approché d'un groupe d'ouvriers palestiniens qui attendaient leurs employeurs et a ouvert le feu à l'arme automatique. Bilan : sept morts et dix blessés. Sept autres Palestiniens seront tués, et plusieurs centaines blessés par l'armée au cours des affrontements qui s'ensuivront dans les territoires occupés. Le meurtrier, Ami Popper, 21 ans, sera condamné à la prison à vie. Le mouvement Kach en fera l'un de ses héros.

Plus de quatre-vingt mille colons habitent désormais en Cisjordanie et à Gaza. À Jérusalem, cent trente-cinq mille Israéliens vivent dans les grands quartiers de colonisation urbaine construits autour de la partie orientale de la ville.

---

1. Joel Brinkley, *New York Times*, 14 juin 1990. Également : Charles Enderlin, *Paix ou guerres*, *op. cit.*, p. 570.
2. Tom Friedman, *New York Times*, 13 juin 1990.

CHAPITRE 4

Au nom de Dieu

Un événement bouscule l'équilibre des forces au Proche-Orient. Le 2 août 1990, l'armée irakienne envahit le Koweït. C'est une menace pour la stabilité régionale. À Washington, le président George Bush décide de déployer des troupes en Arabie saoudite, l'alliée des États-Unis. Yitzhak Shamir réalise qu'Israël peut sortir grand gagnant de cette crise. L'Amérique ne s'apprête-t-elle pas à faire la guerre à l'Irak, son ennemi le plus dangereux, la principale puissance militaire arabe ?

James Baker parcourt le Proche-Orient pour mettre sur pied une coalition à laquelle participeraient des États arabes. À Jérusalem, il demande au gouvernement israélien de n'entraver d'aucune manière ses efforts. Shamir accepte. C'est l'occasion pour lui de resserrer ses liens avec l'administration américaine. Et puis, Yasser Arafat commet l'erreur stratégique majeure de choisir le mauvais camp en soutenant Saddam Hussein, le dictateur de Bagdad. Cela, il en est convaincu, neutralisera l'OLP dans l'hypothèse d'une relance du processus de paix après la fin des hostilités. Pour l'heure, les États-Unis repoussent toutes les tentatives de Saddam Hussein de lier l'affaire koweïtienne au conflit israélo-palestinien.

LA VÉRITÉ COMME MANIFESTATION DE LA HAINE DE SOI

Un drame menace de tout remettre en question. Le 8 octobre est une journée tendue à Jérusalem-Est. Depuis plusieurs semaines, Gershon Salomon et ses fidèles ont annoncé un pèlerinage « en masse sur le mont du Temple », à l'occasion de la fête de Souccot. Comme les années précédentes, les autorités lui ont fait savoir, sur décision de la Haute Cour de justice, qu'il ne sera pas autorisé à y accéder. Cela n'empêche pas plusieurs milliers de musulmans, hommes et femmes, de répondre à l'appel des muezzins « pour venir défendre Al-Aqsa ».

Vers 10 heures, Salomon, accompagné d'une cinquantaine de militants, se présente porte des Maghrébins où un officier lui signifie l'interdiction de passer. Avec son groupe, il quitte les lieux. Selon des témoins palestiniens, un policier aurait alors lancé une grenade lacrymogène en direction d'un groupe de femmes arabes et, immédiatement, la foule aurait lancé des pierres en direction des forces de l'ordre et, en contrebas, sur l'esplanade du Mur occidental, où, la prière terminée, ne se trouvent plus que quelques fidèles juifs. Les policiers ont tiré des balles en caoutchouc puis ouvert le feu à balles réelles. Bilan : dix-sept morts et cent cinquante blessés, certains très gravement atteints. Seuls quelques Israéliens souffrent de blessures légères. Les territoires occupés s'embrasent. D'autres Palestiniens sont tués au cours d'affrontements avec l'armée et les gardes-frontières.

Les porte-parole israéliens montent immédiatement au créneau. Interviewé en direct par un journaliste de l'émission « Nightline », de la chaîne américaine ABC, Benjamin Netanyahu accuse Arafat d'avoir organisé l'attaque de Juifs « en prière » et d'être responsable du massacre. Pour démontrer le danger que représentent les jets de pierres, il agite devant la caméra un gros morceau de roche. Des ministres du gouvernement Shamir parlent, de leur côté, d'un complot fomenté par l'OLP pour détourner l'attention de la crise irakienne et replacer le problème palestinien à la une de la presse mondiale. L'administration américaine est furieuse. Ce massacre menace de mettre en question la participation de certains pays arabes à la coalition anti-irakienne. Le 12 octobre, les États-Unis prennent donc l'initiative de faire condamner Israël par le Conseil de sécurité des Nations unies :

« *1. [Le Conseil] se déclare alarmé par la violence qui s'est déchaînée le 8 octobre dans le Haram al-Sharif, et en d'autres lieux saints de Jérusalem, et qui a fait plus de vingt morts parmi les Palestiniens et plus de cent cinquante blessés, notamment parmi des civils palestiniens et des personnes innocentes qui s'étaient rendues à la prière.*

2. Condamne particulièrement les actes de violence commis par les forces de sécurité israéliennes, qui ont fait des morts et des blessés.

3. Engage Israël, puissance occupante, à s'acquitter scrupuleusement des obligations juridiques et des responsabilités qui lui incombent en vertu de la Convention de Genève relative à la protection des personnes civiles en temps de guerre du 12 août 1949, qui est applicable à tous les territoires occupés par Israël depuis 1967. »

La résolution stipule l'envoi par le secrétaire général de l'ONU d'une mission d'enquête à Jérusalem[1]. Le gouvernement israélien répond par une fin de non-recevoir, ce qui lui vaudra une seconde condamnation par le Conseil de sécurité, le 24 octobre. Sous la pression, Shamir décide de nommer sa propre commission. Elle est dirigée par Zvi Zamir, un ancien patron du Mossad. N'ayant aucun pouvoir judiciaire, il parvient très exactement, le 26 octobre, aux conclusions auxquelles voulait parvenir le chef du gouvernement : les Palestiniens sont entièrement responsables du massacre. Des masses, excitées par les appels des muezzins, auraient lancé une quantité considérable de pierres, d'objets métalliques en direction de policiers qui faisaient face, alors, à des assaillants brandissant parfois des couteaux. Leurs vies ainsi que celles des milliers de fidèles juifs en prière devant le Mur occidental auraient bel et bien été menacées. Ils ont donc agi en état de légitime défense[2].

---

1. http://unispal.un.org/UNISPAL.NSF/0/A77D1562D5F685AA8525-60DD0063A757
2. http://www.mfa.gov.il/MFA/Foreign%20Relations/Israels%20

Aux États-Unis, les relais de la communication israélienne s'emparent du rapport. Seymour Reich, qui dirige le Club des présidents des organisations juives, déclare : « *En sûreté depuis le mont du Temple, une foule de milliers d'Arabes palestiniens, excitée par des appels au Jihad, a attaqué des fidèles juifs sans défense avec des pierres, des morceaux de verre et des couteaux.* » Le Congrès juif américain publie, de son côté, un communiqué condamnant « *une attaque délibérée contre des Juifs innocents à Jérusalem* ». AIPAC, le lobby pro-israélien, évoque une « *attaque préméditée contre des fidèles juifs*[1] ».

Une version que « 60 minutes », sur CBS, va battre en brèche le 2 décembre. L'émission, à l'aide d'images tournées en temps réel, démontre que la police israélienne est responsable du massacre. L'auteur du reportage est Mike Wallace, un journaliste à qui la droite israélienne a déjà décerné le titre de « *Juif ayant la haine de soi*[2] ». En février, dans la revue *Commentary*, David Bar Ilan, un ancien conseiller de Benjamin Netanyahu, le compare aux historiens négationnistes de la Shoah. CBS aurait ainsi donné son imprimatur à une forme moderne d'accusation antisémite de crime rituel. La plupart des organisations juives accusent Wallace d'avoir travesti la vérité[3].

C'est la justice israélienne qui aura le dernier mot. Ezra Kama, un juge d'instruction, a été nommé avec pour mission de déterminer si des crimes ont été commis. Ses conclusions seront publiées le 19 juillet 1991. Ayant interrogé une centaine de témoins, des policiers et des Palestiniens, il a établi avec certitude que c'est une grenade lacrymogène tirée par erreur par un policier qui est à l'origine de la réaction violente des manifestants palestiniens. Contredisant le rapport de la commission Zamir, Kama affirme qu'aucun

---

Foreign%20Relations%20since%201947/1988-1992/165%20Summary%20of%20a%20Report%20of%20the%20Commission%20of%20Inqui

1. Robert I. Friedman, *Zealots for Zion*, *op. cit.*, p. 131-132.

2. Les parents de Mike Wallace étaient des immigrants juifs venus de Russie.

3. http://forward.com/articles/154667/remembering-mike-wallace-a-jew-unafraid-of-the-tru/?p=all#ixzz2Bq3aB0O9

muezzin n'a lancé d'appel au Jihad. Et si certains policiers ont pu tirer en état de légitime défense, l'ouverture du feu n'était pas justifiée dans la plupart des cas. Aucun policier n'a d'ailleurs été menacé à l'aide de couteaux ou de barres métalliques. L'un d'entre eux a, en revanche, raconté avoir vu l'un de ses collègues tirer une rafale sur des musulmans assis en train de prier[1]. Le juge ne signifiera pas d'actes d'accusation en raison de l'impossibilité de déterminer ces responsabilités individuelles[2].

Le 5 novembre 1990, l'assassinat à New York du rabbin Meir Kahana fait à nouveau monter la tension en Israël et dans les territoires palestiniens. Le meurtrier est un islamiste égyptien dont le FBI ne découvrira que trois années plus tard les liens avec Al-Qaida. Le lendemain, des groupes de kahanistes s'en prennent à des Palestiniens. Deux habitants d'un village de Cisjordanie sont tués par balles. Les témoins raconteront avoir aperçu un véhicule conduit par des colons. La police ne parviendra pas à retrouver leurs traces.

Quarante-huit heures plus tard, 25 000 personnes assistent aux obsèques de Kahana à Jérusalem dans une atmosphère tendue. La levée du corps se déroule dans la yeshiva qu'il a fondée, trois années plus tôt, dans le quartier Shmouel Hanavi aux cris de : « Mort aux Arabes ! », et aussi : « Vengeance ! » Le ministre Youval Neeman, du parti Tehiya, tente de prendre la parole, mais la foule l'en empêche. Les kahanistes ne veulent pas d'un membre du gouvernement. Des militants pénètrent dans les cafés, les restaurants ou dans les autobus, à la recherche de Palestiniens. La police, déployée en force, ne parvient pas à empêcher le passage à tabac de plusieurs habitants de Jérusalem-Est. Il y aura treize arrestations.

---

1. Robert I. Friedman, *Zealots for Zion*, *op. cit.*, p. 134. http://www.nytimes.com/1991/07/19/world/judge-says-police-provoked-clash-that-killed-17-arabs-in-jerusalem.html

2. *Haaretz*, 21 juillet 1991.

TENSIONS AVEC L'ONCLE D'AMÉRIQUE

La guerre a débuté le 17 février 1991 et durera quarante-trois jours. La coalition internationale conduite par les États-Unis inflige une défaite cinglante aux forces de Saddam Hussein et libère le Koweït. Une quarantaine de missiles Scud, lancés depuis le désert irakien, sont tombés sur Israël, faisant deux morts. Des milliers de logements doivent être reconstruits.

James Baker retourne au Proche-Orient dans l'intention de relancer le processus de paix. Le 11 mars, à Jérusalem, il annonce à David Lévy, le ministre des Affaires étrangères, que certains pays arabes sont disposés à reprendre des négociations. Deux jours plus tard, le secrétaire d'État rencontre une délégation palestinienne conduite par Fayçal el-Husseini, le dirigeant de Jérusalem-Est. Devant le consulat des États-Unis, à Jérusalem-Ouest, où se déroule l'entretien, quelques dizaines de manifestants d'extrême droite hurlent des slogans : *« Baker, go home ! »* Il est question de réunir une conférence de paix régionale au sein de laquelle les Palestiniens seraient représentés dans le cadre d'une délégation conjointe avec la Jordanie. Et, pour obliger le gouvernement Shamir à en accepter le principe, l'administration Bush dispose d'un atout important : Israël a absolument besoin de dix milliards de dollars de garanties bancaires américaines supplémentaires, pour financer l'intégration des centaines de milliers d'immigrants juifs venus d'URSS. Afin de rendre crédible le processus, Baker exige également l'arrêt de la colonisation. Mais la droite au pouvoir à Jérusalem n'a aucunement l'intention d'obtempérer. L'accord de coalition conclu en juin 1990 stipule en effet : *« C'est le droit de notre peuple, et un élément intégral de notre sécurité nationale que de nous installer dans toutes les parties de la Terre d'Israël ; le gouvernement œuvrera pour renforcer les implantations, les élargir et les développer*[1]. » Le Président américain avait alors adressé une lettre personnelle à Yitzhak Shamir : *« Vous connaissez fort bien mon opposition à l'ensemble*

1. Archives personnelles de l'auteur.

de [votre] activité de colonisation. Je crois qu'elle fait obstacle à la paix, car elle témoigne du désir d'Israël d'annexer les territoires et sa prétention à adopter des mesures unilatérales destinées à influer sur la situation existante, avant même l'ouverture des négociations. Cela pourrit l'atmosphère et rend encore plus difficile la recherche de partenaires arabes en vue de la paix[1]. »

C'est donc un James Baker furieux qui, de retour à Jérusalem le 18 avril 1991, découvre qu'Ariel Sharon a fait construire Revava, une nouvelle implantation en Cisjordanie. D'emblée, dès son arrivée à la présidence du conseil, il lance à Shamir : « *Il s'agit d'un acte délibéré visant à saboter la paix. Si vous continuez à construire ainsi des implantations, vous n'aurez pas un cent de garanties bancaires !* » Le Premier ministre lui répond par une longue explication alambiquée sur la nature de cette colonie. Sa construction, dit-il, avait été décidée il y a de cela quelques années... En fait, ajoute-t-il, il ne s'agit que de quelques caravanes transférées d'une colline à une autre...

Baker : « *Oh ! Arrêtez vos conneries*[2] *! Nous disposons de photographies et nous savons exactement où en sont les choses, vous n'aurez pas un cent !* »

Shamir, qui commence également à s'énerver : « *Ne croyez pas que nous sommes disposés à mendier pour obtenir ces garanties. Il y a des choses plus importantes.* [...] »

Baker se calme : « *OK ! Essayons de voir comment nous pouvons les faire avancer*[3] *!* »

En 2012, deux cent cinquante familles habitent Revava.

La Palestine est perdue pour les Palestiniens

Depuis quelques mois, un expert palestinien, Khalil Toufakji, dresse la carte de la colonisation en Cisjordanie, relève

1. *Haaretz*, 11 décembre 1990.
2. En anglais : « *Cut the bullshit !* »
3. Source privée.

les ordres de réquisition de terres publiés par l'armée et le contour des limites municipales des implantations. Ce cartographe découvre ainsi qu'Israël laisse aux Palestiniens trois cantons, deux en Samarie au nord de Jérusalem, un autre au sud, en Judée. Il soumet le résultat de ses travaux à la délégation palestinienne accompagné de ce commentaire : *« Nous avons perdu la Palestine*[1] *! »*

Ces cartes sont présentées par Fayçal el-Husseini (directeur de la Maison d'Orient à Jérusalem, membre de l'OLP et de la délégation jordano-palestinienne) à James Baker, le 14 avril. Ce dernier lui rétorque alors : *« Et les choses ne vont pas s'arranger. 65 % des territoires palestiniens ont été saisis* [par les Israéliens]. *Si vous attendez encore quatre ou cinq ans, 85 % auront été engloutis et vous ne pourrez plus jamais amener le gouvernement israélien à la table des négociations... »*

Hanan Ashrawi, membre elle aussi de la délégation, intervient alors pour rappeler que pour les États-Unis, ces implantations sont illégales et qu'il n'y a donc aucune raison de récompenser Israël parce qu'il cesserait de coloniser.

Baker : *« Nous ne pouvons les arrêter parce que le Congrès versera toujours à Israël tout l'argent qu'il réclame. C'est une réalité de la vie politique aux États-Unis. Et nous ne pouvons [tout de même] pas envoyer la 101e division aéroportée forcer Israël à cesser les implantations. Non, nous ne pouvons absolument pas le faire. »*

Ashrawi : *« Utilisez le Conseil de sécurité ! »*

Baker : *« Qui applique les résolutions du Conseil de sécurité ? »*

Ashrawi : *« Les États membres ! »*

Baker : *« Il n'y a eu de mandat pour utiliser la force uniquement que dans le cas de Saddam Hussein. Spécifiquement : "Ou vous quittez* [le Koweït], *ou vous en êtes expulsés !" »*

Six jours plus tard, Baker met les points sur les *i* et explique à ses interlocuteurs palestiniens les obstacles auxquels il fait face à Washington : *« Il faut que vous me mettiez dans une position telle que je puisse faire pression sur Israël. [...] Vous n'avez aucune chance de peser sur certains membres du Congrès*

1. Interview de Khalil Toufakji, diffusée le 8 août 1990 par France 2.

qui cherchent à être réélus dans leur petit district. Le lobby israélien paie pour cela. Ils sont très puissants. » [...]

Ashrawi : « *Que l'argent* [américain] *destiné à l'immigration juive en Israël dépende des progrès du processus de paix. Nous avons besoin d'une déclaration claire de votre part au sujet des implantations.* »

Wilcox, le consul général des États-Unis à Jérusalem : « *La résolution 242 signifie l'évacuation par Israël des territoires occupés et la fin de l'occupation.* »

El-Husseini : « *Est-ce votre position ?* »

Baker : « *C'est notre position. Nous ne sommes pas favorables à la création d'un État palestinien avant que nous ayons réussi à amener Israël à la table des négociations. Je ne pense pas qu'il serait intelligent de faire ce type de déclaration officielle. Si j'annonçais que la résolution 242 signifie pour nous des territoires contre la paix, comme vous le dites, Israël répondrait non.* »

Un effort gigantesque de construction se développe alors en Cisjordanie. Sept mille cinq cents nouveaux logements sont en chantier dans les cent quarante et une colonies existantes. De nouvelles routes sont percées, permettant aux colons de contourner les localités palestiniennes. L'administration américaine suit tout cela de près afin de s'assurer qu'Israël ne procède pas à l'intégration des centaines de milliers de nouveaux immigrants en Cisjordanie.

C'est que le 2 octobre 1990, David Lévy avait remis à James Baker une lettre lui promettant qu'Israël tiendrait les États-Unis informés de toutes les dépenses liées aux activités de colonisation et s'engageait à n'installer aucun nouvel immigrant dans les colonies. George Bush, en contrepartie, avait accepté de dégager quatre cents millions de dollars de garanties bancaires. Mais, deux semaines plus tard, Lévy avait adressé une seconde missive, précisant que ses engagements ne concernaient pas les nouveaux quartiers juifs de Jérusalem-Est. Les informations budgétaires étaient arrivées au compte-gouttes à Washington, jusqu'à ce que le département d'État découvre le pot aux roses. Aaron Miller, un proche conseiller de Baker, avait alors accusé le gouvernement israélien d'avoir transmis aux États-Unis des chiffres falsifiés sur la création et l'expansion des colonies. Ce qui est certain, c'est que depuis le mois d'octobre 1990, Israël a accru de 10 % la colonisation à Jérusalem, en Cisjordanie et sur le Golan[1].

Face à la pression d'AIPAC, le lobby juif qui poussait à l'octroi des garanties bancaires, le Président Bush avait d'ailleurs eu l'occasion de taper du poing sur la table le 12 septembre 1990. Au cours d'une conférence de presse, il avait expliqué les raisons pour lesquelles il avait demandé au Congrès de suspendre pendant cent vingt jours l'examen de ces garanties : « *Un débat à ce sujet, maintenant, pourrait détruire notre capacité à amener les parties à la table des négociations. S'il le faut, j'utiliserai mon droit de veto. [...] Il y a seulement quelques mois, des hommes et des femmes en uniforme, des Américains, ont risqué leur vie pour défendre Israël contre les Scud irakiens. L'opération "Tempête du désert", tout en assurant la victoire contre un agresseur, a assuré la défaite du plus dangereux adversaire d'Israël. [...] Au cours de l'année écoulée, en dépit des difficultés économiques, les États-Unis ont fourni à Israël plus de quatre milliards de dollars d'aide, près de mille dollars par Israélien, homme, femme ou enfant*[2]. »

UNE CONFÉRENCE POUR PAS GRAND-CHOSE

La Syrie accepte enfin les propositions de James Baker. Les Palestiniens, de leur côté, finissent par se mettre d'accord entre eux. Yitzhak Shamir n'a plus le choix, Israël a trop besoin des garanties bancaires américaines. Il répond donc positivement à James Baker après avoir obtenu l'annulation de la résolution 3379 de l'Assemblée générale des Nations unies qui, en 1979, avait assimilé le sionisme à « une forme de racisme ». En outre, l'URSS n'a-t-elle pas rétabli ses relations diplomatiques avec Israël ? La conférence internationale aura donc lieu.

Les responsables du mouvement des implantations ne sont pas particulièrement inquiets. Ils ont reçu des assurances

1. *Yediot Aharonot*, 16 septembre 1991.
2. Charles Enderlin, *Paix ou guerres, op. cit.*, p. 599.

de leurs représentants au gouvernement. Tout en sachant pertinemment qu'ils refuseront, le Premier ministre ne proposera aux Palestiniens qu'une autonomie limitée aux municipalités, à la culture, à l'économie, et dénuée de droits politiques[1]. À quelques journalistes, il déclare d'ailleurs : « *Cette conférence ne sert à rien. Les Arabes n'auront rien*[2] *!* » À ses yeux, ce qui doit avoir lieu à Madrid n'a d'intérêt que médiatique : la reconnaissance, *de facto*, d'Israël par le monde arabe, à travers la tenue de cette conférence de paix, est au mieux insignifiante, au pire mensongère. Il est persuadé que le monde arabe veut toujours la destruction de l'État juif.

Le 30 octobre 1991, la conférence de paix s'ouvre à Madrid, sous la coprésidence de ses deux parrains, le Président George Bush et Mikhaïl Gorbatchev, son homologue soviétique. Les Palestiniens sont donc représentés dans le cadre de la fameuse délégation conjointe. Shamir prononce un discours sans concessions :

« *Nous comprenons que l'objectif des négociations bilatérales est de conclure des traités de paix entre Israël et ses voisins, et d'aboutir à un accord sur des arrangements d'autogouvernement intérimaire avec les Arabes palestiniens.* [...] *Nous savons que nos partenaires, dans ces négociations, vont demander des concessions territoriales à Israël. En fait, un examen de la longue histoire du conflit démontre clairement que sa nature n'est pas territoriale. Il faisait rage bien avant qu'Israël n'acquière la Judée, la Samarie, Gaza et le Golan au cours d'une guerre défensive. Il n'était pas question de reconnaissance de l'État d'Israël avant la guerre en 1967, alors que les territoires en question n'étaient pas encore sous le contrôle d'Israël.*

« *Nous sommes une nation de quatre millions [d'habitants]. Les nations arabes, de l'Atlantique au Golfe persique, comptent cent quarante millions d'âmes. Nous ne contrôlons que vingt-huit mille kilomètres carrés. Les Arabes possèdent une masse terrestre de quatorze millions de kilomètres carrés. Le problème n'est pas le territoire, mais notre existence.* [...] »

---

1. Telles étaient les préoccupations des dirigeants du mouvement des implantations. Cf. Interview de Menahem Gour Aryeh, secrétaire du conseil de la région de Benyamin, reportage France 2, 13 août 1992.

2. Archives vidéo Yigal Goren.

Haidar Abdel Shafi, le vieux notable palestinien de Gaza, répond en empruntant ses phrases à ce qui a été fixé à Tunis par la direction de l'OLP : « *Nous avons connu le meilleur et le pire de vous, car l'occupant ne peut cacher sa vérité à l'occupé. Nous sommes les témoins du tribut que l'occupation vous a fait payer. Nous avons vu l'angoisse que vous éprouvez en voyant vos fils et vos filles se transformer en instruments d'une occupation aveugle et violente, et nous sommes persuadés que, à aucun moment, vous n'avez envisagé d'assigner un tel rôle à ces enfants appelés à forger votre futur. Nous vous avons vus regarder la tragédie de votre passé avec une profonde tristesse, et considérer l'avenir avec horreur en vous voyant, victime défigurée devenue oppresseur. Ce n'est pas pour cela que vous avez cultivé vos espoirs, éprouvé vos rêves et élevé vos enfants.* [...] »

Abdel Chafi invoque la légitimité internationale, la justice pour son peuple, le droit à l'autodétermination.

Le dernier jour de la conférence, le 1er novembre, s'ouvrent les premières négociations bilatérales israélo-palestiniennes. Elles se poursuivront à Washington. Sans marquer le moindre progrès. C'est que Shamir a nommé à la tête de sa délégation un juriste, Elyakim Rubinstein, qui a reçu des instructions précises : ne pas aller au-delà du plan d'autonomie limitée de son gouvernement. En parallèle, se déroulent des négociations multilatérales sur les grands problèmes du Proche-Orient : l'économie, le désarmement et la sécurité, l'eau, les réfugiés. Des représentants de plusieurs pays du Golfe y participent et rencontrent, pour la première fois publiquement, des diplomates et des experts israéliens. Le bilan est mince.

La gauche revient au pouvoir, les fondamentalistes battent en retraite

L'opinion israélienne accorde peu d'intérêt à ces négociations, préoccupée qu'elle est par la situation économique. Le chômage atteint le taux de 12 % de la population active alors que le pays est entré en période électorale. Le 24 mai 1992, un Palestinien de Gaza assassine à coups de couteau, en pleine rue, une adolescente israélienne à Bat Yam, près de Tel-Aviv. Le meurtre suscite de violentes manifestations anti-arabes. En difficulté dans les sondages, les proches de Shamir lui suggèrent de déclarer qu'Israël doit se débarrasser de Gaza. Il refuse. Pour lui, Gaza fait partie intégrante de la Terre d'Israël[1].

Le parti travailliste, dirigé par Yitzhak Rabin, ne laisse pas passer l'occasion et lance un nouveau slogan : *« Avec le Likoud, pas de sécurité ! »* Et aussi : *« Bat Yam aux Israéliens, Gaza aux Gazaouis ! »* Le 23 juin, la gauche est victorieuse. Les travaillistes ont 44 députés, Meretz 12. Les 6 députés de Shass, le mouvement orthodoxe séfarade, participent à la coalition gouvernementale. Cela permet de former une majorité solide de 67 députés sur 120. En cas de besoin, les 5 députés des partis arabes feront l'appoint.

La gauche est au pouvoir, seule, sans être obligée de faire alliance avec la droite, qui connaît une défaite historique. Le Likoud n'a obtenu que 32 sièges. Yitzhak Shamir quitte la vie politique, et la présidence du parti est désormais assumée par Benjamin Netanyahu. Le parti Tehiya n'a pas réussi à faire élire un seul député. Le rabbin Moshé Levinger a lui aussi perdu, il ne siégera pas à la Knesset. Les deux formations d'extrême droite et le parti national religieux n'ont, ensemble, que 17 députés. Pas suffisant pour peser sur le cours des choses.

Le gouvernement formé par Yitzhak Rabin a tout pour ne pas plaire aux fondamentalistes. Meretz, le parti de gauche anti-annexion, a obtenu quatre ministères. Shoulamit Aloni détient le portefeuille de l'Éducation. Elle va revoir les manuels scolaires autorisés par son prédécesseur, Zvouloun Hammer, du parti national religieux. Yaïr Tzaban, un vieux militant du Mapam, est ministre de l'Intégration des immigrants. Il veillera à ne pas installer les nouveaux venus dans les colonies des territoires occupés. Yossi Sarid, partisan invétéré de la paix avec les Palestiniens, a le portefeuille de l'Environnement.

Le 13 juillet 1992, Rabin prononce son discours d'investiture : *« […] En cette dernière décennie du XXe siècle, les atlas, les manuels d'histoire et de géographie ne présentent plus une image*

1. Charles Enderlin, *Paix ou guerres, op. cit.*, p. 624.

fidèle de la situation. Des murs d'hostilité se sont abattus, des frontières ont été effacées, certaines grandes puissances se sont effondrées, certaines idéologies se sont évanouies, des pays sont nés, puis ont disparu. Les portes de l'alyah [l'immigration juive] *se sont ouvertes. Notre devoir, pour nous-mêmes et nos fils, est de considérer ce monde nouveau tel qu'il est aujourd'hui, d'en mesurer les dangers, d'en vérifier les possibles, et tout faire pour que l'État d'Israël s'intègre dans ce monde qui change de forme. Nous ne sommes plus condamnés à vivre comme un peuple isolé, et il n'est pas vrai que le monde entier soit contre nous. Nous devons nous débarrasser de ce sentiment d'isolement qui nous habite depuis près d'un siècle.* »

James Baker arrive à Jérusalem le 19 juillet. Il annonce le déblocage prochain des dix milliards de dollars de garanties bancaires que l'administration Bush avait refusées à Yitzhak Shamir. Trois jours plus tôt, Benjamin Ben Eliezer, le ministre du Logement, a décrété un gel partiel de la construction dans les implantations. La mesure concerne tous les logements qui ne sont pas encore en chantier. Quelques colons parlent de déclaration de guerre contre le mouvement. Il leur répond : « *Je ne suis pas leur ennemi, et ils ne sont pas les miens, mais s'ils veulent la guerre, j'y suis prêt. [...] Toute personne qui s'imagine que nous avons l'intention d'installer cent mille Juifs dans ces régions ne comprend pas [notre politique]*[1]. » Toutefois, les logements en cours de construction seront achevés.

Mattitiahou Drobles, directeur du département de l'implantation à l'Agence juive, quitte ses fonctions. Pendant quinze ans il aura été, avec Ariel Sharon, le grand architecte de la colonisation.

Le mouvement messianique face au gel des colonies

Le mouvement fondamentaliste messianique – alors composé principalement de Goush Emounim, du conseil des

1. Interview de Ben Eliezer, Galei Tsahal (radio de l'armée), 16 juillet 1992. France 2, juillet et août 1992, reportages de l'auteur.

implantations et d'Amana – est groggy. Les rabbins des colonies de Cisjordanie publient un appel : « *Nous considérons les derniers développements politiques comme un grand défi. Il nous faut renforcer encore davantage notre implantation dans toutes les parties de notre pays. [...] Tous les fils d'Israël dans les grandes villes, les villages agricoles, les kibboutzim, qui, au fond de leur âme, croient en cette grande œuvre doivent user de leur influence par des voies diverses, légales et effectives pour la renforcer*[1]. »

En septembre (1992), *Nekouda* publie une série d'articles symptomatiques de l'atmosphère qui règne dans les colonies. Yoav Gelber, professeur d'histoire à l'Université de Haïfa, accuse la gauche d'avoir renoncé à ses racines sionistes et d'œuvrer en faveur d'un État binational, judéo-arabe. Kalman Katznelson, un écrivain proche du Likoud, propose la formation d'une nouvelle droite nationaliste qui lutterait au nom d'un État national juif et du « transfert effectif » [l'expulsion] des Palestiniens, « ce qui correspond au désir profond de tout Juif », précise-t-il. La vieille droite est, à l'en croire, « *morte parce que son fondateur voulait à la fois diriger le pays et le défaire de sa nature conquérante [...]* ». D'autres avancent diverses propositions. Préparer d'ores et déjà les prochaines élections. Ne pas offrir aux Palestiniens l'autonomie sur l'ensemble de la Cisjordanie mais douze cantons autonomes. Le rabbin Levinger, accusé d'avoir divisé son camp, se retire à Kyriat Arba. D'autres dirigeants, comme Daniella Weiss et Benny Katzover, se voient reprocher d'avoir éloigné les électeurs[2].

Feu sur Oslo

Pour les nationalistes religieux, le pire est à venir. Des négociations secrètes se déroulent près d'Oslo entre les représentants du gouvernement Rabin et de l'OLP. Elles aboutissent fin août 1993. Israël reconnaît l'organisation de

1. Archives personnelles de l'auteur.
2. Ehoud Sprinzak, *Brothers Against Brothers, op. cit.*, p. 218-219.

Yasser Arafat comme seul représentant légitime du peuple palestinien. Une autonomie administrative doit être mise en place dans les territoires occupés, d'abord à Gaza et à Jéricho.

Les militants et les dirigeants de Goush Emounim sont catastrophés. Ils n'imaginaient pas qu'Yitzhak Rabin, le « monsieur sécurité », oserait prendre une telle initiative. L'homme de la répression de l'Intifada négocie à présent avec le terroriste Arafat ! Le conseil des rabbins des implantations de Cisjordanie lance un avertissement :

« La guerre civile risque d'éclater à la suite des derniers développements intervenus dans le processus de paix. Le peuple ne laissera pas passer ces actes de trahison envers Eretz Israël et la nation. Pour la Judée, la Samarie et Gaza, il y aura la guerre ! » Le parti national religieux accuse le gouvernement d'être prêt, *« par aveuglement, à mettre en danger la vie de la nation*[1] *»*.

Benjamin Netanyahu publie, le 3 septembre, une tribune dans le quotidien *Maariv*. *« Le peuple juif n'a pas lutté pendant trois mille ans pour ce morceau de terre, le sionisme n'a pas vu le jour pour offrir un État à Yasser Arafat »*, écrit-il. Le Président du Likoud accuse Yitzhak Rabin et Shimon Pérès de se faire des illusions sur les intentions réelles de l'OLP et demande au gouvernement d'organiser un référendum sur les accords d'Oslo.

Le 7 septembre, dans les rues de Jérusalem, cent mille manifestants scandent : *« Rabin traître ! »* Benjamin Netanyahu déclare : *« Nous pouvons renverser Pérès et Rabin ! »* Le Premier ministre, cité le même jour dans *Yediot Aharonot*, répond à ses détracteurs : *« Je préfère que les Palestiniens s'occupent eux-mêmes du problème du maintien de l'ordre dans la bande de Gaza. Ils le feront mieux que nous, car il n'y aura pas de procédure d'appel devant la Cour suprême, et ils empêcheront l'Association de défense des droits civiques de formuler des critiques, car ils ne lui permettront pas l'accès [à Gaza]. Ils gouverneront avec leurs propres méthodes en libérant les soldats israéliens de ce fardeau... Toutes les colonies resteront là où elles sont. Et Tsahal restera dans Gaza pour défendre celles qui s'y trouvent*[2] *! [...] »*

1. *Hatzofeh*, 30 août 1993.
2. *Yediot Aharonot*, 7 septembre 1993.

Rien n'y fait pourtant, car le processus entamé en Norvège se poursuit. Le Premier ministre israélien et le chef de l'OLP échangent des lettres de reconnaissance mutuelle. Arafat écrit :

« *[...] L'OLP reconnaît le droit de l'État d'Israël à l'existence dans la paix et la sécurité.*

L'OLP accepte les résolutions 242 et 338 du Conseil de sécurité des Nations unies.

L'OLP est engagée dans le processus de paix au Proche-Orient pour aboutir à une solution pacifique du conflit entre les deux parties, et déclare que toutes les questions qui n'ont pas été résolues concernant le statut définitif devront l'être dans le cadre de négociations.

L'OLP considère que la signature de la déclaration de principe constitue un événement historique qui inaugure une ère nouvelle de coexistence pacifique, libérée de toute violence et de tout acte susceptible de mettre en danger la paix et la stabilité.

L'OLP renonce donc à l'usage du terrorisme et à tout autre acte de violence, et assumera la responsabilité de tous les éléments et des personnels de l'OLP afin [de leur faire observer ce principe], *d'empêcher toute violation et de punir ceux qui le transgresseront.*

[...] L'OLP affirme que les articles de la charte palestinienne qui rejettent le droit d'Israël à l'existence et les articles de la charte contraires aux engagements de cette lettre sont désormais caducs. En conséquence, l'OLP s'engage à soumettre au Conseil national palestinien les modifications nécessaires de la charte palestinienne pour qu'il l'approuve formellement. Sincèrement, Yasser Arafat, Président. Organisation de Libération de la Palestine. »

Yitzhak Rabin lui répond aussitôt :

« *Monsieur le Président,*

En réponse à votre lettre du 9 septembre 1993, je voudrais vous confirmer qu'à la lumière des engagements de l'OLP décrits dans votre lettre, le gouvernement d'Israël a décidé de reconnaître l'OLP comme le représentant du peuple palestinien, et de commencer des négociations avec l'OLP dans le cadre du processus de paix au Proche-Orient. Sincèrement, Yitzhak Rabin, Premier ministre d'Israël[1]. »

---

1. Charles Enderlin, *Paix ou guerres*, *op. cit.*, p. 677-678.

La cérémonie de signature des accords d'Oslo se déroule le 13 septembre 1993 sur la pelouse de la Maison-Blanche à Washington, en présence du Président Bill Clinton.

JUDAÏSME RATIONNEL CONTRE JUDAÏSME RELIGIEUX

Le 21, s'ouvre à la Knesset le débat sur l'accord négocié avec l'OLP. Avraham Burg, le président du Parlement, ouvre la séance en déclarant : « *À présent, l'ère du judaïsme religieux est terminée, de même que l'ère de la rencontre entre le Messie du rabbin Kook et le Messie du rabbin de Loubavitch. L'ère du judaïsme rationnel, qui campe sur terre et pas dans les contrées de la rédemption, est de retour*[1]. »

L'atmosphère est extrêmement tendue. Yitzhak Rabin prend la parole et lit son discours d'une traite, en ignorant les nombreuses interpellations des députés de l'opposition : « *[...] Nous ne pouvons pas choisir nos ennemis, même pas les plus cruels d'entre eux. [...] L'OLP nous a combattus, et nous l'avons combattue. Nous cherchons la voie vers la paix. Nous pouvons fermer chaque porte, contrecarrer chaque effort de paix. Nous avons le droit moral de ne pas nous asseoir à la table des négociations avec l'OLP, de ne pas serrer la main de ceux qui tiennent les couteaux, de ne pas serrer la main qui a appuyé sur la détente. Nous avons le pouvoir de rejeter avec horreur les propositions de l'OLP et d'être ensuite les partenaires involontaires du cycle de violence dans lequel nous avons été forcés de vivre jusqu'à présent. Guerre, terrorisme et violence.*

Nous avons choisi une autre voie, qui offre une autre possibilité, qui propose l'espoir. Nous avons décidé de reconnaître l'OLP comme le représentant du peuple palestinien pour [engager] des négociations dans le cadre de pourparlers de paix ».

Rabin rappelle ensuite à quoi s'est engagée l'OLP envers Israël : « *À reconnaître le droit d'Israël à exister en paix et dans la sécurité. À régler tous les différends à venir par des moyens pacifiques et la négociation. À condamner et empêcher les actes de*

1. *Haaretz*, 23 septembre 1993.

terrorisme en Israël, dans les territoires et ailleurs. Je signale ici que, depuis la signature de l'accord, l'OLP n'a pas commis une seule attaque terroriste. [...] » Il évoque ensuite les limites de l'accord :

« *Jérusalem unifiée restera sous souveraineté israélienne et l'organisme qui gérera la vie des Palestiniens dans les territoires n'aura aucune autorité sur la ville. Les implantations israéliennes en Judée, Samarie et Gaza resteront sous contrôle israélien sans changer de statut. La jurisprudence du conseil [d'autonomie] palestinien ne s'étendra pas aux Israéliens [vivant] en Judée Samarie et à Gaza. Tsahal continuera d'assumer la responsabilité des implantations des Israéliens dans les territoires et la sécurité de chaque Israélien lorsqu'il se trouve dans les territoires ainsi que la sécurité extérieure le long du Jourdain et de la frontière égyptienne. [...] Tous les éléments concernant la solution permanente [du conflit] feront l'objet de négociations qui doivent débuter deux ans après la date déterminée par l'accord. Le gouvernement israélien demeure libre de définir ses positions sur la nature de la solution permanente. Ce qui revient à dire que la déclaration de principe laisse, de ce point de vue, toutes les options ouvertes. [...] Toutes les colonies resteront là où elles sont. Tsahal restera dans Gaza pour les défendre ! [...] Si la paix que nous désirons tant arrive, nos vies s'en trouveront complètement transformées. Nous ne vivrons plus seulement par l'épée. À l'orée de la nouvelle année [juive], après cent années de violence, de terrorisme, de guerres et de souffrances, une grande occasion se présente. Celle d'ouvrir un nouveau chapitre dans l'histoire de l'État d'Israël. C'est l'espoir de la fin des larmes. De nouveaux horizons s'ouvrent devant nous dans les domaines économiques et sociaux. Mais, avant tout, je voudrais vous dire : Ceci est la victoire du sionisme, qui a aussi reçu la reconnaissance de ses ennemis jurés les plus durs. [...] Je demande à tous les membres de ce Parlement de nous permettre de saisir cette grande occasion. Que le soleil brille*[1] *!* »

Benjamin Netanyahu, le chef de l'opposition, lui répond pendant plus d'une heure, interrompu régulièrement par les députés de gauche : « *Vous avez présenté une vision générale*

---

1. http://www.mfa.gov.il/MFA/Archive/Speeches/EXCERPTS+OF+PM+RABIN+KNESSET+SPEECH+-DOP-+-+21-Sep.htm

plutôt rose, pas entièrement il est vrai, mais les couleurs pastel y dominent. Nous espérons tous parvenir un jour à la paix... mais une politique ne se bâtit pas uniquement sur l'espoir et la foi. Une politique doit se fonder avant tout sur la réalité. La voie que vous avez empruntée nous conduit au bord du précipice et, de là, à l'écrasement. [...] Je ne suis pas impressionné par l'allégresse diffusée par les médias nationaux, comme si nous entrions dans une ère nouvelle. Ce n'est pas mon avis. Une jubilation de ce type s'est déjà fait jour, il y a vingt et un ans à l'époque de l'accord sur le Vietnam. Les États-Unis avaient conclu une paix historique avec le Nord-Vietnam. Il y avait eu des fêtes, et on avait même eu le temps de distribuer des prix Nobel. Mais, peu de temps après, le Nord-Vietnam a brutalement écrasé le Sud-Vietnam. Toutes ces déclarations n'ont pas empêché le massacre de trois millions de Cambodgiens. [...] » Et Netanyahu de comparer l'accord d'Oslo à... un zèbre. *« Je crois que tout le monde ici a visité le Safari [le parc zoologique] de Ramat Gan [près de Tel-Aviv]. Lorsqu'on y aperçoit un cheval strié de bandes blanches et noires, on n'a pas besoin d'une pancarte qui vous dise : c'est un zèbre... Eh bien, lorsqu'on lit le texte de cet accord, même si ce n'est pas écrit dessus, nul besoin de pancarte... C'est un État palestinien, c'est vers cela que vous allez ! »*

Shimon Pérès clôture sous les lazzis de l'opposition : *« Quelle est l'alternative ? Fermer la porte ? Annoncer qu'il n'y aura pas la paix, qu'il faut retourner à l'Intifada et à la guerre ? »*

Le vote intervient le 23. Il est très serré. Les six députés de Shass envisagent d'abord de soutenir l'opposition, mais finissent par s'abstenir. Car Rabin a annoncé qu'il engageait la confiance en son gouvernement, ce qui, dans l'hypothèse où le non l'emporterait, l'obligerait à exiger le départ des députés Shass de la coalition gouvernementale, les contraignant à renoncer à leurs portefeuilles ministériels.

La Déclaration de principe sur l'autonomie palestinienne est finalement approuvée par soixante et une voix contre cinquante et huit abstentions. Cinq députés issus de petits partis arabes ont voté avec le gouvernement, ce qui fera dire à la droite que Rabin n'a pas une majorité juive. Trois députés du Likoud se sont également abstenus.

Oslo = Munich

Au cours du débat, Benjamin Netanyahu a lancé à Shimon Pérès : « *Vous êtes bien pire que Chamberlain qui avait porté atteinte à la sécurité et à la liberté d'une autre nation. Vous, vous l'avez fait au détriment de votre propre peuple*[1]. » Tel sera le principal thème de la campagne de communication de la droite : « *L'accord avec l'OLP est un nouveau Munich.* » Arafat serait donc un nouvel Hitler.

Cette logique est développée à Kyriat Arba par Elyakim Haetsni. Il a pris la tête du Comité pour l'annulation du plan d'autonomie. « *Arafat ne met pas en danger la paix mondiale comme l'Allemagne nazie, il met en danger l'existence d'Israël plus qu'Hitler mettait en danger l'existence de la France* », écrit-il dans l'édition de septembre de *Nekouda.* « *Arafat aussi parle de paix. Après avoir occupé un nouveau territoire, Hitler avait l'habitude de dire qu'il l'avait fait "pour la paix" en précisant qu'il n'avait plus de revendications territoriales... en attendant l'exposition de nouvelles exigences. Arafat a déclaré caduque la charte nationale palestinienne. Demain il déclarera caduques ces promesses faites au malheureux gouvernement Rabin.* » Et Haetsni de promettre que des « *milliers de manifestants rempliront les prisons à la suite d'un combat non violent !* ».

Sur un ton identique, Benny Katzover, le dirigeant de Goush Emounim, annonce qu'il faut « *expulser d'Israël le gouvernement Rabin* » et lance un appel à l'opinion nationaliste religieuse pour qu'elle bloque les rues et empêche ainsi le gouvernement d'agir. « *C'est bien que les parents viennent aux manifestations avec les enfants dont les maisons doivent être détruites et dont ils seront expulsés. Ils ont le droit de manifester comme leurs parents.* » Bien entendu, contrairement à ce qu'affirme Katzover, les accords d'Oslo ne prévoient ni destruction de colonies, ni expulsion de colons.

Le rabbin Yoël Bin Noun publie un examen de conscience :

1. Cité par David Horowitz, *Yitzhak Rabin. Soldier of Peace*, Londres, Peter Halban, 1996, p. 173.

« Il y a huit ans, après un entretien privé avec Shimon Pérès, alors qu'il était Premier ministre du gouvernement d'Union nationale, et avec son accord, j'ai proposé à la direction historique de Goush Emounim d'entamer un débat fondamental avec le parti travailliste. Il s'agissait de parvenir à un accord sur l'avenir de l'implantation juive en Judée-Samarie. Maintenir la souveraineté israélienne sur les implantations. [Obtenir] l'engagement de poursuivre leur développement sans que l'on puisse les "étrangler" du point de vue territorial dans le cadre d'un accord futur. La direction de Goush Emounim a rejeté cette proposition et refusé toute rencontre ou débat pouvant légitimer le programme travailliste. Depuis, nous avons cessé tout contact avec les écrivains de gauche. Et également avec Shimon Pérès et ses gens. Nous les avons abandonnés. À présent, nous en payons le prix. [...] Nous devons faire comprendre à Shimon Pérès et à ses gens qu'ils ne peuvent pas prétendre célébrer la prospérité économique sur notre ruine. Nous avons la capacité de perturber la vie quotidienne en Israël, sans violence, mais d'une manière qui fera fuir tous les investisseurs. Ainsi, toute la vision [de Pérès] s'effondrera. [...] Ce que nous aurions pu obtenir de Shimon Pérès volontairement et dans le cadre d'un accord il y a huit ans, il faudra l'obtenir à présent par la force, légitime et démocratique [...]. »

L'APPEL À L'INSUBORDINATION

Un grand débat s'ouvre parmi les colons qui effectuent leur service militaire. Mordehaï Karpel, un habitant de la colonie Bat Ayn, capitaine de réserve, a refusé le 11 juillet de porter l'uniforme. Condamné à quinze jours de cachot, il a adressé une lettre à Yitzhak Rabin. *« [...] Après vingt années de service [effectué] dans des unités combattantes, je me trouve dans une situation qui ne me permet pas d'effectuer une période de réserve. Depuis 4 000 ans, le peuple d'Israël est lié à la Terre d'Israël dans une alliance totale. À aucun moment, en aucun lieu, en aucune situation, n'est venue l'idée à un Juif de renoncer à la Terre d'Israël. Pour la première fois, de nos jours, au nom du peuple d'Israël, un pouvoir entend renoncer au cœur de la Terre d'Israël et œuvre pour créer un État palestinien sur la terre de nos ancêtres. Je rejette cela et refuse avec force de coopérer avec tout pouvoir étranger ou juif qui œuvre en vue d'arracher le peuple d'Israël à sa terre [...]*[1]. »

Son initiative est critiquée par quelques rabbins issus de Merkaz Ha Rav. Shlomo Aviner, le directeur de la yeshiva Ateret Cohanim qui, dans le quartier musulman de la vieille ville de Jérusalem, prépare les futurs prêtres du Temple, écrit : « *Cette armée, c'est la nôtre. Il est absolument interdit de l'affaiblir. Ce n'est pas la bonne voie, même si nos objectifs sont justes. Le rabbin Zvi Yehouda Berlin a écrit que quiconque affaiblit les chefs de l'armée mérite de subir le jugement de "Din Rodef" car il a porté atteinte aux forces de défense de la nation. Même les critiques les plus dures doivent être diffusées par les voies politiques et éducatives*[2]. » C'est la première fois que, dans un texte contemporain, est évoquée l'antique condamnation de « Rodef ». Selon la loi religieuse, elle doit s'appliquer à tout Juif trahissant sa communauté ou mettant en danger la vie d'autres Juifs. Les fondamentalistes inviteront à l'appliquer à Yitzhak Rabin et à Shimon Pérès.

Le 19 décembre 1993, Shlomo Goren relance la controverse en publiant un jugement rabbinique : « *Les soldats doivent désobéir à tout ordre d'évacuer une implantation. Un tel ordre serait contraire aux commandements de la Torah, témoignerait d'une infraction aux lois de Moïse, au judaïsme, d'une atteinte à Dieu, et doit être absolument rejeté.* » Interviewé par Kol Israël, la radio publique, cet ancien aumônier général explique que les Juifs ont l'obligation divine de peupler la Terre d'Israël, y compris la Judée-Samarie, et qu'il est donc interdit de s'y opposer.

Le conseiller juridique du gouvernement ouvre une enquête pour déterminer s'il y a matière à poursuites judiciaires pour « appel à l'insubordination ». Plusieurs ministres de gauche, ainsi que certains responsables du Likoud, condamnent les propos de Goren.

Le rabbin d'Eilon Moreh, Menahem Felix, écrit : « *Transmettre la souveraineté sur une partie de la Terre d'Israël à des*

1. *Nekouda*, n° 171, septembre 1993.
2. *Nekouda, ibid.*

gentils en signifie la destruction. [...] Cette fois, ce n'est pas [...] l'empereur romain Titus ou Nabuchodonosor [l'empereur persan] mais une administration israélienne qui est sur le point de détruire la terre. » Il ajoute que, bien qu'ayant été élu « *par de pseudo-moyens démocratiques* », Yitzhak Rabin et Shimon Pérès ont perdu toute légitimité pour gouverner l'État juif car « *ils ne disposent pas d'une majorité juive à la Knesset pour ratifier la reddition à l'OLP*[1] ». Cette manifestation de rejet de la légitimité des députés arabes pourtant élus démocratiquement est un thème récurrent de la rhétorique de la droite israélienne. Dans certaines synagogues, les fidèles vont jusqu'à refuser de dire la prière traditionnelle pour le bien-être de l'État.

Le Likoud, l'ultradroite et Goush Emounim ont pourtant bien du mal à faire passer leur message d'opposition aux accords d'Oslo. Selon les sondages, fin août 1993, 53 % des Israéliens interrogés se disaient favorables à l'autonomie palestinienne, 45 % opposés. Après la signature solennelle à la Maison-Blanche, ils étaient 61 % à se dire pour, et 31 % contre[2]. Pourtant, alors que le processus de paix se poursuit, l'instabilité gagne la Cisjordanie. Des groupes armés du Fatah sortent lentement de la clandestinité sans parvenir à contrôler la rue en Cisjordanie et à Gaza, où l'opposition, islamiste et marxiste, rejette l'accord avec Israël et commet attentat sur attentat.

Le 24 septembre, un colon est assassiné par le Hamas près du village de Basra en Cisjordanie. Le 9 octobre, le Front populaire pour la libération de la Palestine (FPLP) et le Jihad islamique tuent deux civils à Wadi Qelt, dans le désert de Judée. Le 24, à Gaza, deux réservistes sont kidnappés et tués par le Hamas. Et tous les militants du Fatah n'observent pas le cessez-le-feu avec Israël : c'est ainsi que le 29 octobre, trois membres de l'organisation de Yasser Arafat enlèvent Haïm Mizrahi, un habitant de la colonie de Beit El, et l'assassinent en le brûlant vif. Le 7 novembre, des rafales d'arme automatique sont tirées par le Hamas

1. Cité par David Horowitz, *Yitzhak Rabin. Soldier of Peace*, *op. cit.*, p. 176.
2. Du côté des Palestiniens, le soutien aux accords d'Oslo était de 64,9 % en septembre 1993. Ces sondages sont cités par *Palestine-Israël Journal*, vol. 2, n° 1, 1995.

en direction du véhicule du rabbin Haïm Druckman, l'un des fondateurs de Goush Emounim. Son chauffeur est tué, il en sort indemne. Les colons réagissent à ces attentats par des raids contre des localités palestiniennes. Jusqu'au 14 janvier 1994, 22 Israéliens seront tués à l'occasion de dix-sept attaques menées en Cisjordanie, à Gaza et en Israël.

Le 11 décembre 1993, Jacques Neriah, le conseiller diplomatique de Rabin, part pour Tunis, officiellement, il s'agit de préparer un rendez-vous au sommet avec Arafat. En fait, Neriah a pour mission de comprendre ce que veut vraiment le chef de l'OLP. Quelles seront ses revendications territoriales ? Le conseiller du Premier ministre israélien doit bien vite expliquer à ses interlocuteurs qu'il y a manifestement un malentendu. « *La déclaration de principe,* dit-il, *ne signifie pas la création d'un État palestinien. Nous ne pouvons vous empêcher de parler d'État, mais ce n'est pas [à l'ordre du jour]. Actuellement, il n'est question que d'une étape intermédiaire, au terme de laquelle nous ne savons pas ce qu'il y aura. Dans deux ans au plus tard, nous pourrons discuter du statut définitif des territoires.* » Nabil Shaath, l'un des négociateurs palestiniens, pose plusieurs questions sur la superficie de l'enclave de Jéricho. Neriah rappelle alors aux Palestiniens qu'ils ont renoncé à trois éléments : la sécurité extérieure, c'est-à-dire les frontières ; les relations extérieures, c'est-à-dire les points de passage ; quant aux implantations, elles resteront en place et la sécurité des Israéliens ne dépendra que de Tsahal. En privé, Arafat annonce à l'émissaire israélien que, pour lui, le processus de paix doit bien conduire à la création d'un État palestinien indépendant sur l'ensemble de la Cisjordanie, Gaza et Jérusalem-Est, y compris l'esplanade des Mosquées. La plupart des colonies devront donc être évacuées. Le droit au retour des réfugiés palestiniens ne devrait pas être un problème pour Israël. Arafat déclare à ce propos : « *Vous n'aurez pas de problème démographique avec moi*[1] *!* »

Yitzhak Rabin piquera une colère lorsqu'il recevra le rapport de Neriah. « *Ce n'est pas du tout ce qu'ils [les négociateurs*

1. Témoignage de Jacques Neriah, novembre 2012. C'est la première fois que ces détails sont publiés.

d'Oslo] m'ont dit ! » Il décide de poursuivre malgré tout la mise en place de l'autonomie palestinienne, estimant que cela pourrait créer une nouvelle réalité.

Un massacre qui en annonce d'autres

L'acte meurtrier d'un kahaniste, suivi d'une série de décisions calamiteuses de la part de la direction israélienne, vont enclencher un processus qui va mener le processus de paix à l'échec et conduire Rabin à la mort.

L'homme en question n'est autre que Baroukh Goldstein, qui, en 1984, s'était présenté aux élections législatives sur la liste du Kach, emmené par son guide, Meir Kahana. À Kyriat Arba, où il réside avec son épouse et ses quatre enfants, les voisins apprécient ce médecin toujours prêt à rendre service... mais uniquement à des Juifs. Déjà, au cours de son service militaire, au Liban, et contrairement aux règles en vigueur à Tsahal, il avait refusé de soigner des soldats druzes et des prisonniers. À plusieurs reprises, ses officiers avaient dû réclamer son transfert dans d'autres unités – voire son expulsion du corps médical de l'armée. En vain. Selon diverses sources, il bénéficiait de soutiens haut placés[1]. À Hébron, Goldstein effectue ses réserves dans la territoriale avec le grade de capitaine et conserve en permanence son uniforme, ainsi que son arme, un fusil d'assaut Galil[2].

Les militaires responsables du maintien de l'ordre dans le caveau des Patriarches et les agents du Shin Beth ont remarqué Goldstein à plus d'une reprise. Mais toutes les plaintes déposées contre lui ont été classées sans suite. En mai 1990, il avait organisé un raid de colons dans Beit Oumar, une localité palestinienne voisine, en représailles à des tirs visant un autobus israélien. En novembre de la même année, après l'assassinat à New York du rabbin Kahana, Goldstein avait

1. Amir Oren, *Davar*, 4 mars 1994.
2. Selon divers témoignages, Baroukh Goldstein aurait sauvé la vie d'un Palestinien grièvement blessé à Hébron.

diffusé un tract menaçant : « *De nombreux actes de vengeance interviendront après la perte d'une vie juive, et surtout après la perte aussi importante d'un juste.* »

En février 1994, au cours d'une rencontre avec un journaliste étranger, il déclare : « *Les dirigeants et la presse israélienne mènent une campagne diffamatoire contre les colons afin que le grand public se prépare à leur évacuation de Judée Samarie. La coexistence avec les Arabes est impossible. L'armée commet une faute en empêchant les opérations de représailles après les attaques commises par les Arabes. Les Arabes sont forts car ils associent le nationalisme à la ferveur religieuse, ils nous expulseront d'ici si nous ne les chassons pas avant. Mais nous souffrons du syndrome de la Shoah alors que les héritiers authentiques des nazis sont les Arabes. Ils n'auront de cesse jusqu'à ce qu'ils aient la possibilité de violer toutes les femmes juives et de tuer tous les hommes juifs. Ils se moquent de nous. L'assassin d'Aharon Gross a été libéré et travaille comme guide à Hébron, et il conduit même des groupes sur le lieu du meurtre*[1]. » La sécurité intérieure surveille de loin cet extrémiste. En 1990, un agent du Shabak a signalé l'avoir entendu déclarer : « *Un jour, un Juif se vengera des Arabes.* » En octobre 1993, Goldstein a été soupçonné d'avoir versé de l'acide sur les tapis de la mosquée dans le caveau des Patriarches, et le service de sécurité a alors adressé un rapport à Rabin s'achevant sur cette phrase : « *Ce genre d'attaque quotidienne ne doit pas être traité par le silence*[2]. »

Le vendredi 25 février 1994, à cinq heures vingt du matin, Baroukh Goldstein se présente devant l'entrée du caveau des Patriarches. Il est en uniforme, salue les sentinelles qui le connaissent et pénètre dans le sanctuaire. Trois cents musulmans se pressent alors dans la salle principale que les Juifs appellent « Ohel Yizhak ». C'est le dernier jour du jeûne de ramadan. Au même moment, un petit groupe de fidèles juifs prie dans la salle « Abraham ». Des rafales

1. Rapport de la commission d'enquête sur le massacre dans le caveau des Patriarches à Hébron. Publication officielle en hébreu, p. 76-77.

2. http://www.independent.co.uk/news/world/jewish-killer-attacked-mosque-last-year-evidence-is-mounting-that-baruch-goldstein-was-known-to-be-dangerous-well-before-the-massacre-writes-sarah-helm-1426229.html

retentissent. Le médecin de Kyriat Arba a ouvert le feu sur les Palestiniens agenouillés, en prière. Il y a vingt-neuf morts et cent vingt-cinq blessés. Profitant de l'instant où le meurtrier recharge son arme, un fidèle parvient provisoirement à le maîtriser. Il est finalement tué à coups d'extincteur. Les territoires palestiniens s'embrasent. Un peu partout, des Palestiniens attaquent l'armée et les colons à coups de pierres et de cocktails Molotov.

La commission d'enquête du juge Meir Shemgar, chargée d'éclaircir les circonstances du massacre, tentera de dresser le portrait psychologique du meurtrier : « *Par son extrémisme, Goldstein ne reconnaissait pas la suprématie de la loi et l'autorité absolue des institutions de l'État. Il était imprégné de l'idéologie fanatique religieuse kahaniste de haine des Arabes. [...] Un lien extrêmement fort le liait à la ville d'Hébron. [...] Il avait la volonté de venger l'assassinat de son maître à penser Meir Kahana, attendant apparemment l'occasion de passer à l'action afin, par la même occasion, de porter atteinte au processus de paix. Il n'est pas exclu que Goldstein ait commencé à souffrir de dépression en raison des traitements médicaux qu'il devait dispenser aux victimes juives du terrorisme palestinien et du fait qu'il vivait constamment dans une situation de danger mortel et d'humiliation sous les jets de pierres, de bouteilles incendiaires et des tirs. [...] Goldstein avait une mentalité d'assiégé, pensait que l'existence d'Israël était en danger, et que seul un acte hors du commun pourrait mettre un terme à la détérioration de la situation dans le pays. [...] Il se considérait comme l'envoyé du peuple d'Israël, obéissant à un ordre divin (Le rôle de tout Juif est d'obéir à la volonté divine et de sanctifier Dieu). Goldstein avait présenté sa candidature à la mairie de Kyriat Arba après s'être persuadé que "c'était ce que Dieu voulait". Il voulait, par son acte, enrayer le processus politique qu'il considérait comme extrêmement dangereux. [...] Il a écrit, dans le tract qu'il avait publié : "Le temps est arrivé de se réveiller et de dire assez !"*[1] »

Ehoud Sprinzak analyse ce massacre comme la manifestation violente d'un messianisme en crise. C'est que l'espoir eschatologique semblait avoir perdu son sens. Meir Kahana, dans les dernières versions de sa théologie, avait expliqué que les

1. Rapport de la commission d'enquête, *op. cit.*, p. 78-80.

portes du ciel s'étaient largement ouvertes en juin 1967, Dieu étant prêt à accorder la rédemption au peuple d'Israël. Mais les Israéliens n'avaient pas expulsé les Arabes de la Terre d'Israël et créé le royaume annoncé par les textes. En conséquence, la fin des temps n'arriverait qu'après des souffrances considérables. À condition, expliquait Kahana, que le peuple juif retrouve la voie du salut pendant les quatre décennies suivant la création d'Israël. Sinon les portes du ciel pourraient aussi bien se refermer. Kahana avait eu l'intuition de ce « délai » durant l'un de ses séjours en prison. Il avait constaté que le chiffre quarante revenait régulièrement dans la Torah : le déluge avait duré quarante jours et quarante nuits, les Hébreux avaient erré dans le désert pendant quarante ans, etc. Goldstein aurait donc glissé vers une forme de désespérance messianique. Seul un acte de sacrifice suprême au nom de Kiddoush Hashem – sanctification du nom de Dieu – pourrait, croyait-il, rétablir la marche vers la venue du Messie[1].

Rabin cède à la menace

La gauche israélienne monte au créneau et exige des autorités qu'elles interdisent le port d'arme aux colons, sinon à tous, au moins aux plus extrémistes d'entre eux. Mais la Cisjordanie et Gaza sont à feu et à sang, l'Intifada a gagné en violence. En quelques semaines, une trentaine de Palestiniens seront tués à l'occasion d'accrochages avec l'armée.

Le 28 février 1994, à la Knesset, Yitzhak Rabin déclare : *« À cause de cet individu abject d'Hébron, nous sommes frappés d'indignité. [...] dans mes pires cauchemars, je n'imaginais pas qu'un tel massacre puisse avoir lieu. »* Aux appels de la gauche qui réclame le désarmement des colons, il répond qu'il ne sera rien changé aux mesures de sécurité accordées par l'État à ses citoyens, *« y compris [pour ce qui concerne] les habitants juifs de Judée-Samarie et de Gaza »*.

Benjamin Netanyahu, s'il condamne le massacre, demande

1. Ehoud Sprinzak, *Brothers Against Brothers*, *op. cit.*, p. 186.

que la commission d'enquête du juge Shemgar examine également la situation sur le terrain, les raisons qui ont conduit aux meurtres de trente-trois Israéliens depuis la signature des accords d'Oslo.

Se pose le problème des obsèques de Goldstein. Les colons exigent que le cortège funèbre passe par les rues d'Hébron. Ehoud Yatom, le général commandant le secteur, refuse. Inutile de provoquer les Palestiniens. Ouzi Benziman racontera la suite dans *Haaretz*[1] : Zvi Katzover, le maire de Kyriat Arba, appelle le Président de l'État, Ezer Weizman, et lui annonce que, dans ces conditions, les colons risquent de réagir très mal et de lancer de nouvelles attaques anti-arabes. S'engagent alors des négociations entre Ehoud Barak, le chef d'état-major, Yatom, et des dirigeants du Kach, que Yatom ira rencontrer personnellement en prison.

Finalement, un accord est conclu. Les funérailles partiront de Jérusalem. Le 3 mars, un millier de colons assistent à la levée du corps, certains scandant : « Mort aux Arabes ! » Le rabbin Dov Lior prononce un discours dans lequel il accuse les dirigeants israéliens d'avoir abandonné la foi, depuis la signature du traité de paix avec l'Égypte, en remettant l'héritage « de nos ancêtres à des étrangers ». Il ajoute : *« Puisque Baroukh Goldstein a agi au nom de Dieu, il doit être considéré comme un juste. »* Dans la foule, un jeune militant religieux assiste à la cérémonie et écoute attentivement tous ces discours. Il s'appelle Yigal Amir. Vingt mois plus tard, il assassinera Yitzhak Rabin. Aux enquêteurs, il dira qu'en ce jour de mars 1994 il avait décidé de poursuivre ce que Goldstein avait commencé : mettre un terme au processus de négociations en tuant le chef du gouvernement[2].

Les deux mouvements kahanistes, Kach et Kahana Khaï, sont interdits dans le cadre de la loi antiterroriste. Plusieurs dizaines de leurs militants sont placés en détention administrative. Des ministres, parmi lesquels Benjamin Ben Eliezer, proposent d'évacuer la petite colonie juive installée au cœur de la ville d'Hébron. L'idée fait son chemin. Selon

1. *Haaretz*, 4 mars 1994.
2. Idith Zertal et Akiva Eldar, *Lords of the Land*, *op. cit.*, p. 122.

un sondage téléphonique réalisé par la deuxième chaîne de télévision israélienne, une majorité des membres du gouvernement seraient favorables à cette mesure. Cela permettrait d'adresser un message clair aux Palestiniens, à l'opinion publique internationale, mais également de neutraliser les colons les plus extrémistes. Plusieurs formules sont d'abord envisagées, puis on se fixe sur celle-ci : on procédera d'abord à l'évacuation de la yeshiva située à proximité du caveau des Patriarches – elle compte cinq cents étudiants – puis à celle de la petite colonie de Tel-Roumeida. Créée en 1984, celle-ci est habitée par quelques dizaines de colons kahanistes, qui vivent dans six caravanes. Le chef d'état-major, le général Lipkin-Shahak, reçoit l'ordre de mettre des troupes en alerte pour procéder à l'évacuation.

Rabin cède à nouveau, le Likoud soutient les fondamentalistes

La droite et le mouvement fondamentaliste messianique se mobilisent. Quatre rabbins publient un nouveau jugement halakhique. Shlomo Goren se joint aux deux rabbins de Merkaz Ha Rav, Avraham Shapira également ex-grand rabbin d'Israël, Shaul Ysraeli, et Moshé Zvi Neria, le chef spirituel du mouvement de jeunesse Bneï Akiva. Ils écrivent : « *L'initiative criminelle d'évacuer Hébron doit être affrontée avec une dévotion totale. Le jugement d'un tel crime haineux doit être identique [à celui qui sanctionne le non-respect] de l'obligation de sauver une vie, il faut être prêt à mourir pour ne pas commettre de péché. [...] la destruction [de l'implantation juive] d'Hébron, que Dieu nous en préserve, est identique à la mort qui nécessite d'observer le deuil. [...] Nous devons offrir notre vie dans ce combat contre les projets vicieux du gouvernement d'Israël, qui compte sur les Arabes pour réunir une majorité. [...]*[1] »

Yitzhak Rabin et les membres de son gouvernement voient là une attaque en règle contre les principes de la démocratie

1. Cité par Ehoud Sprinzak, *Brothers Against Brothers*, *op. cit.*, p. 248.

israélienne. Des rabbins modérés, notamment Yehouda Amital, reprochent aux auteurs de ce « jugement » d'exprimer non pas une opinion religieuse mais politique. Il n'empêche, l'atmosphère au sein du mouvement fondamentaliste est extrêmement agitée. Dans les colonies, certains responsables parlent de mobilisation générale pour, par milliers, aller défendre l'implantation d'Hébron, les armes à la main. Le 15 mars, soixante mille personnes manifestent place des Rois d'Israël à l'appel du Likoud et du mouvement des implantations. Benjamin Netanyahu est le principal orateur du jour : *« Si nous n'avons pas le droit de vivre à Hébron, nous n'avons le droit de vivre nulle part dans ce pays, nous n'avons pas de droit à Jaffa, à Acco, à Jérusalem et, bien entendu, à Tel-Aviv ! Nous n'aurons plus rien à faire ici. Mais ce droit, nous l'avons et nous devons nous battre exactement comme le fait tout peuple sain qui combat pour son pays, pour sa patrie. D'ici, je m'adresse aux mouvements de gauche et à leurs représentants au gouvernement : je note le dédain avec lequel vous parlez de la Judée, de la Samarie, et d'Hébron, la ville des Patriarches. Et bien entendu, bientôt, vous parlerez ainsi de Jérusalem-Est, et je me demande : N'avez-vous donc pas de liens avec les racines qui unissent notre peuple depuis des milliers d'années à cette terre ?* [...] *Et je vous dis : Arrêtez cela ! Empêchez la déchirure qui s'approfondit dans la nation*[1]. [...] »

Fin mars, Rabin invite à dîner une douzaine d'universitaires, tous experts du monde arabe. La plupart d'entre eux lui conseillent d'évacuer Tel-Roumeida. Matti Steinberg, le principal analyste du Shabak, va plus loin. Ce grand spécialiste de l'islam radical suggère de mettre de côté les accords d'Oslo, de renoncer à l'étape intérimaire pour négocier immédiatement le statut définitif. Il explique que, du point de vue purement tactique, ce serait préférable. Ainsi, le Premier ministre serait-il en position favorable, Israël contrôlant encore la quasi-totalité des territoires palestiniens. Ce ne serait pas le cas à l'issue de la période d'autonomie et des retraits successifs en Cisjordanie et à Gaza. Sur la foi des renseignements qui sont en sa possession, Steinberg explique en effet qu'une partie de la direction du Hamas

1. Charles Enderlin, *Paix ou guerres, op. cit.*, p. 700.

entend réagir au massacre d'Hébron par des attentats-suicides contre des civils, à l'intérieur même du territoire israélien. Face à son opinion publique, l'organisation islamiste ne pourrait pas s'opposer à un processus menant à la création d'un État palestinien indépendant.

Rabin lui répond : « *Yasser Arafat me l'a proposé lors de notre conversation au téléphone. C'est intéressant. Du point de vue diplomatique, c'est faisable. Mais, politiquement, je ne peux pas le faire.* » Et le chef du gouvernement de quitter ses invités pour se rendre à la Knesset où se déroule un vote important. Steinberg conclura ses idées dans un rapport qu'il adressera au Premier ministre. Quelques jours plus tard, Eytan Haber, son chef de cabinet, l'appellera pour lui dire : « *Rabin vous remercie, mais il ne peut pas mettre en pratique vos propositions*[1]. » Matti Steinberg apprendra plus tard que le Premier ministre avait reçu un rapport du professeur Ehoud Sprinzak le mettant en garde contre une confrontation armée avec les milliers de colons qui viendraient s'opposer à l'évacuation.

En 1998, le gouvernement israélien dirigé par Benjamin Netanyahu approuvera officiellement l'implantation de Tel-Roumeida, sous le nom de Ramat Yishaï, et débloquera un budget de trois millions de dollars pour en développer les infrastructures et faciliter la vie des soixante-quinze colons qui y vivent. En 2001, Ariel Sharon, Premier ministre, accordera à cette colonie un permis de construction de seize unités de logement supplémentaires.

Yasser Arafat aurait pu poser l'évacuation des colons d'Hébron comme condition à la poursuite du processus d'Oslo. Il ne l'a pas fait. Une délégation israélienne, conduite par le général Lipkin-Shahak, était venue à Tunis le persuader d'accepter la reprise des négociations sur l'autonomie palestinienne. Une formule de compromis avait été trouvée avec le déploiement à Hébron d'une force internationale d'observateurs appelée « TIPH » (Temporary International Presence in Hebron). Quelques dizaines de policiers et de

1. Plusieurs interviews de Matti Steinberg durant 2012. Aussi : Matti Steinberg, « Facing their Fate. Palestinian National Consciousness. 1967-2007 », Tel-Aviv, *Yediot Aharonoth*, 2008, p. 390-391.

militaires venus de Norvège, du Danemark et d'Italie, non armés, patrouilleront ainsi la ville sans pouvoir intervenir. Ils rédigeront régulièrement des rapports que bien peu liront.

Le 4 avril 1994, Motta Gour, le vice-ministre de la Défense, informe officiellement les grands rabbins d'Israël que Tel-Roumeida ne sera pas évacuée. Cela ne calme pas pour autant les colons car, le 4 mai, Yitzhak Rabin et Yasser Arafat signent au Caire l'accord sur l'autonomie de Jéricho et Gaza. Israël s'engage à remettre à l'OLP une partie de la Terre d'Israël. La veille, réunies à Jérusalem, plusieurs centaines de rabbins israéliens ont publié un jugement religieux reprenant les arguments de Goren, Shapira, Neria et Israeli : *« Le soi-disant accord de paix adopté par un gouvernement, soutenu par une infime majorité et s'appuyant sur des députés arabes, est en opposition totale avec la paix. [...] Toute personne ayant la possibilité d'empêcher cet accord et qui n'agit pas enfreint le commandement de protéger autrui. »*

La campagne de délégitimation du processus de paix se poursuit. Affiches insultantes, campagnes violentes financées par la droite, sermons incendiaires dans les synagogues et les yeshivot, et manifestations de rues au cours desquelles le slogan « Rabin traître ! » est scandé par des centaines, parfois des milliers de militants.

Aujourd'hui, près de vingt ans après les événements, l'historien et politologue Zeev Sternhell considère que la défaite de la gauche israélienne remonte à cette époque : *« Il aurait fallu évacuer les Juifs d'Hébron, mais Rabin ne l'a pas osé. Ce militaire courageux, qui politiquement n'avait pas peur, là, il a plié. Je pense que si on avait évacué la bande de Gaza après la signature d'Oslo, si on avait évacué Hébron après le meurtre de Goldstein, les choses auraient tourné d'une autre manière. La droite aurait compris qu'elle avait en face d'elle une gauche capable de résister, alors qu'elle pensait toujours être intellectuellement, moralement, idéologiquement, beaucoup plus forte que la gauche. Quand Rabin a cédé face aux gens d'Hébron, il a apporté la preuve qu'ils avaient raison. Ce fut là le grand malheur de l'époque*[1]*. »*

1. Zeev Sternhell, interview par l'auteur, novembre 2012.

CHAPITRE 5

Tuer au nom de Dieu

L'armée israélienne doit se retirer de Jéricho, où des militaires de l'Armée de libération de la Palestine sont appelés à se déployer. La première ville du pays de Canaan conquise par les Hébreux, en 1493 avant l'ère chrétienne, serait remise à l'ennemi ? Pour les fondamentalistes messianiques, c'est inimaginable. Le livre de Josué décrit les sept jours durant lesquels sept prêtres ont sonné le cor de bélier tandis que le peuple faisait sept fois le tour des murailles de Jéricho, jusqu'à ce qu'elles s'effondrent. *« Et l'on appliqua l'anathème à tout ce qui était dans la ville ; hommes et femmes, jeunes et vieux, jusqu'aux bœufs, aux brebis et aux ânes, tout périt par l'épée. »* Seule fut épargnée la famille de Rahab, la prostituée, parce qu'elle avait collaboré avec les espions envoyés par Josué[1].

En 1936, des archéologues avaient découvert les restes d'une synagogue datant du VIIe siècle. Le sol en est couvert d'une imposante mosaïque représentant l'arche d'alliance, le chandelier à sept branches, une corne de bélier et l'inscription en hébreu : « Paix sur Israël ». En 1987, l'administration militaire avait réquisitionné l'endroit ainsi que la maison construite sur place par les Palestiniens. Des colons y avaient installé une petite yeshiva, pour y venir prier quotidiennement. Quelques jours avant le transfert du secteur sous la responsabilité de la nouvelle Autorité autonome palestinienne, l'armée doit expulser *manu militari* plusieurs dizaines de militants juifs qui se sont barricadés dans la synagogue.

1. Josué, chapitre 6.

Le 14 mai, le retrait se déroule sans problèmes et, après le départ des derniers soldats israéliens, dans l'après-midi, trois colons arrivent sur place pour découvrir que le site est désormais gardé par des Palestiniens en uniformes et armés de Kalachnikov. En signe de deuil, ils déchirent leurs vêtements avant d'être raccompagnés vers la sortie.

Deux jours plus tard, Hanan Porat, député du parti national religieux, vient inspecter les lieux en compagnie d'un groupe de colons armés. Il découvre avec horreur qu'un portrait d'Arafat a été accroché à côté de l'arche où se trouvent les rouleaux de la Torah, alors que le drapeau palestinien flotte sur le bâtiment. Sa présence dans Jéricho lui vaudra une volée de bois vert de la part d'Elyakim Haetsni, dans *Nekouda* : « *En pénétrant dans la synagogue de Jéricho, Hanan Porat a de fait renoncé à la souveraineté. Un député et des membres du comité des implantations de Judée-Samarie n'auraient jamais dû prendre cette initiative devant des soldats palestiniens. Jérusalem, où se trouve le centre de la souveraineté juive, est l'endroit où doit se dérouler leur combat. Il ne sert à rien d'aller à Jéricho et dire que le policier palestinien est "transparent comme l'air et qu'on ne le voit pas". Il faut aller à Jérusalem afin d'y être arrêté par un policier israélien, en chair et en os, au service d'un gouvernement pervers. [...] Si des milliers de manifestants n'empruntent pas cette voie, si l'État, l'incarnation du royaume d'Israël, perd ce qui le rend juif, nous ne pourrons que nous accuser nous-mêmes de n'avoir pas été capables de faire un effort supplémentaire. [...]* »

Haetsni n'est pas le seul à critiquer les instances de Goush Emounim. Une nouvelle organisation a vu le jour. Depuis quelques mois, Zo Artzeinou (« C'est notre pays ») s'est engagée contre le processus d'Oslo. Son fondateur s'appelle Moshé Feiglin. Il est issu d'une famille installée en Palestine depuis le début du siècle. Il a 32 ans et habite la colonie Karnei Shomron, en Cisjordanie. Avec l'aide de quelques centaines de supporters, son objectif est d'édifier une nouvelle colonie – ce qu'interdit le gouvernement – à côté de chaque implantation autorisée. L'opération échoue. Les militants, en nombre insuffisant, n'auront réussi qu'à installer quelques avant-postes vite évacués par l'armée. Surtout, les dirigeants du conseil des implantations ont décidé de ne pas soutenir cette initiative. Feiglin les interpelle dans *Nekouda* : « *Les quelques dizaines de militants qui ont tenté en vain de pénétrer dans Jéricho ressemblent à des voyageurs qui, l'ayant raté, courent derrière le train pour essayer malgré tout de monter à bord. [...] Pourquoi le combat de ceux qui demeurent fidèles à leur pays, et qui n'aspirent qu'à sauver [le principe de] l'implantation en Judée-Samarie et à Gaza, contre la grande trahison de la patrie et contre l'abandon de Juifs aux mains des assassins, a-t-il échoué ? [...] Le conseil des implantations est en fait une administration municipale dont le but premier est d'assurer un certain nombre de services à ses administrés. C'est pour cela que ses membres ont été élus, et un échec [sur ce point] leur ferait perdre leur poste. Ce genre de fonction implique le maintien de bons contacts avec le pouvoir central, qui fournit budgets et autorisations nécessaires. Il existe donc un conflit d'intérêt fondamental entre un officiel lié d'une manière ou d'une autre à l'establishment et quelqu'un qui est appelé à lutter contre le pouvoir. [...] Il est indispensable d'établir une séparation totale entre la direction municipale des implantations et celle du combat [contre le gouvernement]. Il faut élire rapidement des comités d'action dans les implantations. [...]*[1] »

Dans la nuit du 16 au 17 mai 1994, la police palestinienne se déploie sur les deux tiers de la bande de Gaza. L'armée israélienne, pour sa part, continue d'assurer la défense des six mille Israéliens qui peuplent toujours quinze colonies situées dans le sud et le centre du territoire. Si ce retrait partiel s'est déroulé sans incidents, à Hébron, des colons ont exprimé leur colère, défilant en armes dans le quartier Al-Cheikh en scandant des slogans hostiles aux Palestiniens. Des jeunes Palestiniens ont réagi en leur lançant des pierres. Les Israéliens ont ouvert le feu. L'armée est ensuite intervenue. Bilan : dix-huit Palestiniens blessés par balles. Les observateurs de la TIPH (Temporary International Presence in Hebron) n'ont pas été autorisés à se rendre sur place... Trois jours plus tard, le Hamas commet son premier attentat depuis l'arrivée des policiers de l'OLP et tue deux soldats israéliens qui gardaient une station-service près d'une colonie à Gaza. Le lendemain, l'Autorité palestinienne condamne l'attaque.

---

1. *Nekouda*, n° 178, mai 1994.

La rumeur circule d'une prochaine visite de Yasser Arafat sur le Haram al-Sharif après son arrivée à Gaza, prévue pour le 1er juillet. Dans cette perspective, la droite mobilise. Elle fera tout pour empêcher un geste aussi fort que la prise de possession symbolique du mont du Temple juif par le chef de l'OLP. Ehoud Olmert, le maire de Jérusalem, lance un appel à ses concitoyens pour « protéger l'unité de Jérusalem ». Benjamin Netanyahu, de son côté, accuse le gouvernement de vouloir « arracher le cœur de Jérusalem ». Des affiches sont collées un peu partout dans la ville. On y voit le portrait d'Arafat et ces mots : « Le *serial killer* arrive ». Mais encore : « Yitzhak Rabin, traître ! », ce dernier coiffé d'un keffieh. Le Premier ministre a beau déclarer que le chef de l'OLP a parfaitement le droit d'effectuer un pèlerinage sur les lieux saints musulmans, bien que ce ne soit pas à l'ordre du jour, rien n'y fait. Le 30 juin, des milliers de colons et de militants nationalistes manifestent aux cris de : « Arafat Hitler ! », « Mort à Rabin ! », « Non à Oslo ! ». Des pneus sont incendiés. L'entrée de Jérusalem est bloquée pendant plusieurs heures. L'extrême droite, conduite par des kahanistes, défile dans les ruelles du quartier musulman de la vieille ville en scandant : « Morts aux Arabes ! » Il y a quelques arrestations.

Le 1er juillet 1994, Yasser Arafat revient à Gaza pour la première fois depuis 1967. Après avoir passé le poste-frontière de Rafah, il embrasse la terre de Palestine, prononce une prière, puis, de la tribune de l'ancien parlement régional égyptien, s'adresse à son peuple :

« [...] *Nous avons juré à nos martyrs que nous irions prier à Jérusalem, notre principal Lieu* [saint], *le Lieu du prophète Mohamed et le lieu de naissance de Jésus. Nous disons à l'opinion israélienne que nous reconnaissons ses Lieux saints à Jérusalem et qu'ils doivent, de la même façon, reconnaître nos Lieux saints chrétiens et musulmans.* »

Le lendemain, place de Sion à Jérusalem, des dizaines de milliers de manifestants brûlent l'effigie d'Arafat et celle d'Yitzhak Rabin. Benjamin Netanyahu prend la parole depuis un balcon où a été accrochée une gigantesque banderole : « Mort à Arafat ! » Il explique à son auditoire qu'à présent, « *c'est Jérusalem que la gauche veut donner au terroriste Arafat, qui est personnellement responsable de la mort de milliers de Juifs et de non-Juifs. C'est un criminel de guerre auquel le gouvernement israélien permet [pourtant] de réaliser la première phase de son plan. Ce qu'Arafat veut réellement, ce n'est pas [instaurer] un État arabe aux côtés d'Israël, mais un État arabe à la place d'Israël. [...] Le Premier ministre doit promettre que jamais Arafat n'entrera dans Jérusalem* ». Elyakim Haetsni explique à qui veut l'entendre que Rabin est une sorte de Pétain, et compare Shimon Pérès à Laval.

À Gaza et à Jéricho, les services de sécurité palestiniens se mettent en place dans le désordre. Ils manquent de systèmes de communication, et les patrouilles conjointes avec l'armée israélienne se font tant bien que mal. Le Hamas en profite pour poursuivre son offensive contre le processus de paix. Le 7 juillet, devant l'entrée de Kyriat Arba, une jeune Israélienne de 17 ans est tuée par une rafale tirée depuis une voiture palestinienne. L'armée impose le couvre-feu sur Hébron, à la recherche des assassins. Le même jour, le corps mutilé d'un soldat enlevé la veille est retrouvé près de Ramallah. Dix autres civils et militaires israéliens seront tués au cours d'attentats à Gaza, en Cisjordanie et en Israël.

Dès la signature de l'accord d'Oslo, l'année précédente, le roi Hussein de Jordanie a fait savoir qu'il était prêt à conclure un accord de paix avec Israël. Les négociations ont progressé, et le traité entre les deux pays doit être signé solennellement le 26 octobre. Mais, une semaine avant l'échéance, le Hamas frappe à nouveau. Une bombe humaine, envoyée par le Hamas, explose dans un autobus en plein centre de Tel-Aviv. Il y a vingt-deux morts et plus de cinquante blessés. Une violente manifestation se déploie ensuite sur les lieux de l'attentat. En présence de Benjamin Netanyahu, la foule hurle : « *Ce n'est pas la paix, c'est le terrorisme !* » et « *Par le sang et par le feu, nous viderons Rabin !* » Le gouvernement israélien impose un bouclage complet de la Cisjordanie et de Gaza. Des milliers de Palestiniens sont empêchés de se rendre sur leur lieu de travail en Israël.

Le 11 octobre, le comité du Nobel de la paix décide d'accorder le prix à Yitzhak Rabin, Shimon Pérès et Yasser Arafat. C'est un encouragement à poursuivre les négociations pour la mise en place de l'autonomie dans le reste de la Cisjordanie. Elles aboutiront près d'un an plus tard, en dépit de l'opposition de la droite nationaliste, des colons, et des attentats sanglants commis par le Hamas. Le Premier ministre en a ainsi décidé : « *Nous négocierons comme s'il n'y avait pas de terrorisme et lutterons contre le terrorisme comme s'il n'y avait pas de négociations.* »

QUAND LES CHEMINS DU SIONISME LAÏC ET DE LA TORAH DIVERGENT

Au sein du mouvement fondamentaliste messianique, de plus en plus de penseurs prennent leurs distances avec la théologie du rabbin Kook, et proclament que le gouvernement d'Israël est un ennemi à abattre. Dan Beeri, qui avait été condamné à trois années de détention pour sa participation au réseau terroriste juif, publie ainsi dans *Nekouda*, un article intitulé : « *L'action commune du sionisme laïc et de la Torah du rabbin Kook a pris fin* ». On lit : « *Le seul acquis de l'actuelle politique de paix est le soutien international, fondé sur l'ethos occidental, du droit de chaque peuple à l'indépendance politique, sur un partage du territoire et la conception selon laquelle les Palestiniens sont la victime d'un État occidental colonialiste ; un soutien fondé sur la sympathie [à peine] dissimulée pour les ennemis des Juifs quels qu'ils soient. [...] Les opinions formées en Occident sont souvent l'effet d'opinions anti-israéliennes véhiculées par les médias, qui sont tenues par la gauche et elle seule. [...] La politique actuelle est le fruit d'une idéologie claire, libérale, antijuive. Nous n'avons pas encore compris que l'action conjointe du sionisme laïc et de la Torah, c'est du passé. [...] Face au viol antisioniste pratiqué par le pouvoir, aux atteintes croissantes envers le judaïsme, quel doit être le rôle de la foi dans la rédemption d'Israël, en vertu de la fragile Torah du rabbin Kook ? [...] Le choc que nous subissons, et que peut-être nous subirons encore, ne doit pas nous faire changer. Il y a des combats et des échecs. [...] La mainmise des gauchistes est la conséquence des élections. [...] Le problème est que notre vision nationaliste religieuse est embryonnaire à l'échelle des défis de l'époque [...] et nous ne nous sommes pas encore fixé cet objectif politique clair : parvenir au pouvoir avec le soutien de la majorité des citoyens de l'État d'Israël [...].* » Le gouvernement israélien n'est plus intouchable. Trois rabbins iront encore plus loin. Rédigé par Daniel Shilo, de la colonie de Kaddoumim, Dov Lior de Kyriat Arba et Eliezer Melamed, de la colonie Har Bracha, un texte circule discrètement dans les milieux rabbiniques depuis le début de l'année. Il serait parvenu aux deux grands rabbins d'Israël, aux grands rabbins des principales villes du pays et aux membres des Conseils des Sages de la Torah des partis ultra-orthodoxes. On y lit :

« *Depuis la signature de l'accord d'Oslo (19 août 1993), le nombre de morts israéliens au cours d'attentats a triplé par rapport à ce qu'il était durant les années d'Intifada. Plus ce mauvais gouvernement fait de concessions aux Arabes, plus les attentats se multiplient en Israël, surtout contre les habitants de Judée-Samarie. Il n'est pas de localités où des personnes n'ont pas été tuées ou blessées. [...] À présent, avec l'application de l'accord d'Oslo et l'octroi de territoires et de routes à l'Autorité palestinienne, le danger a encore augmenté. Les terroristes peuvent, sans encombre, préparer des attentats depuis le territoire autonome. Le gouvernement d'Israël a équipé leurs policiers de fusils, et ces derniers peuvent tirer sur les véhicules de soldats et les citoyens sans être arrêtés. Leur audace augmente. Mais ce n'est pas tout. Les militants du Hamas qui s'opposent à l'accord commettent des attentats sans que les policiers n'interviennent. Même des hommes du Fatah commettent des attentats. [...] Des hommes et des femmes qui habitent la Judée-Samarie et d'autres parties d'Eretz Israël nous ont demandé quel jugement il convenait de porter sur ce mauvais gouvernement et sur celui qui le dirige. Faut-il les considérer comme complices des meurtres commis par les terroristes ? En effet, ils seraient responsables du renforcement de ces terroristes, de leur avoir fourni des armes, d'avoir autorisé l'entrée de policiers palestiniens à Gaza et à Jéricho, et cela, bien qu'ils aient promis, lors de la signature de l'accord, que la paix régnerait. Les habitants de Judée-Samarie et les chefs de l'opposition avaient pourtant mis en garde, disant qu'il ne fallait pas faire confiance aux assassins ni porter crédit à leur parole. [...] Ne devraient-ils pas être jugés selon la Halakha ? Et s'il était prouvé qu'ils sont complices de meurtre, quelle doit être la sentence ? Doivent-ils être considérés comme "Rodef" ? [...] Le gouvernement et le Premier ministre ne devraient-ils pas subir la loi de Din Mosser, puisqu'ils donnent la Terre d'Israël, la propriété du Peuple d'Israël, aux Gentils*[1] *?* »

Selon la loi religieuse, un Juif est dit « Mosser » lorsqu'il trahit sa communauté, met en danger la vie d'autres Juifs ou vend une propriété juive à des non-Juifs. La punition qu'il doit subir peut aller jusqu'à la mort[2]. Un « Rodef » est une personne qui est sur le point de commettre un crime de sang. Selon la Halakha, il s'agit du seul cas où un Juif peut tuer un autre Juif sans avoir à subir un procès[3]. Ces rabbins posent donc deux questions : Yitzhak Rabin et Shimon Pérès doivent-ils être traduits devant un tribunal religieux ? Méritent-ils la mort ? Ce texte contient tous les éléments du discours ultranationaliste tenu par la majorité des colons. L'OLP ne saurait vouloir la paix avec Israël, et le terrorisme n'est pas la conséquence de l'occupation ou d'un acte commis par des Juifs, comme le massacre du caveau des Patriarches. À leurs yeux, la direction palestinienne ne voudra jamais la paix et son objectif demeurera la destruction de l'État juif.

Plusieurs rabbins, inquiets du recours aux termes « Rodef » et « Mosser », notamment Yaacov Ariel, de la ville de Ramat Gan, et Shlomo Aviner, de la yeshiva Ateret Cohanim dans la vieille ville de Jérusalem, tentent de mettre un terme au débat en cours en raison des conséquences désastreuses qu'il pourrait avoir[4]. Mais Ehoud Sprinzak affirme, sur la foi de rencontres qu'il a eues avec certains étudiants fréquentant les écoles talmudiques, qu'il était trop tard « pour éteindre l'incendie ».

Ouri Elitzour adopte une position radicalement différente, et publie, dans *Nekouda,* dont il est devenu le rédacteur en chef, un éditorial intitulé : « Leur parler ! » Une photo

1. « Dat ve medina be Israel 1994-1995, Jérusalem, Hamerkaz le-pluralism yehudi », p. 121.
2. http://whoisshmira.wordpress.com/2011/02/27/code-of-the-jewish-law-laws-of-messira/
3. http://yosefcornfeld.com/?p=192
4. Ehoud Spinzak, *Brothers against Brothers, op. cit.*, p. 256. Voir aussi sa source : Dana Arieli-Horowitz, *Religion and State. 1994-1995,* Jérusalem, Center for Jewish Pluralism, 1996.

de policiers palestiniens en uniforme agitant leur drapeau illustre la page. « *La réalité a complètement changé. Le retrait s'est réalisé. L'armée palestinienne se trouve là, à côté de la maison. L'Autorité palestinienne existe. [...] À présent, la question de savoir "si c'est bon ou mauvais" ne se pose plus, mais plutôt celle de savoir comment on vit avec ça ? [...] Nous ressemblons à des parents qui, de toutes leurs forces, ont tenté de persuader leur fille de ne pas épouser un garçon dont elle est amoureuse mais qui, ils en sont convaincus, va la rendre malheureuse. Après le mariage, allons-nous espérer, avec cette jeune femme, que tout aille bien ? Ou bien qu'elle ait vraiment une vie difficile pour pouvoir lui dire : "Tu vois, nous avions bien raison !" Quelle sera notre attitude envers l'époux ? Allons-nous continuer à le boycotter et à refuser de reconnaître son existence ? Allons-nous plutôt nous efforcer de faire sa connaissance tout en nous tenant sur nos gardes ? Nous avons de nouveaux voisins, [...] et je propose de leur parler, directement, pas par l'intermédiaire de l'armée ! Que l'armée leur parle par notre intermédiaire ! Nous sommes leurs voisins et avons mille choses à discuter avec eux. [...]* » Elitzour suggère au conseil des implantations d'ouvrir immédiatement le dialogue, et aux colons de ne pas hésiter à se déplacer dans les villes et villages palestiniens sous la protection de la police d'Arafat[1].

Dans les colonies, la proposition fait scandale. Elyakim Haetsni y répond dans le numéro suivant de la revue. Dans un article intitulé « *Ami ! Tu m'as lâché !* », l'agitateur de Kyriat Arba s'adresse à Ouri Elitzour : « *Que font les parents dont les craintes ont été confirmées et dont la fille a épousé un gangster ? Ils l'abandonnent ? Ils annulent le mariage ? Chaque jour, tu devras décider à nouveau si tu cherches à mettre un terme aux accords d'Oslo, à nettoyer les écuries de la paix ou bien si tu poursuis ce chemin en conjurant ainsi la guerre, mais en sachant que celle-ci sera de plus en plus coûteuse en vies humaines. Le monde libre a traité les gangsters Hitler et Mussolini en hommes d'État respectables et a reçu l'holocauste en retour. Les États-Unis, eux, ont refusé d'apposer leur signature à côté de celle du gangster Saddam Hussein. Ils ont retenu la leçon. Et toi*[2] ? »

---

1. *Nekouda*, n° 190, décembre 1995.
2. *Nekouda*, n° 191, janvier 1996.

Face à ces critiques, l'intéressé semblera bientôt revenir sur sa vision d'un accord entre les colons et l'OLP. Ce sera après l'inauguration d'une route permettant aux véhicules israéliens de contourner Ramallah. « *À droite, je vois la colline avec [les colonies] Psagot et Kokhav Yaacov, à gauche Maale Mikhmash, en face [la colonie] Adam puis [le quartier de colonisation] Pizgat Zeev. Je pense qu'en fin de compte, une bonne chose doit sortir de tout cela. Et peut-être que dans dix ans, le drapeau et la police palestinienne ne seront qu'un mauvais souvenir et que l'implantation juive [apparaîtra comme] la racine des générations à venir [...]*[1]. »

À Gaza et en Cisjordanie, les organisations islamistes palestiniennes ont compris qu'en poursuivant leur campagne de terreur, elles contribuent à renforcer l'opposition au processus de paix en Israël. Cela devrait permettre, espèrent-ils, d'empêcher tout accord entre l'OLP et Israël[2]. Le 22 janvier 1995, le Jihad islamique commet un double attentat à Beit Lid, au nord de Tel-Aviv. Une première bombe humaine, venue de Gaza, se fait sauter dans une cafétéria bondée de jeunes soldats. Un second terroriste attend l'arrivée des secours pour, à son tour, faire exploser sa bombe. Vingt-trois morts et soixante blessés. Le bouclage des territoires palestiniens, qui avait été levé, est à nouveau imposé par l'armée. Les deux Palestiniens ont été envoyés par le cheikh Abdallah Shami, le chef spirituel du Jihad, que j'ai moi-même interviewé le lendemain à Gaza. Il ne sera que brièvement interpellé par la police palestinienne[3].

1. *Ibid.*

2. J'ai tiré cette conclusion de mes rencontres avec des dirigeants du Hamas et du Jihad islamique en 1994-1995. Voir mes reportages de l'époque, diffusés par France 2.

3. Sur le développement de l'islam radical en Cisjordanie et à Gaza, voir Charles Enderlin, *Le Grand Aveuglement. Israël et l'irrésistible ascension de l'islam radical*, Paris, Albin Michel, 2009.

SAINT GOLDSTEIN

À l'entrée de Kyriat Arba, les kahanistes ont transformé la tombe de l'auteur du massacre du caveau des Patriarches en mausolée, portant l'inscription : *« Au saint Baroukh Goldstein, qui donna sa vie pour le peuple juif, la Torah et la nation d'Israël »*. L'endroit devient vite un lieu de culte, où, régulièrement, les militants se retrouvent. À l'occasion de la fête de Pourim, le 16 mars, en l'occurrence la date anniversaire hébraïque de sa mort, une cérémonie, rassemblant plusieurs dizaines de personnes, doit s'y dérouler. L'armée n'a pas interdit le rassemblement et, pour éviter tout incident avec les Palestiniens du voisinage, le secteur a été placé sous couvre-feu. La veille, un livre a été distribué dans la colonie d'Hébron. Son titre : *Baroukh l'homme. Ouvrage à la mémoire du docteur Baroukh Goldstein, le saint. Que Dieu venge son sang.* Cet ouvrage de cinq cent quarante pages, dont le premier tirage de six mille exemplaires sera rapidement épuisé, a été édité par quatre dirigeants kahanistes. Il s'agit d'un recueil de dizaines d'articles, témoignages et messages de soutien. Selon Ehoud Sprinzak, jamais auparavant l'extrême droite israélienne n'avait réussi à produire un tel recueil, ce qui démontre la montée en puissance de la contre-culture kahaniste – en dépit de l'interdiction du mouvement[1].

L'article principal est signé par Yitzhak Ginzburg, le rabbin de la yeshiva Od Yossef Haï, près la tombe de Josèphe à Naplouse[2]. D'origine américaine, il est membre de la secte hassidique du rabbin de Loubavitch à New York. Contrairement à l'opinion des médias et celle de la plupart des rabbins israéliens, il regarde l'auteur du massacre comme un Juif pieux qui a voulu sauver des vies juives. Sa contribution est divisée en cinq chapitres, visant à caractériser au plus près l'acte commis par Goldstein : « Il a sanctifié le nom de Dieu », « Il a sauvé des vies juives », « Il a commis

1. Ehoud Sprinzak, *Brothers against Brothers, op. cit.*, p. 259.

2. La yeshiva est installée dans l'implantation de Yitzhar, près de Naplouse.

une vengeance », « Il a éradiqué le mal », « Il a lutté pour la Terre d'Israël ». Ginzburg analyse doctement les sources talmudiques pour expliquer que la vie d'un Juif vaut plus que celle d'un non-Juif, et il conclut ainsi sa dissertation sur la défense des Juifs : « *[...] Dans les cas où il existe un risque (fût-il faible) que le non-Juif agisse (même indirectement) en vue de porter atteinte à des vies en Israël, il convient de ne pas prendre de précautions à son égard, bien au contraire, "vous devez tuer le meilleur des non-Juifs*[1] ". *[...] La guerre en question ne se déroule pas sur un champ de bataille. Il s'agit d'un conflit national, et ceux qui méritent d'être tués sont ceux justement qui pourraient plus tard aider tel meurtrier dépêché par le chef [de l'ennemi]*[2]. »

Dans un article de 52 pages, David Cohen, un enseignant de la yeshiva de « L'idée juive », fondée à Jérusalem par Meir Kahana, répond aux rabbins qui avaient condamné le massacre d'Hébron et rejeté la notion de vengeance. Il rappelle qu'un directeur de yeshiva avait déclaré : « *C'est contraire à toutes les conceptions du judaïsme. Seul Dieu décide où, quand et contre qui doit s'accomplir une vengeance, cette décision ne nous convient pas, Dieu nous en garde ! Parler de vengeance, c'est arabiser le judaïsme. Ce sont des normes du Hezbollah !*[3] » Le rabbin Cohen écrit encore : « *La vengeance est un élément inséparable du processus de rédemption, qui parviendra à son apogée lors de la guerre entre Gog et Magog, lorsque toutes les nations s'uniront pour combattre Israël. Ce scénario est décidé par Dieu afin de punir une dernière fois ces nations pour les souffrances et les douleurs qu'elles ont infligées au peuple Juif, génération après génération*[4]. *[...]* » La vengeance n'est pas le fait de Dieu uniquement, elle peut être exécutée par le peuple d'Israël, qui est son représentant sur terre. « *Dieu exige que nous, [Juifs], exécutions l'acte de vengeance et attend de nous la démonstration de notre volonté à l'aider à corriger le monde*[5]. » Cohen va plus loin encore dans sa conclusion, citant Maïmonide et plusieurs sources talmudiques : « *En temps de guerre,*

1. Citation du Talmud Avoda Zara, 26b.
2. *Baroukh Ha Gever*, Édition originale, *BP Shalom al Israël. Golan*, p. 28.
3. *Ibid.*, p. 50.
4. *Ibid.*, p. 56.
5. *Ibid.*, p. 67.

un individu [juif] a le droit de tuer, sans distinction, un non-Juif appartenant à une population hostile [aux Juifs], et cela, même si seuls ses biens constituent une menace[1]. »

Le rabbin Elitzour Segal critique, de son côté, la conception de la « pureté des armes » – la morale du combattant – qui imprègne l'armée israélienne, en citant un texte du rabbin Kook – père : « *Lorsque le peuple d'Israël était fort, il ripostait à ses ennemis selon le principe "cruauté contre cruauté". Eh bien, ce doit être le cas également lorsque l'ennemi porte atteinte à l'honneur d'Israël*[2]. »

Les quatre responsables de l'édition sont traduits en justice. Parmi les auteurs, seul le rabbin Ido Alba de Kyriat Arba sera inquiété. Il est bien connu des services de sécurité, pour avoir participé à une cellule terroriste juive démantelée en septembre 1994. Huit personnes avaient alors été arrêtées alors qu'elles préparaient un attentat contre un village palestinien. Parmi elles, un officier qui avait fourni des explosifs au groupe. À l'époque, Alba avait diffusé un article de quatorze pages expliquant que les Palestiniens pouvaient être considérés comme des Amalécites, les ennemis du peuple juif, dont la divinité avait ordonné la destruction. Dans *Baroukh l'homme*, ce rabbin avait expliqué, en se fondant sur des sources talmudiques, que les interdits « *tu ne tueras point* » et « *tu ne verseras pas le sang humain* » ne s'appliquaient pas à un Juif qui tue un non-Juif. « *Une guerre contre des non-Juifs s'apprêtant à attaquer des Juifs ou leurs propriétés pouvant amener les Juifs à quitter leur implantation est une guerre de commandement qui doit être menée, même le Shabbat*[3]. » Il sera condamné à 18 mois de détention pour incitation au racisme.

Ehoud Sprinzak révélera qu'Alba avait été un élève de l'ancien grand rabbin d'Israël, Mordehaï Eliahou, la seule autorité rabbinique que, en son temps, Meir Kahana respectait[4]. Dans sa contribution à *Baroukh l'homme*, intitulée « guerre culturelle », Benjamin Zeev Kahana revient d'ailleurs sur les arguments

1. *Ibid.*, p. 95.
2. *Ibid.*, p. 165.
3. *Ibid.*, p. 118-119.
4. Ehoud Sprinzak, *Brothers against Brothers*, *op. cit.*, p. 262.

de son père. Si Israël avait fait preuve de détermination et expulsé les Palestiniens en mettant entre parenthèses *« la fiction d'une démocratie juive »*, la tragédie de Goldstein n'aurait pas eu lieu. Le problème, ce sont les Israéliens qu'il qualifie de « Juifs hellénisés » (les Juifs qui ont adopté une culture « étrangère au judaïsme »). Il rappelle comment, à l'époque des Hasmonéens, les traditionalistes avaient massacré les hellénisés pour sanctifier le nom de Dieu[1]. Le message est clair. Mais en 2013, l'ouvrage circule encore...

Netanyahu fils et père : les Arabes veulent nous détruire

En avril, Benjamin Netanyahu publie la version hébraïque de son ouvrage paru dix-huit mois plus tôt aux États-Unis. En anglais, le livre est intitulé : *A Place Among the Nations. Israel and the World* (Une place parmi les nations. Israël et le monde). En d'autres termes, Israël revendique une place au sein du concert des nations. Cette revendication fut celle du mouvement sioniste dès sa création en 1897. À la manière de Benzion, son père, Benjamin revient sur l'histoire de la région et explique le rejet d'Israël par les Arabes : *« Pendant des siècles, les Juifs ont subi des humiliations, des persécutions et, périodiquement, des massacres initiés par les Arabes, comme d'autres minorités. Mais [...] le peuple juif est le seul à avoir réussi à défier l'asservissement et conquérir son indépendance. Plus, les Juifs sont parvenus à instituer une souveraineté "étrangère" au cœur du royaume, coupant le monde arabe en deux, séparant ses parties orientale et occidentale. Plus, le peuple qui a réussi à commettre cet acte ultime de défiance n'est ni musulman, ni arabe. Ainsi, l'hostilité arabe dirigée actuellement contre Israël plonge ses racines dans des antagonismes fondamentaux qui auraient existé même si Israël n'avait jamais vu le jour*[2]. » Et Benjamin Netanyahu de

1. *Ibid.*, p. 232-261.
2. Benjamin Netanyahu, *A place Among The Nations. Israel and the World*, New York, Bantam Books, 1993, p. 135.

citer le colonel Richard Meinerzhagen, le chef des services de renseignements britanniques au Proche-Orient durant la Première Guerre mondiale : *« Bien que nous ayons fait beaucoup pour les Arabes, ils ne connaissent pas le sens de la gratitude ; et ils pourraient bientôt représenter un fardeau ; les Juifs, un acquis. Les Juifs ont [en effet] fait la preuve de leur capacité à se battre depuis l'occupation romaine de Jérusalem. L'Arabe est un piètre combattant, adepte du pillage, du sabotage et du meurtre*[1]. »

Ce rejet de l'Arabe, Benzion, pourtant avare de déclarations, finira par le définir ainsi en 1998, au quotidien *Haaretz*[2] : *« Une des choses les plus graves chez nous, en Israël, c'est la croyance gauchiste que les Arabes ont renoncé à leur détermination à nous détruire. [...] Fondamentalement, le sionisme est un mouvement occidental, rayonnant à la frontière de l'Orient, mais toujours tourné vers l'ouest. Le sionisme a toujours été la position avancée de l'Occident face à l'Orient. [...] Pour cette raison, les Arabes nous considèrent comme une création étrangère. [...] Ils pensent que nous mettons en danger leur culture, leur religion, leur société, leur régime, et ils nous ont pris pour cible. [...] mais, ce n'est pas la seule raison pour laquelle le Moyen-Orient ressemble, aujourd'hui, à un volcan en activité. La société arabe est fondamentalement instable. Lawrence [d'Arabie], qui connaissait bien les Arabes, les a comparés au sable du désert. Un instant de calme puis, subitement, se livre la tempête. »*

Benzion Netanyahu ira plus loin dans une interview au quotidien *Maariv*, en 2009[3] : *« Dans la Bible, il n'est pas un personnage pire que l'homme du désert. Pourquoi ? Parce qu'il n'a aucun respect pour la loi, quelle qu'elle soit. Parce que, dans le désert, il peut faire ce qu'il lui plaît. La tendance au conflit est l'essence même de l'Arabe. Il est l'ennemi par essence. Son être profond ne lui permettra jamais d'accepter un compromis ou un accord. [...] Il vit dans la guerre perpétuelle. [...] La solution à deux États n'a aucune pertinence. Il n'y a pas ici deux peuples. Il y a le peuple juif d'un côté, une population arabe, de l'autre. Il n'y a pas de peuple palestinien, et on ne crée pas un État au*

1. *Ibid.*, p 55-56.
2. Voir Ari Shavit, *Haaretz*, article republié le 30 avril 2012.
3. *Maariv*, 2 avril 2009.

profit d'une nation imaginaire. Ils ne se considèrent comme un peuple que pour combattre les Juifs. [...] Les Juifs et les Arabes sont comme deux boucs qui s'affrontent sur un pont étroit. L'un l'entre eux finira dans la rivière, en danger mortel. Le plus fort obligera l'autre à sauter. Et je crois que la force juive vaincra. »

Netanyahu père et fils s'inscrivent ainsi dans la droite ligne de Zeev Jabotinsky, pour qui les Arabes avaient cinq cents ans de retard sur les Juifs occidentaux et représentaient l'antithèse complète de la civilisation européenne, qui, disait-il, se distinguait par la curiosité intellectuelle, le dynamisme et « un minimum d'interférence de la religion dans la vie quotidienne ». Si le fondateur du mouvement révisionniste acceptait le principe d'accorder des droits égaux, culturels et même politiques, aux Arabes de Palestine, celui de l'implantation sioniste n'avait pas à être discuté : *« La colonisation sioniste doit s'arrêter ou continuer sans tenir compte de la population indigène. Cela signifie qu'elle ne peut se poursuivre que sous la protection d'une puissance indépendante des indigènes, à l'abri d'un mur d'acier que la population indigène ne pourra briser. Telle est notre politique arabe ; pas ce qu'elle devrait être, mais ce qu'elle est, que nous l'admettions ou non*[1]. »

Benjamin Netanyahu affirme que ce ne sont pas les Romains après la révolte juive de Bar Kokhba, en 135 de l'ère chrétienne, qui ont expulsé les Juifs de Palestine... mais les Arabes en 637, lors de la naissance de l'islam. Ils auraient ainsi, au fil des siècles, *« arraché les agriculteurs juifs de leurs terres »*. Et de conclure : *« Ce ne sont pas les Juifs qui ont usurpé la terre des Arabes, mais les Arabes qui ont usurpé la terre des Juifs*[2]. » D'autres historiens racontent comment, après des siècles de répression byzantine, les Juifs de Jérusalem avaient fait bon accueil aux armées commandées par le calife Omar. Les premiers souverains musulmans autorisèrent ainsi le culte juif sur le mont du Temple. C'est ainsi

1. *The Iron Wall.* Archives : http://www.jabotinsky.org/Site/home/default.asp. Voir aussi : Denis Charbit, *Sionismes. Textes fondamentaux*, Paris, Albin Michel, 1998, p. 373-379 et p. 543-545.

2. Benjamin Netanyahu, *A place Among The Nations. Israel and the World, op. cit.*, p. 25.

que des Juifs demeurèrent en Palestine jusqu'à l'arrivée des croisés en 1099, qui les exterminèrent avec l'ensemble de la population musulmane de la ville[1]. Netanyahu ne revient pas directement sur l'épisode, mais effectue le parallèle entre le sionisme et la reconquête par les Espagnols de Séville et de Cordoue après cinq siècles de « souveraineté arabe », et de Grenade trois siècles plus tard. « *Ce que les chrétiens ont réalisé en huit siècles, les Juifs l'ont fait après douze [siècles] – mais le principe est le même. [...] Les Espagnols ont conquis leur terre par le feu et par le sang ; les Juifs l'ont fait en s'installant pacifiquement, en recourant aux armes uniquement pour assurer leur autodéfense*[2]. » C'est ainsi que la conquête arabe au VIIe siècle délégitimerait toute revendication palestinienne en faveur d'un État en 1995...

Israël à l'égal de la Tchécoslovaquie en 1948

Thème récurrent, l'auteur compare la situation d'Israël à celle de la Tchécoslovaquie en 1938, lors du pacte de Munich. Les Arabes et la gauche européenne voudraient arracher la Cisjordanie à Israël, à l'instar d'Hitler qui voulait retirer aux Tchécoslovaques le pays des sudètes, où vivait une population allemande : « *Comme la Tchécoslovaquie [en 1938], Israël est une petite démocratie. [...] Les régimes arabes ont lancé une campagne pour persuader l'Occident que les habitants arabes [des collines de Cisjordanie] (comme les Allemands des Sudètes, qui représentaient un tiers de la population) sont un peuple à part qui a droit à l'autodétermination. [...] Le fait que les Arabes ont emprunté [des arguments] aux nazis n'est pas surprenant. Il ne se passe pas un jour sans qu'un éditorial lugubre ou un commentaire politique ne paraisse en Amérique ou en Europe, demandant à Israël d'accepter la même sentence que*

1. Voir Simon Sebag Montefiore, *Jérusalem Biographie*, Paris, Calmann-Lévy, 2011. p. 223.
2. Benjamin Netanyahu, *A place Among The Nations. Israel and the World, op. cit.*, p. 26.

celle qui a été exigée de la Tchécoslovaquie[1]. » Et Netanyahu de se plaindre que le monde voudrait contraindre Israël à se satisfaire d'une étroite bande côtière, dominée par un État palestinien hostile et « judenrein *sur ces collines qui sont le cœur même du foyer juif*[2] ». Autrement dit la communauté internationale serait disposée à trahir Israël, un État faible.

En hébreu, le titre du livre est différent : *Une place sous le soleil. Le combat du peuple d'Israël pour l'indépendance, la sécurité et la paix.* On comprend qu'il s'agit d'accorder au peuple juif un endroit dans le monde où le Juif errant pourra enfin se réfugier et lutter pour sa survie[3]. En introduction, on lit un véritable acte d'accusation contre la politique du gouvernement Rabin et la gauche israélienne. Si certains Arabes auraient fini par, progressivement, accepter *de facto* l'existence d'Israël, ce n'est pas le cas de l'OLP. Celle-ci aurait bien entendu réalisé qu'elle ne parviendrait pas à détruire d'emblée Israël dans ses frontières actuelles et qu'il fallait, dans un premier temps, viser à le ramener à ses frontières étroites d'avant 1967 pour, ensuite, déclencher une *« offensive de destruction de l'État juif ».* L'organisation palestinienne se serait alors dotée d'une stratégie fondée sur le terrorisme – l'Intifada – et d'un argument de propagande tenant dans ces mots : « les droits du peuple palestinien ». Et Benjamin Netanyahu d'accuser une partie de l'opinion israélienne de l'avoir adopté en jugeant inadmissible l'occupation par un autre peuple. Le gouvernement Rabin, en signant l'accord d'Oslo avec Arafat, aurait ainsi lancé la première partie du plan de l'OLP visant à la création d'un État palestinien à côté d'un Israël rapetissé. L'origine de cette prédisposition à recevoir la propagande arabe serait à chercher du côté d'une maladie chronique affectant le peuple juif depuis un siècle : le marxisme imprégnant les mouvements juifs de gauche, d'extrême gauche et communistes en Europe de l'Est. Telle aurait été la raison pour laquelle, après la guerre de Six Jours, ces Israéliens de gauche avaient voulu

1. *Ibid.*, p. 155.
2. *Ibid.*, p. 183.
3. Aryeh Naor, *Eretz Israël ha shlema, op. cit.*, p. 358.

restituer les territoires conquis afin d'accorder « *aux justes exigences des Arabes une satisfaction partielle et leur permettre de conclure un compromis avec le sionisme*[1] ».

Netanyahu définit ainsi sa version de l'autonomie. Sans jamais utiliser le terme « palestinien », il explique : « *La vie quotidienne des Arabes peut être conçue différemment dans la réalité du terrain. [...] Quand quelques Arabes peuplent une colline isolée, il n'y a aucune raison pour déclarer autonome l'ensemble de la colline. [...] Seuls seraient autonomes les centres urbains. Le reste du territoire, peu peuplé, sera exclu de cet arrangement. [...]* » Pas question, en raison de l'état de guerre, d'intégrer à Israël une population hostile. Mais si les Palestiniens font preuve d'une attitude pacifique sincère, il deviendra possible de leur proposer la citoyenneté israélienne... après une période de vingt ans de calme. Et cela, à condition qu'ils prêtent serment d'allégeance à l'État juif et reconnaissent les devoirs qu'ils ont contractés à son endroit. « *Ceux qui le voudraient pourraient conserver leur citoyenneté jordanienne, comme les millions de résidents étrangers qui disposent d'une autorisation de séjour tout en conservant leur nationalité d'origine.* » En attendant, les Palestiniens pourraient bénéficier de l'autonomie dans quatre cantons, dont les chefs-lieux seraient : Jenine, Naplouse, Ramallah et Hébron[2].

Signe de son rapprochement avec les fondamentalistes messianiques, le 7 mars, Netanyahu répond ainsi à une lettre de Yehouda Etzion : « *[...] Les droits du peuple juif sur son lieu saint – le mont du Temple – ne sauraient être remis en question. Je pense qu'il faut assurer aux Juifs le droit de prier dans cet endroit, et cela d'autant plus que nous accordons la liberté de culte à toutes les religions à Jérusalem. Bien entendu, il faut aborder la question avec la prudence adéquate. Je crois que je pourrais le faire, comme il se doit, lorsque nous retournerons au pouvoir*[3]. »

L'ancien chef du réseau terroriste juif a purgé sa peine de

---

1. Benjamin Netanyahu, *Makom Tahat Ha Shemesh*, Tel-Aviv, Yedihot Aharonot, 1995, p. 14-17.
2. *Ibid.*, p. 352-353.
3. Cette lettre se trouve en ligne sur http://mount-home.blogspot.co.il/

prison et retrouvé sa liberté en 1989. Il a créé un nouveau mouvement appelé Khaï Ve Kayyam (En vie et existant), sur la base des théories de Shabtaï Ben Dov. Deux colons de Bat Ayn en Cisjordanie l'ont alors rejoint, Haïm Nativ et surtout Moti Karpel, qui, en juillet 1993, avait refusé d'effectuer de nouvelles périodes de réserve militaire pour ne pas avoir à participer à l'évacuation de colonies. Il a raconté le choc que fut sa rencontre avec le passé de l'ancien militant du groupe Stern. « *C'était à Tel-Aviv. Avec un ami, nous sommes allés visiter le musée du Lehi [le groupe Stern]. Là, un bibliothécaire nous a montré un vieux livre en nous disant : "Personne ne s'y intéresse." [...] Pendant trois semaines, je ne l'ai pas lâché des mains. [...] L'analyse de Shabtaï Ben Dov le mène à la conclusion, tout à fait exceptionnelle pour l'époque, dans les années cinquante, que la création de l'État, non dans son principe mais par la manière dont cela s'est fait, ne correspond pas à la réalisation de la rédemption. Elle conduira tout droit [...] à l'effondrement de l'ethos sioniste. [...] Depuis les années soixante-dix, et, surtout au cours des deux dernières décennies, la critique de l'ethos sioniste était à la mode. Le postmodernisme s'était introduit dans la pensée israélienne et tous ceux qui n'ont pas participé à la destruction de l'ethos sioniste ont été réduits au silence. La différence fondamentale entre Shabtaï Ben Dov et le postmodernisme n'est pas dans le fait qu'il était en avance sur son temps. Cela n'est pas important. [...] [Ce qui compte, c'est qu'il] examine et analyse au nom du ciel, afin de bâtir. Son ouvrage est une recherche frénétique de la solution à la crise, une base nouvelle pour sauver le sionisme de lui-même, rétablir "le retour à Sion", et remettre le processus de rédemption sur ses rails*[1]. »

Khaï Ve Kayyam prône une idéologie ultranationaliste associant l'idée de rédemption sur la base des principes de l'antique royaume de David. Ses militants, qui n'ont jamais compté plus de quelques dizaines de membres, tentent régulièrement d'aller prier sur le mont du Temple, où ils sont régulièrement arrêtés par la police[2]. C'est un des éléments de la campagne menée par le groupe en faveur d'une insubordination non violente.

1. http://www.text.org.il/index.php?book=0614122
2. Ehoud Sprinzak, *Brothers against Brothers*, *op. cit.*, p. 224.

Ehoud Sprinzak a publié un texte court de Yehouda Etzion, intitulé « *Carte d'identité* » : « *Nous demandons à chaque citoyen : Savez-vous que votre argent – vos taxes et les autres impôts – servent à présent à la création d'un État OLP au cœur de votre pays ? Le moment n'est-il pas venu pour vous de désobéir et de refuser de payer vos impôts à ce gouvernement qui a trahi les objectifs de la nation ? Il vous faut maintenant choisir entre la loyauté envers un gouvernement qui s'est égaré et la loyauté que vous devez à votre peuple, Dieu et l'éternité d'Israël. […] L'éternité d'Israël ne saurait avoir partie liée avec le mensonge car Dieu n'est pas un être humain. La terre a été léguée au peuple et à ses générations successives. C'est un don auquel nulle génération n'a le droit de renoncer et de détruire*[1]. »

Etzion définit sa propre place dans l'histoire du peuple juif en s'identifiant aux zélotes de l'Antiquité, pour qui tout compromis avec l'occupant était interdit en raison des commandements divins enjoignant au peuple d'Israël de veiller à l'indépendance de sa terre et à l'intégrité du culte dans le Temple, sans quoi la venue du Messie et la rédemption deviendraient impossibles[2]. « *Ce n'est pas sans difficulté que je revêts la parure d'un zélote. Comment puis-je me présenter aux côtés des saints antiques, de Shimon, Lévy et ses fils, de Pinhas et Eliahou, en passant par Matityahou ? Qui suis-je pour m'inscrire dans la lignée des révoltés contre Hérode et Rome (en 66 de l'ère chrétienne), de Yodfat et Gamla, de Jérusalem et Massada, jusqu'au rabbin Akiva, avec les combattants de Bar Kokhba et les derniers vaincus sur les murailles de Bétar ?* […][3] »

En fait, le judaïsme n'aura survécu à ces défaites que par la prière et les préceptes de la Halakha, la loi juive, tels que le rabbin Yohanan Ben Zakaï et les sages qui l'entouraient les ont définis après la défaite des zélotes par les Romains. Ce sont eux qui ont donné au judaïsme sa forme définitive. Pour l'historien Ian Lustick : « *Le messianisme actif a [alors] été remplacé par une doctrine exigeant des Juifs qu'ils se retirent de*

1. *Ibid.*, p. 255.
2. Ian S. Lustick, *Jewish Fundamentalism in Comparative Perspective, op. cit.*, p. 3.
3. *Nekouda*, n° 179, juillet 1994.

l'Histoire et attendent passivement que Dieu apporte la rédemption. [...] Les initiatives pour favoriser la venue de la rédemption, et même les tentatives pour la prévoir, étant interdites. Pour protéger les Juifs des conséquences terribles des politiques fondamentalistes, les idées messianiques devaient être extirpées de la conscience juive[1]. »

PRÉPARER LA CONQUÊTE DU POUVOIR

L'édition des deux versions du livre de Benjamin Netanyahu a été réalisée par Yoram Hazony. À 30 ans, ce jeune Israélo-Américain a terminé sa thèse de philosophie politique, à l'Université Rutgers aux États-Unis, et s'est installé dans la colonie Ell, en Cisjordanie, avec son épouse et leurs quatre enfants. Avec quelques amis venus des États-Unis, il vient tout juste de fonder le centre Shalem à Jérusalem, dont la vocation est universitaire : il s'agit de contrer l'Université hébraïque de Jérusalem, dominée, déterminée, par les idées de gauche. Ils ont pris pour modèle l'Université de Chicago, plutôt conservatrice, où a enseigné le philosophe Leo Strauss, la référence intellectuelle en vogue chez les néoconservateurs. Hazony : « *Mon but dans la vie, c'est de démontrer que la conception marxiste-sioniste a échoué en Israël. Plus personne n'y croit, et à présent nous combattons pour l'avenir de la pensée du peuple juif dans son ensemble et en Israël en particulier. La gauche post-sioniste s'est dotée d'une culture intellectuelle, diffusée par de nombreuses publications. Elle a des idées claires sur ce qu'il convient de faire pour le pays. Nous n'avons pas l'équivalent. [...] Nous ne réfléchissons à rien en profondeur, en dehors de la politique d''implantation*[2]. » Des milliardaires juifs américains, parmi lesquels Ron Lauder, financent l'opération.

Benjamin Netanyahu, alors Président du Likoud, a choisi comme directeur général du mouvement un certain Avigdor Lieberman, un colon de Nokdim, en Cisjordanie. Originaire

1. Ian S. Lustick, *Jewish Fundamentalism in Comparative Perspective, op. cit.*, p 3.
2. *Nekouda*, n° 180, septembre 1994.

de Biélorussie, alors République soviétique, il a immigré en Israël avec sa famille en 1978, à l'âge de vingt ans. Après son service militaire en qualité de caporal dans l'artillerie, et tout en poursuivant ses études à l'Université hébraïque de Jérusalem, il a été videur de la boîte de nuit du club des étudiants de droite avant d'en devenir le président. Sa licence en relations internationales terminée, il a fait carrière au sein des instances du Likoud. Son idéologie est strictement identique à celle de son patron, soutenant notamment l'idée de n'accorder aux Palestiniens qu'une autonomie cantonale limitée.

Lieberman est un élément central de l'état-major secret que Netanyahu a mis sur pied pour préparer le retour au pouvoir du Likoud. Son premier objectif est l'affaiblissement du parti travailliste dans l'opinion publique. Ouri Aloni, le président des Jeunes du Likoud, a carte blanche. Sa mission est de multiplier les manifestations là où Yitzhak Rabin se rend. Des petits groupes attendent périodiquement le Premier ministre devant son domicile privé, à Ramat Aviv, le soir, en scandant des slogans. *« J'éprouve du plaisir chaque fois que je le vois rougir d'énervement lorsqu'il est sous pression face à une dizaine de [manifestants] »*, dira Aloni. De temps à autre, des kahanistes viennent lui prêter main-forte.

Le 5 juillet 1995, le Likoud organise un meeting à Kfar Saba. Face à plusieurs milliers de participants, peu avant vingt heures, au moment où débutent les journaux télévisés, il déclare : *« Des terroristes viendront de Kalkilya, à cinq minutes d'ici, et tueront de nombreux Juifs. Rabin rétablit la ligne de 1967. Et qui nous défendra ? Rabin ? Shahal [le ministre de la Police] ? Personne ! »* La foule répond en scandant : *« Par le feu et le sang, nous expulserons Rabin ! »*

Le ton des manifestants de droite et des colons inquiète de plus en plus Carmi Gillon, le chef du Shabak, les services de renseignement israéliens. Il rencontre le chef du Likoud pour lui demander plus de modération dans la campagne contre le gouvernement. Sans cela, dit-il, un meurtre politique n'est pas à exclure. Netanyahu refuse. Ariel Sharon, qui fait partie de la direction du Likoud, déclare de son côté : *« Nous assistons à un complot stalinien du gouvernement ! »*

Ouri Aloni reçoit l'ordre de renforcer les attaques contre Rabin[1]. Carmi Gillon tente alors de faire passer le même message aux principaux journalistes du pays, mais sans plus de succès. Au sein du service de sécurité, il est pourtant considéré comme un spécialiste de l'extrémisme juif. Il avait dirigé l'enquête qui avait mené au démantèlement du réseau terroriste juif en 1984[2]...

Le Jihad lance une nouvelle attaque contre un autobus près de Kfar Darom, une implantation israélienne qui se trouve dans la bande de Gaza. L'explosion d'une voiture piégée, conduite par un intégriste, fait six morts et quarante blessés. Le 24 juillet 1995, une bombe humaine saute dans un autobus à Ramat Gan, près de Tel-Aviv. Il y a six morts et trente blessés. Ces attaques sanglantes suscitent immédiatement de violentes manifestations antigouvernementales à Tel-Aviv et à Jérusalem. Les slogans *« Rabin, Pérès, traîtres, assassins ! »* sont à nouveau scandés par des milliers de manifestants qui, régulièrement, se heurtent à la police. Au cours de ces défilés violents, des militants déclarent ouvertement à l'auteur de ces lignes : *« Les armes sont prêtes. Ces accords ne seront pas appliqués. »* De son côté Yasser Arafat, dont le pouvoir n'est pas encore fermement installé, tente en vain d'aboutir à un accord avec les mouvements intégristes afin que cessent ces violences. À deux reprises, des attentats contre sa propre personne seront déjoués.

Quand les rabbins américains se divisent

La lettre des rabbins Shilo, Lior et Melamed est arrivée aux États-Unis. *« Faut-il considérer Rabin et Pérès comme "Mosser" ou "Rodef" ? »* Le 19 juin 1995, à New York, les représentants de la Coalition rabbinique internationale pour Israël se réunissent pour examiner le problème.

1. Ben Kaspit et Ilan Kfir, *Netanyahu*, Tel-Aviv, Alfa Tikshoret, 1997, p. 257-259.
2. Voir Charles Enderlin, *Le Rêve brisé, op. cit.*, p. 31.

Cette organisation a été créée en 1993 par hostilité à l'accord d'Oslo. Le rabbin Avraham Hecht, le président de l'Alliance rabbinique d'Amérique, se déclare en faveur de la peine de mort car, dit-il, *« les dirigeants israéliens conduits par Rabin trahissent en remettant la Terre d'Israël à des non-Juifs. Selon Maïmonide,* précise-t-il, *de tels coupables doivent être tués avant de commettre leur crime »*. Herschel Schachter, rabbin à la Yeshiva University, ajoute : *« Les dirigeants israéliens actuels détestent Dieu, la Torah, et donc eux-mêmes. Le peu d'estime qu'ils ont d'eux-mêmes est à l'origine de ce suicide national. Nous devons retrouver notre fierté nationale. Devons-nous aller en guerre pour cela ? Bien sûr ! Tous les pays font la guerre au nom de leur fierté nationale et, en tant que peuple élu, nous devons précisément en être fiers ! »* Seule voix dissidente, le rabbin Aharon Soloveitchik déclare : *« Nous devons éviter toute forme de violence, fût-elle verbale. »* Il se déclare en faveur d'une résistance passive à toute évacuation de colons en Cisjordanie.

Finalement, la Coalition publie un communiqué citant la Torah et demandant d'agir dans le cas où l'armée et les forces de sécurité israélienne entreprendraient de faire évacuer des localités [juives] en Cisjordanie ou à Gaza.

À gauche, le rabbin Shmouel Goldin, de l'organisation « Shvil Hazahav » (la Voie d'or), qui soutient le processus de paix, condamne ces prises de position extrémistes et rappelle : *« De nombreux maîtres de la Halakha ont décrété que certaines concessions territoriales sont légitimes lorsqu'elles sont susceptibles de sauver des vies ! »* Puis, six organisations religieuses américaines publient un communiqué condamnant les attaques verbales dirigées contre les dirigeants élus de l'État d'Israël, et rejetant toutes les formes de *« délégitimation et diabolisation [...] »* Mais elles ajoutent : *« C'est le droit de chaque Juif de vivre partout en Terre d'Israël. »*

Moshé Tendler, rabbin, professeur de Talmud et de biologie à la Yeshiva University, critique de son côté les rabbins qui soutiennent le processus de paix : *« Leur ignorance fait honte à la Torah et met en danger la vie de nos frères. Ils ont sur les mains le sang de cent cinquante martyrs [juifs] du processus de paix ! »* Goldin, désormais *persona non grata* dans la communauté de Tendler, regarde cette déclaration comme un nouveau symptôme de la radicalisation d'une partie du judaïsme américain, qui refuse d'entendre des opinions divergentes. Abe Foxman, le président de l'Anti-Defamation League, quitte alors sa synagogue du New Jersey (qu'il fréquentait depuis vingt ans), après y avoir entendu le rabbin comparer Yitzhak Rabin à un chef de Judenrat collaborant avec les nazis[1]...

La droite non religieuse monte également au créneau. Norman Podhoretz, l'un des principaux penseurs du néoconservatisme et rédacteur de la revue *Commentary*, analyse en ces termes l'arrivée au pouvoir de la gauche en Israël : « *De nombreux électeurs israéliens, démoralisés par leur défaite lors de la guerre appelée "Intifada" et par le fait que l'Amérique les a empêchés de riposter aux attaques de missiles Scud lancés par Saddam Hussein, s'accrochent à l'idée que la paix est à portée de main. [...] Les travaillistes israéliens suivent un faux prophète [déjà] dénoncé par Jérémie [le prophète] : "Paix ! Paix ! Alors qu'il n'y a pas de paix !" (Jérémie, 6-14). Le slogan est aussi trompeur aujourd'hui qu'hier*[2]. »

À Washington, le combat politique contre le processus d'Oslo est emmené par Morton Klein, riche homme d'affaires et président de la Zionist Organization of America, le plus important soutien du Likoud aux États-Unis. Il lance une offensive au Congrès afin de bloquer l'aide américaine à l'Autorité palestinienne de Yasser Arafat. Dans un premier temps, Klein veut faire voter par deux sénateurs un amendement à la loi d'aide à l'étranger conditionnant l'octroi de fonds aux Palestiniens à la manière dont ils appliquent les divers articles des accords avec Israël. Yitzhak Rabin est scandalisé. Il est inconcevable, dit-il, que des organisations juives américaines s'opposent ouvertement à la politique du gouvernement d'Israël. Le 29 juillet, après une nuit entière de débats, la sous-commission de l'aide à l'étranger finira

---

1. http://www.ajcarchives.org/AJC_DATA/Files/1997_5_USCommunal.pdf
http://www.jweekly.com/article/full/1224/rabbis-against-peace-treaty-mull-assassination-revolts/

2. Thomas L. Jeffers, *Norman Podhoretz : A Biography*, Cambridge (Mass.), Cambridge University Press, 2010, p. 288.

par adopter ce texte, contre l'avis d'AIPAC, le puissant lobby pro-israélien qui, après quelques tergiversations, avait fini par rentrer dans le rang et soutenait Rabin.

Appel rabbinique à l'insubordination dans l'armée

Zo Artzeinou a tiré les leçons de son échec. La presse israélienne a très peu couvert ses opérations de l'année précédente. L'été dernier, aucune nouvelle colonie sauvage n'a vu le jour. La police et l'armée ont empêché toutes les tentatives d'implantation. En septembre, l'appel lancé au public pour qu'il éteigne les lumières pendant vingt minutes à partir de dix-neuf heures vingt n'a pas été suivi. Le mouvement entendait adresser au gouvernement ce message : « *Vous nous ramenez au Moyen Âge !* » En octobre, un troupeau de moutons a défilé dans le centre de Jérusalem tandis que les militants criaient : « *Baa !* » en expliquant : « *Rabin nous conduit à l'abattoir comme des moutons !* » À présent, Moshé Feiglin a décidé d'une autre forme de manifestations. Le 8 août, ses militants entreprennent de bloquer la circulation à quatre-vingts intersections routières, un peu partout en Israël. Les embouteillages sont gigantesques. Il ne faudra pas moins de trois mille policiers pour parvenir à la normale. Et la violence aura été au rendez-vous. Des dizaines de manifestants sont arrêtés. Feiglin déclare à qui veut l'entendre : « *Pendant deux ans, nous avons joué selon leurs règles. Les gens manifestaient après avoir reçu l'autorisation [de la police]. Les manifestations étaient énormes et Rabin disait que cela ne lui faisait aucun effet. Les chiens aboyaient et la caravane passait ! Nous avons décidé de ne plus être des hélices ! [Rabin disait volontiers, à propos des colons : qu'ils continuent de tourner comme des hélices !].* » Arrêté le 6 août au cours d'une de ces manifestations illégales, Feiglin sera condamné pour « troubles à l'ordre public » à six mois de détention avec sursis et dix mille shekels d'amende. En sortant du tribunal, il dira : « *Je vais faire encadrer cet acte d'accusation et l'accrocher bien en vue dans mon salon, et lorsque mon fils aura grandi et qu'il me demandera ce que j'ai fait durant cette époque folle, je le lui montrerai*[1] *!* »

Le 12 juillet 1995, le rabbin Avraham Shapira réunit, à son domicile de Jérusalem, dix-neuf de ses collègues, parmi lesquels quatre directeurs de « yeshivat hesder »[2]. Après trois heures de discussion, et en se fondant sur un passage du Lévitique 19:16 : « *Ne sois pas indifférent au sang de ton voisin* », ils publient un jugement halakhique : « *[...] Il est interdit à tout Juif de participer à l'évacuation d'une implantation, d'une base militaire ou d'une installation militaire, car cela contredit un commandement [de la Torah] et met en danger des vies et l'existence de l'État. [...]* » Et les rabbins de citer un texte de Maïmonide stipulant que même un ordre venant d'un roi juif doit être ignoré s'il enfreint la Torah. Par leur communiqué, ils lancent un appel aux chefs de l'armée et au gouvernement afin qu'ils renoncent à contraindre les soldats religieux à devoir choisir entre leur foi et l'obéissance aux ordres.

Furieux, Yitzhak Rabin demande au conseiller juridique du gouvernement de vérifier s'il n'y a pas là matière à poursuites judiciaires et déclare à la radio israélienne : « *Qu'un groupe de rabbins – pas tous les rabbins en Israël – prenne une telle décision est inconcevable, impensable. Cela transforme Israël en république bananière. La Knesset doit les condamner.* » Le rabbin Yehouda Amital réagit à son tour avec la même vigueur : « *Ce jugement halakhique est inacceptable pour moi et les autres directeurs de yeshivat hesder. Il n'y a aucun fondement dans la Halakha stipulant qu'un soldat ne doit pas obéir à un tel ordre. Nous avons affaire à un acte politique qui menace de détruire l'armée*[3]. »

Benjamin Netanyahu condamne l'initiative des rabbins en déclarant qu'il n'y a pas de place pour l'insubordination au sein de l'armée. Mais il ajoute : « *Le Premier ministre doit réaliser que sa politique divise la nation et que ce n'est qu'un*

1. *Nekouda*, n° 188, septembre 1995.
2. Notamment : les rabbins Moshé Zvi Neria, Haïm Druckman, Nahoum Rabinovitch, Eliezer Waldman, Shlomo Aviner, Zalman Melamed, Dov Lior, Yaacov Ariel.
3. Elyashiv Reichner, *By Faith Alone*, *op. cit.*, version électronique.

début. » Pour sa part, Yehouda Etzion trouve insuffisant le jugement des vingt rabbins : « *Il faudra se souvenir de ce jour du 12 juillet ! Pour la première fois depuis des siècles, ceux qui se sont soulevés étaient les porteurs de la Torah. Félicitons ces éducateurs pour avoir enfin décidé de faire face à ce pouvoir étranger [le gouvernement Rabin]. [...] Mais ils n'ont pas levé l'étendard de la révolte ! [...]*[1] »

Rabin trahit-il Sion ?

Pour la droite et les fondamentalistes messianiques, le pire arrive le 24 septembre 1995, avec l'aboutissement des négociations sur l'élargissement de l'autonomie en Cisjordanie. Les six grandes villes palestiniennes doivent en effet devenir autonomes : il s'agit de Jenine, Kalkilya, Toulkarem, Naplouse, Ramallah, Bethléem. À Hébron, un secteur de la ville sera doté de statut spécial en raison de la présence de quatre cents colons juifs installés aux abords du caveau des Patriarches. Cet ensemble composera la Zone A, couvrant 2,5 % de la Cisjordanie. L'Autorité palestinienne y assurera la sécurité et l'administration civile. La Zone B couvre 27 % de la Cisjordanie. L'Autorité d'Arafat y assurera l'administration de quatre cent dix-huit villages palestiniens, mais pas la sécurité – qui demeurera sous la responsabilité d'Israël. La Zone C, 72 % de la Cisjordanie, comprend toutes les implantations, les bases militaires et les terres domaniales. Israël y restera souverain. Aucune des cent quarante-quatre implantations juives en territoire occupé ne sera évacuée. Trois nouveaux retraits israéliens de Cisjordanie devraient s'étaler sur dix-huit mois après l'élection du conseil législatif palestinien.

La cérémonie solennelle de signature se déroule à la Maison-Blanche, à Washington, quatre jours plus tard, en présence du roi Hussein de Jordanie, du Président égyptien Hosni Moubarak, du Premier ministre espagnol et du ministre des Affaires étrangères russe. Rabin s'adresse ainsi aux Pales-

1. *Nekouda,* n° 188, septembre 1995.

tiniens : *« Nos voisins [...] Nous qui avons tué et avons été tués, marchons à vos côtés vers un avenir commun, et nous vous désirons comme bons voisins. [...] Je tiens à vous dire, Président Arafat, leader des Palestiniens, qu'ensemble nous ne devons pas laisser la terre où coulent le lait et le miel être inondée de larmes. Ne le permettez pas ! Si tous les partenaires du processus de paix ne s'unissent pas contre l'ange de la mort du terrorisme, tout ce qui restera de cette cérémonie ne sera qu'une photo souvenir, des rivières de haine qui inonderont le Proche-Orient. »* Arafat lui répond en condamnant la violence, *« non seulement parce qu'elle est moralement répréhensible mais aussi parce qu'elle sape les aspirations palestiniennes vers la réalisation de la paix et l'exercice de nos aspirations politiques et nationales. [...] À partir de ce jour, nous ne voulons plus voir menacée aucune vie de Palestinien ou d'Israélien innocent... »*

Au même moment, dans le parc Lafayette près de la Maison-Blanche, plusieurs centaines de Juifs appartenant à l'organisation pacifiste Nishma manifestent leur soutien au processus de paix en sonnant le shofar (la corne de bélier). Un peu plus loin, isolés, contenus par la police, des militants du Conseil national du jeune Israël, un mouvement religieux, brandissent des pancartes : « Rabin a trahi Sion ! », « Un holocauste, cela suffit ! » Les dirigeants de la droite religieuse avaient annoncé la participation de dix mille personnes à cette manifestation contre Oslo. Ils sont en fait à peine quatre cents, parmi lesquels de nombreux kahanistes américains.

Quelques heures après la cérémonie, Rabin reçoit les représentants du judaïsme américain. De but en blanc, il leur demande de ne pas se mêler de la politique israélienne : *« Votre seul rôle est de collecter des fonds pour financer l'intégration des nouveaux immigrants. »* Ses interlocuteurs n'apprécient pas. Le Premier ministre poursuit en critiquant les *« groupes juifs qui exercent des pressions au Congrès américain contre les politiques du gouvernement d'Israël démocratiquement élu*[1] ». En l'occurrence, il vise l'organisation de Morton Klein qui, pour embarrasser Rabin, pousse alors une proposition de loi de transfert de l'ambassade des États-Unis de Tel-Aviv à Jérusa-

1. http://www.ajcarchives.org/AJC_DATA/Files/1997_5_USCommunal.pdf

lem. Le Premier ministre israélien et le Président américain ne peuvent pas s'y opposer, mais sont fondamentalement hostiles à une telle mesure qui, à ce stade, menacerait de mettre en péril le processus de négociations. Bill Clinton finira par bloquer le texte par un décret exécutif.

Le lendemain, cinq cents étudiants venus de l'Université religieuse Bar Ilan, près de Tel-Aviv, s'en vont passer le Shabbat parmi les colons installés au centre d'Hébron : point d'orgue de la visite, le rabbin Eliezer Waldman, de Kyriat Arba, doit y prononcer un sermon. L'opération est organisée par un certain Yigal Amir. Extrêmement militant, issu d'une famille d'origine yéménite, ce dernier s'est inscrit dans les facultés de droit et de sciences informatiques après être passé d'abord par le département de criminologie, mais il consacre l'essentiel de son temps à étudier le Talmud dans la yeshivat hesder de l'université. Il participe régulièrement aux manifestations contre le processus d'Oslo, en Israël et en Cisjordanie. À 25 ans, il est la figure type issue de la nouvelle génération de sionistes religieux : baccalauréat obtenu après des études dans une institution orthodoxe de Tel-Aviv ; service militaire effectué au sein du régiment Golani, tout en continuant à étudier le Talmud à Kerem B'Yavneh, une yeshivat hesder. Il a ensuite été choisi par un service proche du Mossad pour effectuer une mission d'enseignement du sionisme dans la communauté juive de Riga. Dans cette perspective, il a reçu une brève formation de protection, y compris un entraînement au tir au pistolet dispensé par les formateurs du Shabak. À Bar Ilan, ses amis raconteront plus tard aux enquêteurs l'admiration qu'il éprouvait pour Baroukh Goldstein, l'assassin du caveau des Patriarches. Selon le témoignage d'un étudiant, Amir aurait, dans le cadre d'une discussion théorique, déclaré ainsi : « *Rabin et Pérès sont des serpents. Coupez-leur la tête et c'en sera fini ! Crevez-leur les yeux et ils seront aveugles. Il faut les tuer ! [...] L'État sera sauvé si quelqu'un les élimine. Il y aura des élections et Netanyahu aura le pouvoir*[1] ! »

---

1. The Jerusalem Report Staff, *Yitzhak Rabin Soldier for Peace*, Londres, Peter Halban, 1996, p. 185-189.

L'accord intérimaire est soumis à la Knesset le 5 octobre 1995, le lendemain du jeûne de Kippour. Les cartes sont disposées dans une salle du Parlement, avec les textes. Un général, qui a participé aux pourparlers, fournit des explications aux députés. Yitzhak Shamir arrive, dans la matinée, en compagnie de Benjamin Netanyahu. L'ancien Premier ministre déclare : « *Cette carte est une recette sûre pour la création d'un État palestinien en Terre d'Israël.* » Son successeur à la tête du Likoud renchérit : « *Nous ne les laisserons pas diviser la Terre d'Israël. Nous combattrons ce gouvernement jusqu'à ce qu'il tombe*[1] *!* »

La droite et les colons ont lancé un appel au rassemblement, place de Sion, dans le centre de Jérusalem. Au moment où s'ouvre le débat au Parlement, des milliers de manifestants scandent : « *Par le feu et par le sang, nous expulserons Rabin !* », et aussi : « *C'est un traître, c'est un traître, c'est un traître, à mort Rabin, à mort Rabin !* » Des haut-parleurs diffusent des slogans contre « *la trahison du gouvernement satanique* ». Benjamin Kahana, le fils du défunt rabbin raciste, est porté en triomphe. Une affiche exhibe le Premier ministre en habits de SS. Les chefs du Likoud sont installés sur un balcon d'où ils haranguent la foule. Benjamin Netanyahu accuse le gouvernement de gouverner par la grâce d'une majorité parlementaire non sioniste : « *Cinq députés sont des Arabes, pro-OLP, dont les enfants,* dit-il, *ne font pas de service militaire.* » La foule répond en hurlant : « *Mort à Rabin !* » Dans ce climat de haine, plusieurs dirigeants conseillent à Netanyahu de mettre un terme à la manifestation. David Lévy, qui a quitté le Likoud pour créer un parti de droite, lance : « *Il y a ici des gens qui œuvrent pour la Terre d'Israël mais aussi des gens qui mettent le pays en danger plus que ne le fait la gauche. Je n'ai rien à voir avec ceux-là !* » Le public réagit par des cris et des insultes. Il renonce à prononcer son discours. Des centaines de manifestants se rendent alors à la Knesset, qu'ils tentent de prendre d'assaut. Des membres du gou-

---

1. Charles Enderlin, *Paix ou guerres, op. cit.*, p. 718. Tournage France 2 du même jour.

vernement et des députés de gauche sont chahutés. On procède à plusieurs arrestations.

Netanyahu, critiqué pour la violence de la manifestation et les slogans qui y ont été scandés, doit répondre à plusieurs interpellations : « *Je les ai immédiatement condamnés. Cela provenait d'un groupe de hooligans...* » En séance plénière, il accuse Rabin : « *Votre rupture avec la tradition d'Israël est la véritable cause des [dérives] de ce gouvernement, pour qui Hébron est une ville arabe, la Judée et la Samarie, la Cisjordanie et le Golan une terre syrienne. Monsieur le Premier ministre, vous avez dit que la Bible n'est pas votre cadastre...* »

Rabin : « *Soyez précis, ne mentez pas ! C'est vous qui avez renoncé au Sinaï, où le peuple d'Israël a reçu la Torah !* »

Netanyahu : « *Il n'est pas surprenant que vous ayez renoncé si facilement au cœur de la patrie. Un homme ne saurait renoncer aussi facilement et avec une telle joie à son pays et à son foyer. Seuls ceux qui se sentent des envahisseurs étrangers se comportent ainsi envers la terre de leurs ancêtres, comme s'il s'agissait d'une affaire immobilière, d'un fardeau dont il faut à tout prix se débarrasser. Comment un peuple qui ne reconnaît pas son droit, qui perd son rêve, peut-il défendre son existence et se battre pour elle*[1] ? [...] » Tard dans la nuit, l'accord intérimaire est approuvé par soixante et une voix dont celles des députés arabes et de deux transfuges de droite.

Mort à Rabin !

Le lendemain, devant la résidence officielle du Premier ministre à Jérusalem, se déroule une cérémonie étrange. Avigdor Erskin, un militant religieux d'extrême droite, tient un rouleau de la Torah dans ses bras. Trois rabbins se tiennent à ses côtés. Ils expliquent à l'équipe de France 2,

1. Daniel Ben Simon, *Eretz Akheret*, Tel-Aviv, Ed. Nir Modan, 1997. http://knesset.gov.il/tql/knesset_new/knesset13/HTML_27_03_2012_06-21-01-PM/19951005@19951005005@005.html. Également, *The Assassination of Yitzhak Rabin*, Standford, Stanford University Press, 2000, p. 120.

la seule caméra sur place, qu'ils s'apprêtent à dire une prière cabalistique pour la mort de Rabin. Appelée *Poulsa de Noura* (langue de feu en araméen), cette malédiction aurait sa source dans la Kabbale et certains livres de magie juive issue du Moyen Âge. Les préparatifs ne sont pas des plus simples. Dix rabbins doivent se réunir dans une synagogue et jeûner pendant trois jours, puis prononcer la prière à minuit. Et malheur à qui se tromperait en visant un innocent ! La malédiction se retournerait alors contre lui... Ces quatre personnes réunies à côté de la demeure de Rabin ont-elles respecté toute la procédure ? Elles ne le diront pas. Le texte en question est un dialogue mystérieux mentionnant Satan et le Mal : « *Anges de destruction, frappez-le ! Il est maudit partout où il va. Son âme va quitter immédiatement son corps et il ne survivra pas un mois. Son chemin ira dans la nuit et l'ange de Dieu l'y pourchassera. Il subira une catastrophe telle qu'il n'a jamais endurée ainsi que toutes les malédictions de la Torah. [...] Fais mourir Rabin ! Qu'il soit maudit, maudit, maudit, maudit*[1] *!* » Découvrant la scène, une passante protestera vivement, qualifiant la cérémonie de scandaleuse. Un policier viendra lui demander de passer son chemin[2].

La campagne contre le gouvernement est quasi permanente, souvent doublée d'une incitation à la violence. Dans le centre d'Hébron, des colons affichent la proclamation du rabbin Zvi Yehouda Ha Cohen Kook de 1967 : « *Que la main qui signera des accords de concessions soit coupée !* »

Le 10 octobre, Yitzhak Rabin se produit devant des milliers d'immigrants anglophones rassemblés à l'institut sportif Wingate, au nord de Tel-Aviv. Dès son arrivée, ses gardes du corps plaquent au sol un religieux, visiblement énervé, qui se précipitait vers lui. Il s'agit de Nathan Ophir, le rabbin de l'Université hébraïque de Jérusalem[3]. L'atmosphère est

1. http://www.koshertorah.com/PDF/pulsa.pdf Également, *The Assassination of Yitzhak Rabin*, Stanford, Stanford University Press, 2000, p. 120.

2. Tournage exclusif de France 2. Les chaînes israéliennes ne diffuseront ces images qu'après l'assassinat de Rabin.

3. Nathan Ophir sera condamné à cent soixante jours de service au bénéfice du public.

extrêmement hostile. Interrompu à plusieurs reprises par des cris : « Démission ! » et « Honte à vous ! », le Premier ministre ne parvient qu'avec peine à prononcer son discours.

Aux États-Unis, sous la pression de plusieurs dirigeants juifs, le rabbin Avraham Hecht publie, le 23 octobre, une mise au point à l'occasion d'une interview donnée au magazine *New York.* Que voulait-il dire en déclarant que toute personne remettant des terres juives à des non-Juifs mérite la mort ? Sa réponse : *« Je ne cherche pas à assassiner Rabin. »* Et s'il était tué ? *« Je ne ressentirais rien, de même que je ne ressens rien quand un type quelconque est tué ! Rabin n'est plus juif ! »*

Morton Klein poursuit sa campagne contre le gouvernement israélien. Le 29 octobre, à New York, il invite Yitzhak Shamir à prendre la parole au dîner de gala annuel de la Zionist Organization of America. L'ancien Premier ministre conseille à ses hôtes d'ignorer les discours de Rabin et de continuer le combat contre la création d'un État palestinien, dont l'objectif principal serait la destruction de l'État juif. *« La majorité de l'opinion israélienne soutient les efforts de Morton Klein pour empêcher l'octroi d'une aide financière américaine à cette organisation terroriste qu'est l'OLP. Le gouvernement israélien a dévié des principes du sionisme qui, historiquement, ont guidé tous les dirigeants du pays, quelles que soient leurs attaches politiques.* [...] *Cela affaiblit considérablement les droits du peuple juif sur sa terre et représente un réel danger pour la sécurité d'Israël*[1]. *»*

Le 4 novembre 1995, la gauche se ressaisit et se mobilise. À l'appel du mouvement La Paix maintenant et du parti travailliste, plus de deux cent mille personnes participent à une manifestation de soutien au gouvernement, place des Rois d'Israël à Tel-Aviv. Face à une foule enthousiaste, Yitzhak Rabin déclare : *« [...] J'ai toujours pensé qu'une majorité du peuple aspirait à la paix et était prête à prendre des risques pour elle. En venant ici ce soir, vous démontrez, ensemble, avec de nombreux autres qui ne sont pas venus, que le peuple désire sincèrement la paix et s'oppose à la violence. La violence s'attaque au*

1. http://www.jweekly.com/article/full/1919/shamir-salutes-u-s-jews-opposing-rabin-peace-policy/

fondement de la démocratie israélienne. Elle doit être condamnée et isolée. Ce n'est pas la voie de l'État d'Israël. Dans une démocratie, il peut toujours surgir des désaccords, mais la décision finale sera tranchée par des élections démocratiques, comme celles de 1992 qui nous ont donné un mandat pour faire ce que nous faisons, et pour continuer dans cette direction. [...] »

Quelques minutes plus tard, Yigal Amir, l'étudiant de Bar Ilan, abat le Premier ministre de trois balles de revolver. Je reçois un message sur mon beeper : *« Avigdor Erskin vous informe : la Prière Pulsa de Noura a été exaucée. »*

Israël est en deuil. À Tel-Aviv, la place des Rois d'Israël est transformée en un gigantesque mémorial. Les murs, les trottoirs, les cabines téléphoniques se couvrent d'inscriptions, de poèmes, de lettres en hommage à Yitzhak Rabin. Des milliers d'adolescents se recueillent devant des bougies du souvenir.

L'enquête avance rapidement. Hagaï, le frère d'Amir, est appréhendé. C'est lui qui a fourni le pistolet et les balles dum-dum – utilisées en vue de l'assassinat. Une cache d'arme et d'explosifs est découverte au domicile des parents à Herzliya, à quelques mètres du jardin d'enfant de Geoula Amir, la mère de famille. Des complices sont placés sous les verrous : Dror Adani, un ami des deux frères, et Eric Schwartz, un sous-officier soupçonné de leur avoir fourni du matériel militaire volé sur sa base du régiment Golani[1]. Plus tard, une jeune fille, Margalit Har Shefi, sera également interpellée. Seul Hagaï reconnaîtra avoir entendu personnellement le rabbin d'une colonie de Cisjordanie dire que Rabin méritait de mourir. Les autres membres du groupe affirment n'avoir reçu aucune autorisation rabbinique.

Le 6 novembre, comme le veut la loi, la mise en détention d'Yigal Amir est soumise à un juge. Il comparaît donc devant le tribunal de district de Tel-Aviv et explique au juge, Dan Arbel : *« Rabin voulait donner le pays aux Arabes. »* À la question de savoir s'il a agi seul, il répond : *« Avec Dieu ! [...] Mon but était de choquer l'opinion publique. »* Lors d'une autre audience préliminaire, le 21 novembre, l'accusé fournira

1. Il sera finalement lavé de tout soupçon de complicité.

plus de détails : « *Peut-être que, physiquement, j'étais seul, mais ce qui a appuyé sur la détente, ce n'était pas seulement mon doigt mais le doigt de toute la nation qui, pendant deux mille ans, a rêvé de cette Terre. Je l'ai fait pour les milliers [de Juifs] qui ont versé leur sang dans la défense du pays.* »

Plus tard, il fournira aux enquêteurs de nouvelles explications : « *Sans la foi en Dieu, je n'aurais pas eu la force de le faire – c'est-à-dire, la foi dans le monde de l'au-delà. Au cours des trois dernières années, j'ai réalisé que Rabin n'était pas capable de diriger son peuple. Il a abandonné des Juifs et menti. Il avait soif de pouvoir. Il a fait subir à l'opinion et à la presse un lavage de cerveau. Il a lancé des idées comme celle d'un État palestinien. Il a reçu le prix Nobel avec Arafat, l'assassin, mais ne s'est pas occupé de son peuple. Il a divisé la nation. Il n'a pas tenu compte des [colons]. Je devais sauver le peuple car les gens ne comprenaient pas bien la situation. J'ai donc agi. [Rabin] parlait constamment de "victimes de la paix" [...]. Des soldats meurent au Liban et Israël ne réagit pas en raison du processus [en cours].* » Amir accusera également les médias israéliens d'avoir volontairement ignoré les manifestations et les grèves initiées par la droite. S'ils s'étaient conduits autrement, il aurait peut-être renoncé à son acte. « *Sans le jugement halakhique ou l'accusation de "Rodef" prononcé à l'encontre de Rabin par quelques rabbins que je connais, j'aurais eu du mal à tuer. Un tel meurtre doit avoir du soutien. Si cela n'avait pas été le cas, si je n'avais pas eu le sentiment que j'étais soutenu par de nombreuses personnes, je n'aurais pas agi.* » Amir répétera qu'il ne s'était pas assuré du feu vert de quelque autorité rabbinique que ce soit[1].

Un début d'examen de conscience

Premier ministre par intérim, Shimon Pérès a nommé une commission d'enquête judiciaire quatre jours après le meurtre. Mais ses travaux sont bien encadrés : présidée par le

1. Rapport de la commission d'enquête sur le meurtre du Premier ministre Yitzhak Rabin, Jérusalem, 1996, en hébreu.

juge Meir Shemgar, l'ancien président de la Cour suprême, elle ne devra se préoccuper que des circonstances de la mort de Rabin, c'est-à-dire des mesures de protection du chef du gouvernement. Étaient-elles adaptées à la situation ? Quant à l'incitation au meurtre, à la violente campagne lancée par la droite nationaliste et les colons, elles ne viendront pas dans son champ d'investigation. Et pas davantage ici les rabbins qui ont, religieusement, condamné Rabin à mort ni ceux qui ont lancé des appels à l'insubordination. Pas plus les écoles talmudiques extrémistes financées par l'État. Pas d'examen non plus de l'enseignement religieux tel qu'il est délivré dans certaines yeshivas. Pérès veut, en fait, mettre à profit le choc créé par l'assassinat de Rabin pour tenter d'obtenir le soutien d'une partie de la droite religieuse et conférer ainsi une vraie légitimité au processus d'Oslo. Il évitera ainsi de trop critiquer Benjamin Netanyahu, avec qui il conclura même un accord destiné à maintenir les débats politiques dans les limites de la modération et de la « civilité ».

Il se trompe. Muselée, la gauche va, à nouveau, laisser le champ idéologique à Goush Emounim et à la droite. Et la meilleure défense étant l'attaque, le chef du Likoud l'accusera d'utiliser le crime commis par Amir pour « délégitimer » l'opposition de droite.

En 2012, Zeev Sternhell fera son *mea culpa* : *« À gauche, on n'avait pas compris que tout cela allait logiquement s'enchaîner. Baroukh Goldstein et Yigal Amir, tous deux, représentaient un courant idéologique et politique considérable, très puissant, un véritable torrent que la gauche refusait de voir, par poltronnerie. C'était commode de se voiler la face. Il était plus facile de dire qu'on avait attrapé la grippe que se dire qu'on souffrait du cancer, alors que c'était bien un cancer dont nous étions affectés, et cela, ce fut la grande débâcle du leadership israélien de gauche*[1]. »

Le camp nationaliste religieux tient, pour sa part, sa réunion d'examen de conscience le 8 novembre 1995, à Jérusalem, devant les caméras de télévision. Le rabbin Yehouda Amital qualifie le meurtre de *« double sacrilège car il a été*

1. Entretien avec l'auteur, octobre 2012.

commis par quelqu'un qui se considère religieux et justifie son crime par un commandement de la Torah. J'ai entendu ce qu'il a dit devant le tribunal. Il n'y avait rien de nouveau. Tous ses mots, nous les avons entendus à plusieurs reprises au cours de l'année écoulée dans les milieux sionistes religieux, dans la presse écrite et électronique. S'il avait été possible de ne pas entendre, dans notre propre camp, des expressions comme "gouvernement de trahison", "gouvernement qui verse le sang", etc., le meurtre n'aurait peut-être pas eu lieu. Nous ne pouvons donc plus dire que nous n'avons pas versé ce sang-là. Pour purifier notre camp, nous devons observer six refus : Cesser d'utiliser la Halakha dans nos commentaires sur les affaires politiques. La Halakha peut s'avérer dangereuse entre les mains de novices. Elle ne doit être décidée que par les grands de la Torah. […] Il faut cesser de délégitimer l'opinion de ceux qui n'appartiennent pas au sionisme religieux. Nous devons cesser de délégitimer le gouvernement. Ne plus le diaboliser, ne plus insulter ses membres et ne plus diffamer le public non religieux qui soutient le processus de paix. »

Israël Harel, l'ex-rédacteur en chef de *Nekouda*, conclut : *« Nous devons quitter cette réunion avec le sentiment que nous appartenons à ce peuple, que nous sommes avec lui en deuil face à ce grand drame. Mais nous devons aussi savoir que notre éducation ne débouche pas sur l'échec. Je crois en cela de tout mon cœur. Et puis, il n'a pas été prouvé que notre mode de vie était fallacieux. En fait, nous sommes engagés sur la voie royale du sionisme et du judaïsme. »*

Le rabbin Menahem Felix d'Eilon Moreh attend pour intervenir que les équipes de télévision aient quitté la salle : *« Le Premier ministre qui, après sa mort, a été adopté par la nation tout entière est aujourd'hui mon Premier ministre. Mais jusqu'à l'assassinat, ce gouvernement ne représentait pas, selon moi, la Royauté d'Israël. Les partisans de l'OLP, qui sont majoritaires au gouvernement, lui ont accordé le pouvoir, mais était-il pour autant légitime ? Pour moi, non ! Cette vérité ne changera pas ! […] Qu'il soit nécessaire de faire un examen de conscience chez nous aussi, j'en suis d'accord. Mais l'entreprise doit être équilibrée. Il est possible que nous ayons exagéré en proférant certaines expressions. Nous n'avons pas surveillé les marginaux fous. Sur un point, nous nous sommes certainement trompés. Mais il faut garder la bonne mesure des choses. Lorsque je dis cela, je ne m'assieds pas sur le banc des accusés. Je ne me sens pas coupable. Je ne pense pas que notre camp soit impur. Il faut [néanmoins] le purifier. Sur un autre plan, nous nous sommes également trompés. Nous n'avons pas réussi à mener le combat public, exprimé l'opposition considérable qui existe dans l'opinion contre les initiatives du gouvernement, bâti une opposition digne de ce nom [...].* »

Mais celui par qui arrive le scandale est le rabbin Yoël Bin Noun. D'emblée, il annonce qu'un nouvel assassinat politique est possible : « *[...] À cet instant, des gens continuent de parler de "Din Rodef" contre certaines personnes bien identifiées. De quoi parlez-vous ? Je suis disposé à me dire en accord avec tout ce qui a été dit ici sur la splendeur du public religieux, du sionisme religieux, de l'éducation religieuse. Tout cela est vrai ! Mais à une condition : que ceux qui ont prononcé le jugement de Rodef – et je sais qu'il s'en est trouvé au cours des six mois écoulés, [et ce ne sont] pas des idiots [...] mais des autorités rabbiniques – doivent le dire et démissionner. S'ils ne le font pas, s'ils ne démissionnent pas avant la fin du deuil [de Rabin] – ceci est un ultimatum –, je les combattrai devant tout le peuple d'Israël [...].* » Il ne cite pas les noms, mais toute l'assistance sait qu'il vise ainsi les rabbins Dov Lior (de Kyriat Arba) et Nahoum Rabinovitch (de Maale Adoumim, la colonie urbaine à l'est de Jérusalem). Bin Noun poursuit sa charge : « *En matière de jugements de Halakha sur les affaires politiques, nous ne disposons d'aucune tradition, ni de référence talmudique. Donc, celui [rabbin] qui s'autorise à en publier, se conduit comme un dentiste qui entreprendrait des opérations au cerveau ou au cœur ou prétend qu'il a le titre de docteur. [...] Personne ici, moi y compris, n'est autorisé à formuler un jugement [religieux] sur les affaires d'État. [...] Le Din Rodef n'a pas sa place dans le pays car il n'a pas sa place dans un État de droit. Cette pratique n'a pas de légitimité politique. Dire le contraire est un mensonge ! [...]*[1] »

Bin Noun remettra les noms des rabbins qu'il soupçonne d'avoir autorisé l'assassinat d'Yitzhak Rabin au grand rabbin d'Israël, Meir Lau. Pas aux enquêteurs de la police criminelle car, dira-t-il plus tard, « *je savais que les policiers avaient peur*

1. *Nekouda*, décembre 1995, p. 58-63.

[de ces rabbins] et de leurs élèves[1] ». Et les réactions ne tardent pas à se faire entendre.

Le conseil des implantations publie un communiqué intimant Bin Noun de cesser de proférer des accusations vagues envers tout un chacun. Le conseil des rabbins des colonies le condamne pour avoir accusé Lior et Rabinovitch. Il recevra des menaces à son domicile. Des parents décideront ensuite de retirer leurs enfants de l'école qu'il dirige. Certains proposeront même de le frapper d'ostracisme. Une semaine plus tard, au terme d'une longue soirée à son domicile, à laquelle auront participé des rabbins et des responsables du mouvement des implantations, Bin Noun se rétractera et publiera des excuses[2]. En raison de l'hostilité déployée à son égard, il finira par quitter la colonie Ofra pour s'installer à Goush Etzion.

Finalement, la police n'interrogera que brièvement Lior et Rabinovitch. Deux autres rabbins subiront des interrogatoires plus poussés : Shmouel Dvir, de la colonie Karmei Tsour, et David Kav, issu d'une yeshiva proche de Tel-Aviv. Tous nieront avoir donné une autorisation rabbinique à Yigal Amir. Aucune personnalité religieuse ne sera accusée de complicité, fût-elle indirecte[3].

Le judaïsme peut-il sauver Israël ?

Aux États-Unis, la communauté juive a réagi dès l'annonce du meurtre de Rabin. À New York, plus de mille Juifs, religieux et laïcs, se sont spontanément rendus devant le consulat d'Israël pour allumer des bougies du souvenir, en dépit du froid glacial. Mais très vite, les accusations vont surgir. Le 6 novembre, le correspondant aux États-Unis du

1. *Haaretz*, Moshé Negbi, 10 novembre 2011.
2. *Yediot Aharonot*, Zvi Zinger, 14 novembre 1995.
3. Selon Ami Ayalon, ancien patron du Shabak, le service de sécurité ne voulait pas d'enquête poussée car il avait infiltré un agent double au sein du mouvement messianique, Avishaï Raviv, qui avait organisé des provocations contre le gouvernement (témoignage d'Ayalon. Vidéo).

quotidien *Yediot Aharonot* rappelle : « *La première fois que des manifestants ont qualifié Yitzhak Rabin de chef de Judenrat, ce fut à New York, lors de la toute première manifestation contre le processus de paix. La première fois que Rabin a été pendu en effigie, ce fut ici.* » Le malaise touche particulièrement le milieu orthodoxe.

C'est que Yigal Amir fréquentait l'Université Bar Ilan, dont l'enseignement (Talmud et matières séculaires sur fond d'idéologie sioniste religieuse) est identique à celui de la Yeshiva University de New York, déjà secouée par le massacre entrepris par l'un de ses anciens étudiants, Baroukh Goldstein. Le rabbin Aharon Soloveitchik prend position : « *Nous ne pouvons pas dire que nos mains n'ont pas versé ce sang [...]. Les enseignants qui n'ont pas su inculquer dans l'esprit de leurs étudiants l'idée simple que verser le sang est une abomination partagent la culpabilité de l'assassin.* » Le rabbin Moshé Tendler lui répond : « *Le judaïsme de la Torah n'a pas à avoir honte de quoi que ce soit. Je suis troublé par ce* mea culpa *de nos rabbins et de nos dirigeants juifs, comme si nous étions responsables de ce meurtre.* » Norman Lamm, le président de la Yeshiva University, qualifie Goldstein et Amir de « *mauvaises herbes dans notre jardin* ». Mais, ajoute-t-il, « *c'est bien notre jardin !* ». Il fait signer par les vingt-huit professeurs de Talmud un communiqué qualifiant l'assassinat de Rabin de « *distorsion inexcusable de la Halakha*[1] ».

À gauche, certains, comme Henry Siegman, proposent de cesser de financer les institutions religieuses extrémistes. Leon Wieseltier, une personnalité juive libérale, publie dans le *New York Times* une réponse à un éditorial du journaliste Tom Friedman. « *Dire que le judaïsme peut encore sauver l'État juif est inconcevable. Tel est exactement le langage qui aura excité l'assassin de Rabin et ses semblables. Ce cocktail de religion et de nationalisme est le développement le plus dangereux qu'Israël aura connu au cours du dernier quart de siècle. [...] Le sionisme a été avant tout, et majoritairement, une révolution séculaire dont le but était la transformation séculaire de l'histoire juive. [...] le judaïsme ne peut pas sauver Israël. Le judaïsme ne peut sauver*

1. *Jewish Communal Affairs, op. cit.*, p. 183.

que le judaïsme et les âmes des Juifs croyants. Israël devra sauver Israël. Et cela pourrait bien débuter par le rejet de toutes les formes de sacralisation de la politique [...] la stricte séparation entre la synagogue et l'État [...] l'avertissement adressé aux extrémistes intoxiqués par Dieu que leur ivresse devra céder la place aux valeurs de la démocratie et au régime de la loi[1]. »

Le 22 novembre, Shimon Pérès, qui assurait l'intérim de Rabin, devient Premier ministre en titre. Il forme un nouveau gouvernement. Se tournant d'abord du côté des religieux, il n'obtient pas de bien grands résultats. Les négociations avec Shass, le parti orthodoxe séfarade, échouent. Agoudat Israël, la formation ultra-orthodoxe ashkenaze, n'a aucune intention de siéger dans un cabinet dominé par la gauche laïque. Seul le rabbin Yehouda Amital accepte d'être ministre sans portefeuille. La gauche applaudit. *Haaretz* publie un éditorial laudateur : « *Cela montrera à tous que le cabinet travaillistes-Meretz ne rejette pas la participation des religieux aux décisions fondamentales et qu'il n'est pas indifférent à la détresse des colons.* » Les fondamentalistes messianiques ne sont pas d'accord. Hagaï Segal, un colon d'Ofra, s'exclame : « *Depuis vingt ans, le sionisme religieux va à l'encontre des opinions du rabbin Amital et ignore ses critiques mélancoliques. Cela ne va pas calmer [les tenants de ce courant de pensée,] mais les rendre furieux !* » Israël Harel, le président du conseil des implantations, qualifie la nomination d'« intolérable ».

Les retraits des villes de Cisjordanie, prévus par l'accord intérimaire, se déroulent sans incidents. L'armée israélienne évacue Jenine le 13 novembre, puis Naplouse le 27. Ni les colons, ni la droite nationaliste ne manifestent. Le 21 décembre, Hanan Porat, revêtu d'un châle de prière, viendra, seul, exprimer sa douleur à l'entrée de Bethléem jusqu'au moment où les soldats israéliens lui diront : « *Ça y est ! Il faut partir, les policiers palestiniens arrivent*[2] ! »

Une semaine plus tard, Ramallah est remise aux forces d'Arafat. Le processus de paix entamé deux années plus tôt semble progresser inexorablement. La région est calme. Les

---

1. *The New York Times*, Leon Wieseltier, 20 novembre 1995.
2. Témoignage personnel, tournage France 2.

islamistes palestiniens n'ont commis aucun attentat depuis le mois d'août. Mais le Shabak est persuadé que cet état est temporaire. Israël Hasson, le patron du service pour la Cisjordanie, explique d'ailleurs à Pérès qu'il faut à tout prix neutraliser le Hamas : Yahya Ayyash, l'artificier de l'organisation, constitue toujours une menace. Surnommé « l'ingénieur », c'est lui qui a organisé les dernières attaques-suicides. L'homme s'est réfugié à Gaza.

Le 5 janvier, il est tué dans l'explosion de son téléphone portable. Le lendemain, cent mille personnes participent à ses obsèques. L'organisation islamiste boycottera les élections palestiniennes du 9 février 1996. Sans surprise, Arafat est élu président de l'Autorité autonome avec 88,2 % des voix. Le Fatah domine le conseil législatif avec 55 sièges sur 88.

La gauche va à l'échec

La droite et le mouvement nationaliste religieux sont paralysés, tout occupés à regagner les faveurs d'au moins une partie de l'opinion publique. Rien n'empêche donc Shimon Pérès de poursuivre les négociations qui, tôt ou tard, menacent de porter sur Jérusalem-Est et le mont du Temple/Haram al-Sharif.

Le 2 février 1996, pour la première fois depuis ce qu'en rapporte l'histoire biblique, un collège rabbinique – en l'occurrence, le conseil des rabbins des implantations – publie un jugement halakhique autorisant les Juifs à se rendre en certains endroits de l'esplanade des Mosquées. Le seul interdit concerne le Dôme du Rocher. Ces rabbins considèrent qu'ainsi le gouvernement aura les plus grandes difficultés à faire des concessions, voire à laisser l'OLP y planter son drapeau. Ils appellent *« chaque rabbin estimant qu'il peut pénétrer sur le mont du Temple à le faire lui-même en compagnie de sa communauté »*. Bien entendu, les fidèles devront observer les principes de la purification individuelle : s'être rendu au bain rituel, ne pas porter de chaussures en cuir, etc. Le grand rabbinat d'Israël et la yeshiva Merkaz Ha Rav maintiennent leur position traditionnelle interdisant aux Juifs de se rendre sur l'esplanade. Le mouvement messianique est ainsi de plus en plus divisé : les tenants du « Temple maintenant » s'éloignent de plus en plus de la vision du rabbin Kook. Sous la protection de la police, des milliers de Juifs religieux vont effectuer ce pèlerinage – sur ce qui est aussi, on le sait, le troisième lieu saint de l'islam.

Le processus de paix est bien installé sur ses rails, le terrorisme semble maîtrisé, les sondages prédisent à Shimon Pérès une avance de 16 à 20 % sur Benjamin Netanyahu, son challenger. Le 11 février, il décide d'organiser le 29 mai les élections prévues à l'automne. Et déclare dans une intervention télévisée : « *Aucun autre gouvernement n'a accompli autant en quatre années, excepté peut-être aux débuts de l'État. La paix avec les Palestiniens est en excellente voie, par comparaison avec ce qui se passe en Irlande ou en Bosnie.* » Le chef du Likoud lui répond immédiatement : « *Je ralentirai le rythme du processus de paix et réintroduirai les valeurs juives.* »

Netanyahu va mener une campagne électorale à l'américaine, sous la houlette d'Arthur Finkelstein. Cet expert, venu des États-Unis, a conseillé les Présidents Richard Nixon et Ronald Reagan. Son premier objectif est de transformer l'image du fils de Benzion afin que l'opinion israélienne le regarde comme un leader crédible, un véritable homme d'État. Surtout, après avoir analysé les sondages, il lui fait dire qu'il ne reviendra pas sur les accords d'Oslo mais se contentera d'en améliorer les aspects sécuritaires en exigeant la réciprocité de la part des Palestiniens. « *S'ils donnent, je donnerai aussi !* » annonce Netanyahu, qui est prié par son conseiller de ne plus participer aux manifestations de rue. Le Likoud doit éviter toute violence et toute attaque directe contre le gouvernement.

L'offensive terroriste décidée par le Hamas après l'assassinat de Yahya Ayyash vient justifier sa méfiance. Le 25 février, une bombe humaine saute dans l'autobus 18 à Jérusalem. Vingt-six Israéliens sont tués, quarante-six blessés. Presque au même moment, un kamikaze actionne sa ceinture d'explosifs près d'Ashkelon. Un mort et trente-deux blessés. La branche armée du Hamas a choisi la date de ces attentats :

deux ans auparavant, jour pour jour, Baroukh Goldstein commettait le massacre du caveau des Patriarches à Hébron. Une semaine plus tard, le 3 mars, dans un autobus de la même ligne à Jérusalem, une nouvelle bombe humaine explose. Dix-neuf morts et dix blessés. Le lendemain, c'est le Jihad islamique qui envoie un kamikaze devant le grand centre commercial Dizengoff, à Tel-Aviv. Quatorze tués et cent cinquante-sept blessés. À Gaza, Yasser Arafat réalise que sa stratégie face au Hamas a échoué. Le processus de paix menace de capoter et il risque d'en payer le prix. La police palestinienne lance alors un vaste coup de filet au sein des milieux islamistes. Plus de deux mille militants sont arrêtés. Les mosquées affiliées au Jihad et au Hamas sont placées sous la responsabilité de l'Autorité palestinienne.

Shimon Pérès est systématiquement pris à partie par la foule lorsqu'il se rend sur les lieux des attentats. Des kahanistes sont toujours là pour scander : *« À mort les Arabes ! »* mais aussi *« Pérès démission ! »* Les images passent en boucle sur les chaînes de télévision israélienne. L'opinion publique bascule alors.

Seuls quelques points séparent désormais Pérès de Netanyahu dans les sondages. Finkelstein a entrepris de faire diffuser inlassablement des clips télévisés de trente secondes autour des slogans : « Avec le Likoud, la Paix dans la sécurité ! » et : « Pérès veut diviser Jérusalem ! » Dans le cadre d'un accord passé entre les deux partis, les travaillistes s'interdisent de rappeler les manifestations qui ont précédé l'assassinat de Rabin, et le Likoud ne diffuse aucune image des attentats. Mais les formations religieuses et d'extrême droite ne sont pas liées par ces engagements et, chaque soir, elles rappellent à l'opinion israélienne les scènes sanglantes occasionnées par les attaques-suicides palestiniennes. Venus de Cisjordanie et de Gaza, les colons se mobilisent en masse en faveur du Likoud et de son candidat. Le conseiller de presse de Netanyahu n'est autre, d'ailleurs, que Shaï Bazak, le porte-parole du conseil des implantations. Les rabbins qui dirigent le mouvement hassidique Habad, depuis la disparition du rabbin de Loubavitch, deux années plus tôt, se réunissent et décident de soutenir Netanyahu, estimant qu'il est le mieux placé pour défendre l'intégrité de la Terre d'Israël et qu'il saura s'opposer à toute nouvelle concession aux Palestiniens. Le rabbin Yossef Goutnick, un milliardaire australien, membre du Habad, investit dix millions de dollars dans une campagne autour du slogan : « Bibi [Netanyahu], c'est bon pour les Juifs[1]. »

Inquiet d'une défaite éventuelle de Shimon Pérès, Bill Clinton organise, le 13 mars, un sommet international sans précédent à Charm el-Cheikh, la station balnéaire du Sinaï. Aux côtés du chef du gouvernement israélien, il rassemble vingt-neuf participants : les Présidents américain, russe, français et turc, les Premiers ministres britannique, allemand, canadien, irlandais, italien, norvégien et espagnol, les rois de Jordanie et du Maroc, plusieurs émirs du Golfe, les ministres des Affaires étrangères saoudien et algérien sont là. Du jamais-vu au Proche-Orient. Ce sera la dernière fois, dans l'histoire de la région, que ces personnalités arabes – une dizaine en tout – exprimeront ainsi publiquement leur soutien au processus de paix. Mais, aux yeux de la presse israélienne, tout cela n'est qu'une opération électoraliste de soutien à Shimon Pérès. Dans *Yediot Aharonot*, l'éditorialiste Nahoum Barnea, qui a perdu son fils dans un attentat, écrit : *« Lorsque cette conférence se dispersera, nous resterons seuls face au Hamas. »* Des personnalités du Likoud réagissent par des ricanements. Ariel Sharon déclare : *« Cela ne sauvera pas une seule goutte de sang juif ! »* Netanyahu, lui, reste sur sa ligne « homme d'État » : *« Ce sommet renforce Israël et la lutte antiterroriste. »* Avant de rentrer à Washington, Bill Clinton fera une longue escale en Israël – où il est très populaire. Mais l'opinion publique israélienne s'est déjà bel et bien détournée de Shimon Pérès.

L'assassinat de Rabin fait brièvement retour dans l'actualité le 27 mars, avec la dernière audience du procès d'Yigal Amir et de ses complices. Le juge Edmond Levy, président du tribunal, lit les attendus de la condamnation : *« [...] L'accusé qui se trouve devant nous, ainsi que ceux qui lui res-*

---

1. Ben Kaspit et Ilan Kfir, *Netanyahu*, Tel-Aviv, Legali Alfa, 1997, p. 299-302.

semblent, sont un terrible cauchemar pour tous ceux qui aspirent à la démocratie, quel que soit le camp auquel ils appartiennent. Néanmoins, ce procès ne fut pas politique [...]. Ce n'est pas la conception qu'a l'accusé de la sainteté de la Terre d'Israël qui a été jugée, ni la question de savoir si les mesures adoptées par le gouvernement d'Israël depuis la signature des accords d'Oslo étaient correctes. La seule question à laquelle nous devions répondre était de savoir si l'accusé était coupable du crime d'assassinat tel qu'il est défini par le Code pénal. Nous y avons répondu par l'affirmative. Le débat qui se déroule parmi nous est difficile parce qu'il engage des questions fondamentales pour l'État d'Israël, pas seulement pour notre génération mais surtout pour les générations à venir. Nous éprouvons tous une véritable et sincère inquiétude pour la paix dans le pays, d'un côté, et la paix avec nos voisins, de l'autre. Comme il est de coutume dans un État démocratique, ce débat doit être conduit avec fermeté mais dans le respect de l'autre et la tolérance, cette dernière étant particulièrement nécessaire lorsque des opinions impopulaires sont exprimées par des minorités. Ce n'est pas tout. La fracture au sein de la nation ne sera pas réduite par la seule vertu des mots, mais avant tout par des actes, et d'abord ceux des dirigeants de l'ensemble des partis politiques. Ces derniers doivent à tout prix répéter nuit et jour "Hommes sages surveillez vos paroles". » Ce juge, religieux, est connu pour ses opinions favorables à Goush Emounim.

Yigal Amir est condamné à la prison à vie pour assassinat, peine à laquelle vient s'en ajouter une autre, de six ans, pour avoir blessé un des gardes du corps de l'ancien Premier ministre. Son frère Hagaï est frappé d'une peine de dix-sept années de détention. Dror Adani, lui, passera sept années sous les verrous.

Mais sont-ils vraiment coupables ? Des rumeurs, selon lesquelles Rabin aurait été en fait victime d'un complot fomenté par le Shabak, circulent ici et là. Elles ont commencé à prospérer, quelques semaines après l'assassinat, lorsque le service de sécurité a révélé qu'il avait introduit un agent dans le groupe auquel participait Amir. Cette taupe, un certain Avishaï Raviv, avait organisé plusieurs provocations antigouvernementales. À partir de cette reconnaissance, divers « experts » ont relevé des contradictions et des invraisemblances autour des faits énoncés et les déclarations des témoins. Par exemple, au moment du meurtre, quelqu'un aurait crié : « Balle à blanc ! » Après cela, un garde du corps aurait déclaré à Leah Rabin : « Tout va bien, c'étaient des balles à blanc. » Les blessures constatées à l'hôpital ne concorderaient pas avec la vidéo amateur tournée au moment des faits, etc. Des « conspirationnistes » écriront des ouvrages à ce sujet, d'autres clameront détenir la preuve qu'Amir est innocent.

La commission d'enquête du juge Meir Shemgar examinera ces imputations, enquêtera et convoquera plusieurs témoins, avant de conclure qu'elles sont sans fondement. D'autant que l'assassin lui-même a reconnu sa culpabilité dans les minutes qui ont suivi le meurtre et n'est jamais revenu sur ses aveux. Il n'empêche, la théorie du complot s'est solidement enracinée au sein des milieux de la droite nationaliste et religieuse, elle permettra de rejeter immédiatement sur le pouvoir en place – et la gauche en général – la responsabilité de l'assassinat du Premier ministre[1].

Face aux accusations de faiblesse lancées par la droite, Shimon Pérès, qui a conservé le portefeuille de la Défense, ne manque pas une occasion de se faire filmer en compagnie de militaires. Une série d'incidents à la frontière nord va bientôt lui donner l'occasion de se montrer en chef de guerre.

Le 30 mars 1996, deux Libanais sont tués par un missile israélien. Le Hezbollah riposte en lançant une vingtaine de roquettes sur Israël. Quelques jours plus tard, la milice chiite tire une nouvelle salve après la mort d'un jeune Libanais. Les généraux israéliens expliquent à Pérès que la situation est intolérable. Ils lui demandent d'autoriser une vaste opération militaire au Sud-Liban, destinée à affaiblir le Hezbollah. L'offensive, baptisée « Les raisins de la colère », est déclenchée le 11 avril. Les bombardements par l'aviation et l'artillerie israéliennes font fuir la population vers le nord où, confronté à l'afflux de réfugiés, le gouvernement libanais est censé faire rentrer le Hezbollah dans le rang.

1. Rapport de la commission Shemgar, p. 128.

Une semaine plus tard, c'est la bavure. Des obus israéliens tombent sur une base de Casques bleus à Kfar Kana. Cent deux Libanais sont tués, et parmi eux des enfants et des femmes. L'effet sur l'opinion publique internationale est catastrophique, et tout autant au sein de la communauté arabe d'Israël qui, massivement, décide de boycotter les élections et permettra ainsi, le 29 mai 1996, l'élection de Benjamin Netanyahu – avec 50,4 % des suffrages exprimés contre 49,5 % à Shimon Pérès. La différence est de trente mille voix. C'est la première fois que les Israéliens élisent le chef du gouvernement au suffrage universel. Le nouveau Premier ministre n'a aucune difficulté à réunir une majorité parlementaire. Le Likoud, les partis religieux et l'extrême droite rassemblent soixante-quatre députés sur cent vingt.

À gauche, Zeev Sternhell était inquiet : *« J'ai pensé aussitôt que l'arrivée de Netanyahu au pouvoir, lui qui représentait la droite pure et dure, était un désastre. Ils étaient des milliers, des centaines de milliers qui pensaient comme lui que la Terre d'Israël appartenait au peuple d'Israël, que la souveraineté juive sur la Cisjordanie ne devrait jamais être remise en cause. Il n'y aurait pas de négociations véritables. On se contenterait de trouver des arrangements. Israël gouvernerait la Cisjordanie en vertu de ses droits historiques, de ses droits moraux, etc. Le reste, tout le reste, ne serait qu'arrangement de détails. »*

CHAPITRE 6

L'idéologie à l'épreuve des réalités

Vainqueur de Shimon Pérès, travailliste et figure emblématique de la politique israélienne, le fils de Benzion Netanyahu a pour mission de veiller sur la Terre d'Israël, de faire le moins de concessions possible, de développer la colonisation et d'empêcher la création d'un État palestinien. La tâche ne s'annonce pas aisée. Il s'est, en effet, engagé à appliquer les accords d'Oslo, qui stipulent l'évacuation d'une partie d'Hébron et de deux autres lieux de Cisjordanie. En outre, Bill Clinton, qui a fait activement campagne pour que la gauche reste au pouvoir, va intensifier ses efforts en faveur de la poursuite du processus de paix. Netanyahu devra s'efforcer d'éviter une crise majeure avec l'Amérique, l'opinion israélienne ne le supporterait pas.

Pour l'heure, les colons fêtent la défaite de Pérès. Le gel partiel de la construction dans les implantations, décrété par Rabin, va être annulé. À Hébron, Myriam Levinger, l'épouse du fondateur de Kyriat Arba, affiche son bonheur : « *C'est une victoire pour le peuple juif, qui n'a pas abandonné ses racines et demeure fidèle à son héritage. Le Messie n'est pas encore arrivé mais je sens que le peuple juif a fait un virage à cent quatre-vingts degrés. C'est le début d'une ère nouvelle*[1]. »

Les négociations en vue de la formation du nouveau gouvernement progressent rapidement. Pas question de former un gouvernement d'union nationale avec les travaillistes pour faire avancer le processus de paix. Aux côtés du Likoud,

1. *The New York Times,* 1er juin 1996.

cinq partis de droite et religieux, s'entendent sur un texte sanctionnant l'accord de coalition : « *Le gouvernement négociera avec l'Autorité palestinienne afin d'aboutir à un arrangement permanent, à la condition que les Palestiniens respectent pleinement tous leurs engagements. Le gouvernement proposera aux Palestiniens un arrangement leur permettant de vivre en liberté dans le cadre de l'autogouvernement. Le gouvernement [israélien] s'opposera à la création d'un État palestinien à l'ouest du Jourdain et au "droit au retour" de populations arabes en toute part de la Terre d'Israël, à l'ouest du Jourdain. Dans le cadre de tout arrangement politique, Israël insistera pour assurer l'existence et la sécurité des localités juives et leurs liens avec l'État d'Israël*[1]. » Benjamin Netanyahu dispose d'une majorité de soixante-six députés sur les cent vingt que compte la Knesset.

ASSURER UNE JUSTE PLACE À LA RELIGION

Sous Rabin, la gauche au pouvoir avait permis d'atténuer le poids de certaines lois religieuses. Des restaurants et des centres commerciaux avaient pu ouvrir durant le Shabbat, et les courants modernistes du judaïsme, réformé et conservateur, espéraient obtenir une reconnaissance officielle de la part des autorités israéliennes. Il n'en est plus question. La règle selon laquelle seules les conversions au judaïsme assurées par des rabbins orthodoxes sont reconnues par le ministère de l'Intérieur est maintenue. Les trois formations religieuses ont, par ailleurs, obtenu des engagements sur le maintien du *statu quo* religieux tel que David Ben Gourion et les dirigeants sionistes l'avaient défini un an avant l'indépendance d'Israël : « [...] *La création de l'État devra être entérinée par l'ONU, ce qui sera impossible si la liberté de conscience n'est pas garantie pour tous ses citoyens et [...] il n'est pas question de créer un État théocratique. Dans l'État juif vivront également des citoyens non juifs, des chrétiens et des musulmans. Il est évident que, nécessairement, il faudra garantir l'égalité complète des droits*

1. http://www.fmep.org/reports/archive/vol.-6/no.-4/view

pour tous, sans discrimination religieuse ou autre. [...] Néanmoins, nous vous informons ainsi de la position de l'Agence juive :

Shabbat : Le jour de repos légal dans l'État juif sera le Shabbat, mais, bien entendu, les chrétiens et les fidèles d'autres religions se verront reconnaître la possibilité de chômer le jour de la semaine [de leur choix].

Cacherout : Il faudra faire le nécessaire afin que dans toutes les cuisines des institutions nationales destinées aux Juifs y proposent une nourriture cachère.

État civil : Tous les membres de la direction de l'Agence juive considèrent la gravité du problème. Toutes les organisations représentées par l'Agence feront leur possible pour [tenir compte du problème religieux et] éviter – à Dieu ne plaise – une scission au sein de la Maison d'Israël.

Éducation : L'autonomie complète est promise à tous les courants éducatifs [...]. Les autorités ne porteront aucune atteinte à la conscience religieuse d'un élément quelconque de la [société] en Israël. Les minima éducatifs obligatoires seront établis pour la langue hébraïque, l'histoire, les sciences, etc., ces minima feront l'objet d'un contrôle, mais chaque courant aura pleine liberté pour diriger son système éducatif[1]. »

En juillet, Benjamin Netanyahu effectue une visite triomphale de cinq jours dans sa seconde patrie, l'Amérique républicaine et conservatrice. Il retrouve d'abord ses amis et bienfaiteurs, les milliardaires Ron Lauder (cosmétiques), Mortimer Zuckerman (immobilier), Sheldon Adelson (l'empereur des casinos), Irving Moskowitz (le roi des cliniques urologiques et du bingo), qui est un des principaux soutiens financiers du mouvement de colonisation. Au plan idéologique, les relais néoconservateurs du centre Shalem, de Yoram Hazony, ont réfléchi. Ils lui ont préparé une feuille de route intitulée : *« Une rupture franche. Une nouvelle stratégie pour conserver le royaume »*. À en croire ce texte, tous les problèmes d'Israël proviennent du « sionisme socialiste », qui a sapé la légitimité de la nation et mené le pays à la paralysie stratégique et conduit à un processus de paix qu'il faut reconsidérer en remplaçant le principe « Les territoires

1. http://www.ynet.co.il/articles/0,7340,L-4242559,00.html

contre la paix » par « La paix contre la paix » et « La paix fondée sur la force ». Le gouvernement Netanyahu aurait ainsi *« l'occasion de se faire le défenseur des valeurs et des traditions occidentales »*.

Les auteurs du texte lui suggèrent de prendre certaines initiatives stratégiques, en attaquant le Hezbollah, la Syrie et l'Iran… *« Israël n'a pas d'obligations à remplir en vertu des accords d'Oslo à partir du moment où l'OLP ne remplit pas les siennes. […] Israël peut avoir intérêt à favoriser des alternatives à Arafat […]*[1]. » C'est signé par tout ce que l'Amérique compte de néoconservateurs, notamment Richard Perle, ex-assistant du secrétaire à la Défense de l'administration Reagan, Douglas Feith, du cabinet d'avocats de Marc Zell, fervent partisan de la colonisation juive dans les territoires palestiniens où il finira par s'installer.

Nous négocions et les Arabes récoltent !

Comme ses prédécesseurs, Rabin et Pérès, Netanyahu est invité à prononcer un discours devant le Congrès. Il présente sa conception de la paix. *« Elle doit se fonder sur trois piliers. Le premier est la sécurité. Exiger l'arrêt des attaques terroristes est un préalable à la paix, ce qui ne revient pas à accorder aux terroristes un droit de veto sur le processus de paix. La plupart des actes terroristes dirigés contre nous sont commis par des organisations connues et pourraient être stoppés par nos partenaires dans la négociation. La réciprocité est le second. […] Cela signifie qu'un accord doit être observé par les deux parties. […] Le troisième pilier est la démocratie et les droits de l'homme. […] si nous ne voulons plus de [dictateurs comme] Saddam Hussein, nous devons appliquer les standards de la démocratie au Proche-Orient […]. »* Il annonce qu'il n'est pas question pour lui d'accepter le partage de Jérusalem : *« Cela n'arrivera jamais. Jamais. Nous ne permettrons pas l'érection d'un mur de Berlin à l'intérieur de Jérusalem. Nous n'expulserons personne, mais nous*

1. Charles Enderlin, *Le Grand Aveuglement*, *op. cit.*, p. 255-256.

ne quitterons aucun quartier, aucune rue de notre Jérusalem éternelle. » Entendant cela, sénateurs et représentants se lèvent et l'applaudissent.

Évoquant les menaces régionales, Benjamin Netanyahu amorce ce qui deviendra alors son cheval de bataille pendant les décennies à venir : la nécessaire lutte contre l'Iran « *Le Proche-Orient n'est pas démocratique, et en partie, antidémocratique. Spécifiquement, la région s'est radicalisée et soumise à la terreur sous l'effet de quelques régimes dictatoriaux qui gouvernent par la tyrannie et l'intimidation. Le plus dangereux de ces régimes est l'Iran, qui associe despotisme et fanatisme. Si ce régime et l'Irak, son voisin, devaient acquérir l'arme nucléaire, cela aurait des conséquences catastrophiques, pas seulement pour mon pays, pas seulement pour le Proche-Orient, mais pour l'humanité tout entière. La communauté internationale doit relancer ses efforts pour isoler ces régimes et les empêcher de se doter de la puissance atomique*[1]. » Sénateurs et représentants l'auront ovationné à plus de douze reprises pendant son allocution.

Aux médias américains, Netanyahu répète que les « *concessions mutuelles n'interviendront que si le gouvernement israélien applique une politique ferme [...]. Jusqu'à présent, nous avons négocié et les Arabes ont récolté*[2] *!* » C'est avec le sentiment d'avoir tous les atouts en main qu'il rencontre Bill Clinton. Après l'entretien, le Président des États-Unis lancera à ses conseillers : « *Qui est la superpuissance, ici*[3] *?* » Dennis Ross, l'émissaire américain au Proche-Orient, racontera : « *Netanyahu était insupportable, nous faisant la leçon en nous expliquant comment il fallait s'y prendre avec les Arabes. Il a dit qu'il respecterait les accords d'Oslo dans la mesure où un gouvernement démocratiquement élu les avait entérinés en Israël, mais qu'ils devraient être renégociés en partie. [...] Après son départ le Président Clinton a déclaré : "Il pense qu'il est*

1. http://www.mfa.gov.il/MFA/MFAArchive/1990_1999/1996/7/PM%20Netanyahu-%20Speech%20to%20US%20Congress-%20July%2010-%201996

2. *The New York Times*, 11 juillet 1996.

3. Aaron Miller, http://www.foreignpolicy.com/articles/2012/05/30/the_curious_case_of_benjamin_netanyahu

une superpuissance et que nous sommes là pour faire ce qu'il demande."[1] »

Netanyahu oppose une fin de non-recevoir à la demande du Président américain de geler la colonisation en expliquant, au cours de la conférence de presse conjointe, que, durant les quatre années où la gauche était au pouvoir en Israël, la population juive en Cisjordanie a augmenté de 50 %. Il ne fera pas moins, affirma-t-il. Il y a la croissance naturelle explique-t-il, les mariages, les naissances... Et d'accuser l'Autorité palestinienne de violer les accords d'Oslo en ouvrant des bureaux à Jérusalem[2].

Le 29 juillet, Avigdor Lieberman, devenu le directeur général de la présidence du conseil, annonce aux colons que tous les avantages fiscaux et les subventions annulés par le précédent gouvernement sont rétablis. Trois jours plus tard, le cabinet lève les restrictions à l'élargissement des colonies. Désormais, les autorisations de construire seront décidées par le ministre de la Défense, ce qui, de fait, va engendrer une bureaucratie supplémentaire et retarder certains projets...

Ces transformations politiques annoncent-elles une avancée vers la rédemption ? Une certaine naissance dans l'étable de l'école agricole religieuse de Kfar Hassidim donnera l'impression que tel est le cas. Une génisse rousse y est née, en effet, en août 1996. Alerté par son fils, le rabbin Shmarya Shor avertit aussitôt Israël Ariel, le directeur de l'Institut du Temple, à Jérusalem. Gershom Gorenberg raconte l'histoire dans un ouvrage intitulé *The End of Days.* Le *Who's Who* du mouvement messianique arrive sur place pour examiner l'animal, qui a été baptisé du doux nom de Melody. Yehouda Etzion est là. Tous vérifient. Les poils sont bien rougeâtres, droits comme l'exige la Torah. Reste à savoir si elle va tenir ainsi pendant trois ans, selon la prescription divine. En attendant, la presse locale et étrangère s'est emparée de l'affaire, en général avec humour, mais,

1. Dennis Ross, *The Missing Peace*, New York, Farra, Straus and Giroux, 2004, p. 260-261.
2. Charles Enderlin, *Le Grand Aveuglement, op. cit.*, p. 257-258.

pour certains médias, non sans une certaine inquiétude. Sans la cendre de la vache rousse, le culte du Temple est en effet impossible car cet ingrédient est indispensable à la purification. Les ultra-orthodoxes, qui considèrent eux aussi que la reconstruction du Temple sera impossible avant la venue du Messie, viennent rencontrer Melody. Elie Souissa, ministre de l'Intérieur et membre du parti orthodoxe Shass, mais qui n'est pas pour autant favorable à la prière juive sur l'esplanade des Mosquées, déclare : « *Si grâce à la cendre de cette vache le peuple d'Israël peut être purifié, alors je changerai d'avis.* » Dans le *Jerusalem Post*, David Landau, lui-même Juif observant, écrit : « *Cette vache est une bombe à quatre pattes. C'est l'équivalent d'une arme non conventionnelle aux mains des Ayatollahs iraniens.* » En d'autres termes, Melody, en constituant une étape vers la reprise du culte sur le mont du Temple, pourrait renforcer les fondamentalistes messianiques au point de déclencher un affrontement catastrophique avec le monde musulman[1].

Israël Eichler, un journaliste ultra-orthodoxe, finira par répondre à Landau dans un éditorial intitulé « La vache folle ». Extraits : « *[...] Le monde musulman pourrait comprendre que les Juifs élèvent une vache rousse afin de se purifier et pénétrer sur le mont du Temple afin d'y faire sauter les mosquées. Cette accusation ne serait pas moins dangereuse que celle de crime rituel au cours duquel un enfant chrétien aurait été égorgé pour que son sang soit utilisé dans la fabrication du pain azyme. [...] Il est populaire, aujourd'hui, d'associer les religions et les sectes à la notion d'effusion de sang. Mais l'histoire nous enseigne que de nombreux responsables d'effusions de sang n'étaient pas plus religieux. Bien des dirigeants séculiers ont invoqué la religion pour faire la guerre, mais ce n'est pas la religion qui les a motivés. Les sionistes, eux aussi, se sont appuyés sur la croyance religieuse en Sion pour fonder un État laïc. Jusqu'à la venue du Messie, les musulmans ne doivent pas s'inquiéter. Depuis que le rabbin Yohanan Ben Zakaï a quitté la vieille ville [de Jérusalem] pour demander la paix aux Romains, et jusqu'à la révolution sioniste, la direction religieuse du*

1. http://www.discoverrevelation.com/43.html. Gershom Gorenberg, *The End of Days*, New York, The Free Press, New York. 2000, p. 7-10.

peuple juif s'est opposée à toutes les aventures sanguinaires. [...] » Et Eichler, qui n'accepte pas la théorie selon laquelle la rédemption est proche, de citer Maïmonide. C'est le Messie qui apportera avec lui la dixième et dernière vache rousse[1].

Melody a fini par décevoir. Après quelques mois, plusieurs poils blancs lui ont poussé. Elle en a été aussitôt disqualifiée. Entre-temps, la nouvelle de l'arrivée de la génisse rousse était parvenue aux États-Unis où elle avait suscité une grande agitation au sein de la communauté évangélique. La fin des temps approchait-elle ? Jésus était-il sur le point de revenir sur terre ? Dans le Nebraska, le pasteur Clyde Lott, qui était aussi un éleveur de bovins, tentait, depuis le début des années 1990 et en coordination avec l'Institut du Temple à Jérusalem, de produire la vache rousse parfaite. Sans succès jusqu'à maintenant... d'après ce que l'on sait.

Mais on se souvient que, pour peu qu'une vache rousse soit un jour validée, il faudra de l'eau lustrale pour finaliser l'opération, après le sacrifice rituel et l'incinération de l'animal. Et cette eau devra provenir de la source de Siloé, qui se trouve au sud des murailles de la vieille ville de Jérusalem, à l'intérieur du quartier arabe Silwan. C'est là qu'œuvre l'organisation Elad : elle y achète des maisons pour y installer des colons et développer le parc archéologique en dépit de l'opposition des habitants palestiniens. Elle bénéficie, pour ce faire, du soutien financier d'Irving Moskowitz et de l'aide active des autorités.

Mais ce n'est pas tout ! Seul un garçon élevé dans la pureté pourra puiser ce liquide. Selon l'Institut du Temple, il aurait été question de bâtir un complexe où les femmes enceintes accoucheraient et resteraient complètement isolées avec leur progéniture, jusqu'au moment où l'un de leurs fils âgé de huit ans serait choisi par les rabbins. L'enfant, sortant au jour pour la première fois, serait alors placé sur un chariot traîné par des bœufs pour aller, muni d'un vase en pierre, chercher l'eau qui serait mélangée avec la cendre de la vache[2]. Selon Smuel Berkovits, ce complexe d'isolement

1. *Yediot Aharonot*, 31 mars 1997.
2. http://www.templeinstitute.org/red_heifer/burning_red_heifer.htm

aurait dû être édifié dans la colonie de Mitzpeh Jericho, à l'est de Jérusalem, et une famille descendante de Cohen [prêtres] avait accepté le principe de consacrer l'un de ses fils à la cérémonie de l'eau lustrale. Le groupe de rabbins qui supervisait cette recherche était dirigé par David Elbaum, mentor du mouvement pour la construction du Temple[1].

Le milliardaire et le souterrain

En parallèle, Netanyahu tente de rassurer les dirigeants de la région, rencontre le Président égyptien Hosni Moubarak et, accompagné d'une délégation de vingt-cinq conseillers – mais pas un seul diplomate israélien –, le roi Hussein de Jordanie. Il les informe de ses contacts discrets avec Yasser Arafat. L'image d'une poignée de main devrait calmer les craintes de la communauté internationale, pensa-t-il. L'événement a lieu le 4 septembre, dans la partie israélienne du barrage d'Erez. Les dirigeants palestiniens se souviennent qu'une porte s'est ouverte subitement. Le Premier ministre s'est alors précipité vers Arafat pour lui prendre la main et s'écrier : *« Monsieur le Président, nous aurions dû faire cela depuis longtemps ! »* La discussion est tendue. Netanyahu répète qu'il n'a pas l'intention de mettre un terme à la colonisation. Le lendemain, le nouvel interlocuteur d'Arafat déclarera, lors d'une réunion des instances du Likoud, qu'aucun État palestinien ne verra jamais le jour entre la Méditerranée et le Jourdain. Il n'empêche, l'image de sa poignée de main avec le chef de l'OLP est restée dans les annales de la région[2].

Vingt jours plus tard, Netanyahu décide de faire plaisir à son ami le millionnaire Irving Moskowitz, de passage à Jérusalem. À la sortie du jeûne de Kippour, le 24 septembre

1. Smuel Berkovits, *Milhamot Ha Mekomot Hakdoshim*, *op. cit.*, p. 129. La tentative de créer un tel complexe aurait finalement échoué faute de moyens financiers.

2. Charles Enderlin, *Le Rêve brisé*, *op. cit.*, p. 65-66.

1996, il s'en va participer, pelle à la main, à l'ouverture du souterrain qui longe le Mur occidental. Ce conduit étroit avait été dégagé dans le cadre des travaux entamés par le rabbin Meir Guedj durant les années 1980. Seul un petit nombre de fidèles et de touristes peuvent le visiter car, aussitôt après y avoir pénétré, on est obligé de revenir sur ses pas. Il faudrait percer une sortie Via Dolorosa... en plein quartier musulman. Toutes les négociations à cet effet, avec le Waqf, ont jusqu'à présent échoué, et tous les patrons des services de sécurité, de l'armée et de la police sont hostiles à l'opération. Ces travaux, disent-ils, menaceraient d'enflammer les esprits.

Netanyahu passe outre. Le lendemain, une manifestation de dignitaires musulmans est dispersée *manu militari*. Les manifestations font tache d'huile en Cisjordanie et à Gaza. À l'entrée de Ramallah, l'armée israélienne ouvre le feu sur des jeunes Palestiniens lanceurs de pierres[1]. Des policiers palestiniens ripostent. Les territoires occupés s'embrasent.

Trois jours d'affrontements feront quatre-vingt-cinq morts palestiniens. Quinze militaires israéliens seront tués[2]. Un cessez-le-feu fragile se met en place, mais le processus d'Oslo risque de s'effondrer. Bill Clinton intervient. Benjamin Netanyahu et Yasser Arafat sont convoqués à la Maison-Blanche le 2 octobre. Le roi Hussein de Jordanie arrive, lui aussi, et participe aux pressions sur le Premier ministre israélien pour que les négociations sur le retrait d'Hébron reprennent rapidement. Elles vont durer plusieurs mois.

En novembre, Netanyahu accorde une interview au quotidien *Haaretz* : *« Il est évident que lorsque vous [menez une politique de retrait] sur les lignes du 4 juin 1967, sans rien recevoir en échange, on vous félicite et on vous honore. Je vous assure que, moi aussi, si je renonçais à la moitié de Jérusalem, je recevrais également des prix et des félicitations. [...] La véritable épreuve pour un homme d'État, c'est de veiller à ses intérêts en*

---

1. Selon le numéro deux du Shabak, Israël Hasson, c'est l'armée israélienne qui a ouvert le feu, et à balles réelles, la première. Les policiers palestiniens ont riposté et la région s'est embrasée. Voir Charles Enderlin, *Le Rêve brisé*, *op. cit.*, p. 68.

2. *Ibid.*, p. 67.

menant une politique fixant les limites de ce qui est recevable et de ce qui est [négociable]. Il n'est pas surprenant, lorsque vous passez d'une politique de "donne et donne" à une politique de "donne et reçoit" que l'autre partie ne soit pas satisfaite. Les Arabes repassent actuellement par une période d'adaptation, et il n'est que trop naturel qu'ils tentent de faire pression. [...] » À ce moment, le Premier ministre *réitère* son accusation de collusion entre la gauche israélienne et les Arabes : « *Je puis vous dire, en me fondant non seulement sur l'analyse mais par la connaissance que j'ai des faits, que ces attaques contre nous sont alimentées par deux convictions. La première est que la mesure prise contre nous par les Arabes recevra le soutien de l'Occident. La responsabilité de la crise sera rejetée sur Israël. La seconde est que les Arabes peuvent à présent diviser la société israélienne et amener la moitié du public à soutenir l'attaque menée contre le gouvernement*[1]. »

Il vaut mieux donner 2 % que céder 100 %

Un accord est finalement conclu le 12 janvier 1997. L'Autorité palestinienne reçoit le contrôle administratif et sécuritaire sur 80 % d'Hébron. Israël continuera cependant d'occuper les colonies situées près de la vieille ville, le caveau des Patriarches et Kyriat Arba. À Hébron, les colons sont en état de choc. Le Premier ministre, qu'ils ont contribué à faire élire, le gouvernement qu'ils soutiennent installant l'OLP à côté de chez eux ! Pour le rabbin Levinger, ce n'est que partie remise : « *Arafat est un terroriste. Ce n'est qu'une pause dans le combat. Il sait que s'il ouvre le feu, il ne recevra pas un pouce supplémentaire de territoires. Ce n'est qu'un épisode négatif. Il y en a eu d'autres dans l'histoire du sionisme et au cours des guerres précédentes, et je suis persuadé qu'en dépit de tout, nous allons nous renforcer*[2]. »

Le texte est approuvé par le gouvernement, mais plusieurs

1. *Haaretz*, 22 novembre 1996, supplément hebdomadaire. Interview de Benjamin Netanyahu par Ari Shavit.
2. *The New York Times*, 16 septembre 1997.

ministres votent contre. Benjamin Zeev Begin démissionne du cabinet et passe à l'opposition. Il déclare : « *Au sein du Likoud, la foi en Eretz Israël est-elle si faible qu'elle privilégie sur toute autre considération les portefeuilles ministériels enveloppés d'illusion politique ? Cela suffit pour qu'ils se retrouvent prisonniers d'Oslo*[1] *[...]. Le transfert d'Hébron à l'ennemi est un signe de désespoir. L'atmosphère ambiante porte l'odeur aigre de la capitulation, l'odeur épicée de l'embarras et le son à peine étouffé d'une offensive inévitable*[2]. »

Cette réaction du fils du fondateur du Likoud témoigne de l'ampleur de la crise idéologique profonde provoquée par la politique de Netanyahu au sein de la droite nationaliste. Aryeh Naor l'analyse ainsi : « *Menahem Begin et Yitzhak Shamir avaient en commun la prépondérance de l'idéologie dans le processus politique. Tous deux considéraient que c'était elle la source de leur légitimité. Tous deux trouvaient des solutions politiques à leur projet idéologique et évaluaient la politique à son aune. [...] L'idéologie fixant le but [final] et la tâche du gouvernement étant de déterminer les objectifs à atteindre dans ce cadre. [...]* » Dans ces situations, les difficultés surviennent lorsque la réalité telle qu'elle est perçue par le décideur va à l'encontre de l'analyse idéologique. Menahem Begin avait résolu le problème en plaçant, au sein de sa vision idéologique, la paix avec l'Égypte en tête de ses priorités nationales. Shamir, lui, avait refusé tout compromis politique et toute évacuation de colonie juive. C'est pourquoi il n'a accepté de participer à la conférence de Madrid en 1991 qu'en s'étant assuré au préalable qu'elle n'impliquerait aucune concession territoriale[3]. Benjamin Netanyahu, confronté à la réalité, aux pressions internationales, fait donc, à la différence de ses deux prédécesseurs, une entorse majeure à l'idéologie d'Eretz Israël. En 2001, il s'expliquera sur les raisons qui l'avaient amené à accepter le retrait partiel d'Hébron. Ce sera au cours d'une rencontre, dans la colonie d'Ofra, avec Geoula Hershkovitch dont le mari et le fils avaient été tués

1. Cité par Aryeh Naor, *Eretz Israel ha Shlema, op. cit.*, p. 361.
2. *The New York Times*, 16 septembre 1997.
3. Aryeh Naor, *Eretz Israel ha Shlema, op. cit.*, p. 354.

par des Palestiniens. L'enregistrement vidéo de cet entretien n'a fait surface qu'en 2010 :

« *Un rabbin important m'a demandé : "Que dit ton père ?" Je suis allé voir mon père, qui n'est pas exactement une colombe. Il m'a répondu : "Dis à ce rabbin qu'il vaut mieux donner 2 % plutôt que céder 100 %" Là, j'ai arrêté Oslo ! [...] On m'a demandé, avant l'élection, si j'allais appliquer les accords d'Oslo. J'ai dit que je le ferai... mais à condition qu'il y ait réciprocité et une limite aux retraits [des territoires palestiniens]. Comment limiter ces retraits ? J'ai fixé une interprétation des accords d'Oslo qui me permettrait d'arrêter cette galopade vers les lignes de 67. Ces accords prévoyaient des retraits [transferts de territoires à l'Autorité palestinienne] en trois phases à l'exception des colonies et des sites militaires, or personne n'avait défini ces sites militaires. J'ai donc dit qu'il s'agissait de zones de sécurité. La question était de savoir qui les déterminerait. Au moment où le gouvernement devait entériner l'accord d'Hébron, nous devions recevoir une lettre de Warren Christopher [le secrétaire d'État américain] stipulant qu'Israël et lui seul définirait le lieu et la taille des sites militaires. Mais la lettre n'arrivait pas, et j'ai suspendu la réunion du gouvernement en annonçant que je ne signerais pas l'accord d'Hébron jusqu'à ce que la lettre arrive. Finalement, je l'ai eue – et Arafat aussi. Ce jour-là, j'ai arrêté Oslo. [...] Je sais ce qu'est l'Amérique. C'est quelque chose que l'on peut faire bouger très facilement dans la bonne direction. Ils ne nous barreront jamais le chemin. 80 % [des Américains] nous soutiennent*[1]. »

Une culture nationale juive fondée sur le Temple

Au sein du mouvement fondamentaliste messianique s'ouvre un grand débat sur la question des implantations. Ouri Elitzour poursuit sur sa ligne modérée en publiant son point de vue dans *Nekouda*, dont il est devenu le rédacteur en chef. « *L'accord d'Hébron est un tournant dans la controverse*

1. http://www.youtube.com/watch?v=JaIQHWfj5f4

idéologique qui nous occupe depuis des années. Le débat parmi les Juifs n'a abouti à aucune conclusion, mais le peuple en Israël a pris une décision intermédiaire très importante, transformant ainsi la situation d'une manière fondamentale. Les Juifs ne veulent pas dominer les Palestiniens, et les Juifs ne veulent pas déraciner des implantations. […] Pendant trente années, jusqu'à l'accord d'Hébron, l'essentiel de la négociation s'est déroulé entre Juifs. Les Arabes avaient tenté d'influencer ce débat mais n'avaient pas réussi. Il était évident pour tous que ce seraient les Juifs qui prendraient la décision finale. Ce postulat est devenu caduc aujourd'hui, peut-être pas pour toujours, certes. Il a été décidé que la domination sur les Palestiniens est une "occupation" qui doit prendre fin. Il a été décidé aussi qu'au-delà de cette limite, le peuple Juif a un droit de propriété sur la Judée-Samarie, et qu'il continuera de s'y installer et d'y vivre. Reste à trancher le débat sur la terre. Combien recevront-ils et combien aurons-nous[1] *?* »

Parmi les colons, le rabbin Menahem Froman est un cas particulier. Parachutiste en juin 1967, il a participé à la conquête de Jérusalem-Est et du Mur occidental. Issu de la yeshiva Merkaz Ha Rav, membre fondateur de Goush Emounim, il fut parmi les premiers militants à s'installer en Cisjordanie et prône à présent une entente avec les Palestiniens : « *En réalité, la plupart des Palestiniens se sont déjà affranchis du pouvoir israélien. Mais cette indépendance palestinienne signifie-t-elle nécessairement le partage de la Terre ? De fait, aujourd'hui, de très nombreux Palestiniens cherchent à donner une autre signification à leur indépendance afin qu'elle ne soit pas coupée d'Israël. Certains Israéliens qui rejettent le partage de la Terre cherchent à se rapprocher de cette tendance palestinienne. […] Il faut créer une situation où Juifs, citoyens d'Israël et Arabes citoyens de la Palestine vivraient côte à côte, ensemble dans un pays en paix. […] Il faut assurer aux Arabes d'Eretz Israël le respect dû à tout homme et tout ce qui leur revient afin de vivre avec eux en paix sur la Terre d'Israël entière. Et ne pas leur jeter à la figure un minimum de terres dans l'espoir qu'ils nous ficheront enfin la paix […]*[2]. » Froman s'entretient régulièrement avec des

1. *Nekouda*, n° 202, février 1997.
2. *Nekouda*, n° 200, décembre 1996.

personnalités palestiniennes et participe à des rencontres œcuméniques avec des imams et des prêtres chrétiens.

Moshé Feiglin, lui, a démantelé son mouvement Zo Artzeinou pour créer une nouvelle organisation : Manhigout Yehoudit (Direction juive). Il définit ainsi son idéologie : « *Depuis le retour dans la patrie où s'est formé le Peuple d'Israël historique, l'État d'Israël hésite entre deux possibilités. Le choix juif d'une continuité avec le peuple d'Israël historique. Se rattacher à ses racines, poursuivre et développer sa culture nationale et œuvrer pour atteindre ses objectifs historiques. L'autre option est de transformer le peuple d'Israël historique en "[État] d'Israël" coupé de ses racines. Une nation nouvelle composée de chrétiens, de musulmans, d'Arabes, de Russes, d'Allemands, de Polonais et d'autres encore dont les ancêtres furent juifs.*

Le retour à Sion du peuple juif sur sa Terre réalise son destin historique, achève la rédemption dans son entièreté. [...] Sur sa Terre, le peuple n'a pas seulement un droit mais aussi des devoirs – selon les injonctions divines. Il ne s'agit donc pas seulement d'un destin mais d'une mission. [...] Fonder un régime juif national, libérer la Terre d'Israël et vaincre ses ennemis. Créer une culture juive nationale entièrement fondée sur le Temple, et achever le rassemblement des dispersés[1]. » L'objectif de Feiglin est clairement la conquête du pouvoir. Manhigout Yehoudit devra trouver et former le candidat qui, « *dans la foi* », briguera la présidence du conseil. Il conclut ainsi la présentation de son projet dans *Nekouda* : « *Cela paraît complètement utopique, naïf et simplet, mais comme disait Herzl : "Si vous le voulez cette histoire ne restera pas une pure légende." Et, à part cela, qu'elle option avons-nous*[2] *?* »

Le fondateur de cette idéologie de la « révolution par la foi » n'est autre que Moti Karpel. Il est devenu l'associé de Feiglin. Ses idées sont exposées dans un livre sous-titré *L'effondrement du sionisme et l'arrivée de l'alternative par la foi.* Une citation de Ben Dov y figure en exergue : « *Nous devons être fidèles à l'État, à condition d'y faire la révolution.* » Sur trois cent trente-six pages, il explique comment, pendant des mil-

1. http://he.manhigut.org/about-us
2. *Nekouda*, n° 202, février 1997.

lénaires d'exil, l'énergie messianique a été étouffée au sein de la conscience collective du peuple juif. Le sionisme, au contraire des faux Messies, a réussi à libérer cette énergie interne, mais uniquement dans un cadre limité, occidental, authentiquement juif pourtant. *« L'idée messianique est rationnelle, historique, et se réalise en vertu des lois naturelles et sociales. »*

Élément central du projet : la construction du Troisième Temple : *« [...] Une des premières missions de la nouvelle direction issue de la révolution par la foi sera donc de libérer le mont du Temple*[1]. » Les Palestiniens ? La solution lui semble simple : *« Imposer la souveraineté israélienne sur l'ensemble de la Terre d'Israël. Cet acte politique montrera aux Palestiniens, une fois pour toutes, qu'ils n'ont aucune chance de détruire l'État d'Israël. Qu'ils ne pourront pas établir un État en Judée – Samarie et à Gaza. [...] Si cette décision est appliquée avec fermeté, les Arabes perdront l'espoir qu'ils avaient forgé avec l'aide de la gauche israélienne*[2]. » Ils recevront le statut de « Ger Toshav », résidents étrangers dans l'État juif, privés de tout droit politique. Et puis ceci : *« Les dizaines de milliers d'Arabes ayant participé à des révoltes contre nous [Israël] seront expulsés. »* Quant aux citoyens arabes d'Israël, ils devront, selon Karpel, renoncer à la nationalité israélienne et à leurs droits pour devenir, eux aussi, des résidents étrangers. Ils pourront néanmoins se voir accorder une carte d'identité d'un État arabe voisin et exprimer là-bas leurs choix politiques[3]. Moti Karpel est aussi l'un des responsables de l'Institut du Temple à Jérusalem avec le rabbin Israël Ariel[4].

Dans la ligne de Shabtaï Ben Dov, le messianisme de Feiglin, Karpel et Etzion considère l'État d'Israël et son régime démocratique occidental comme une hérésie qu'il faut à tout prix transformer – par la politique ou par la révolution. Ils rejettent la vision du rabbin Kook d'une Histoire commandée par Dieu et inscrite sur une ligne de

---

1. Moti Karpel, *Hama'apekha Ha Emounit*, Alon Shvout, Lekhthila, 2002, p. 316.
2. *Ibid.*, p. 298-301.
3. *Ibid.*, p. 307-308.
4. *Ibid.*, p. 269-276.

progressivité et, au contraire, affirment que l'homme juif peut changer l'ordre historique des choses à l'appel de la divinité. La légitimité de la transformation d'Israël en une royauté biblique viendra de l'homme, à la suite d'une opération indépendante de la volonté des hommes. Cette théorie révolutionnaire messianique va prendre racine, au fil des ans, au sein de la jeunesse religieuse israélienne[1]. Elle est en opposition avec la vision théologique du rabbin Zvi Yehouda Ha Cohen Kook, pour qui l'avancée vers la rédemption ne s'opérera que par une transformation progressive et volontaire de la société en un système social régit par la Halakah.

Scission

Le développement des théologies messianiques révolutionnaires s'accompagne d'un affaiblissement de l'influence de la yeshiva Merkaz Ha Rav, qui connaît sa crise la plus grave depuis sa création. Le rabbin Avraham Shapira, qui dirige désormais l'établissement, avait éloigné le rabbin Zvi Tau, l'autorisant uniquement à recevoir des étudiants à son domicile. Le conflit a éclaté au grand jour lorsque Shapira a décidé d'ouvrir un centre universitaire qui dispenserait notamment un enseignement de culture générale séculaire. Tau et plusieurs rabbins s'étaient révoltés, considérant que s'était élevée une *« ombre dans le sanctuaire, une telle coopération avec le ministère de l'Éducation étant l'équivalent d'une coopération avec le paganisme »*. Shapira avait réagi en les suspendant. Tau et ses partisans avaient alors claqué la porte et s'en étaient allés créer une nouvelle yeshiva. Son nom, Har Hamor, est tiré du Cantique des Cantiques (IV, 6) : *« Avant que franchisse le jour et que s'effacent les ombres, je me dirigerai vers le mont de la myrrhe, vers la colline de l'encens »* – ce qui semble signifier que la yeshiva est une création temporaire et qu'elle s'effacera

1. Moti Inbari, *Fondamentalism Yehoudi Ve Har Ha Bayt*, Jérusalem, Magnes, 2008, p. 72-78.

comme l'ombre lorsque sera repris le contrôle de Merkaz Ha Rav, dont Har Hamor est l'acronyme[1]...

L'enseignement y est exclusivement religieux. Rejetant l'évolution du sionisme religieux, Tau se rapproche de l'intégrisme le plus orthodoxe, par exemple en affirmant que la place de la femme est au foyer : « *La tendance mondiale d'accorder aux femmes une éducation égale à celle [des hommes] et leur lutte pour l'égalité ne peut apporter que des bénéfices à court terme. Cela portera fondamentalement atteinte à la qualité de la vie dans les nations et les sociétés commerciales car le véritable caractère de la femme ne pourra plus s'exprimer et cela manquera au monde. [...] Les enfants nés dans des couples où la femme se consacre à sa carrière seront faibles et mous*[2]. » Un nouvel acronyme va voir le jour pour qualifier les sionistes religieux observant les règles ultra-orthodoxes : « Khardal » Haredi-Leumi, ce qui signifie orthodoxe nationaliste.

Netanyahu relance la colonisation

Face à l'agitation qui secoue la droite et la menace brandie par le parti national religieux de quitter la coalition gouvernementale, Benjamin Netanyahu autorise, en février 1997, la construction de « Har Homa », un nouveau quartier juif au sud de Jérusalem, sur Djebel Abou Ghneim, une colline située entre un faubourg palestinien de Jérusalem et la ville de Bethléem.

Jusqu'à l'accord d'Oslo, les États-Unis, l'Europe, l'Égypte et la Jordanie avaient accepté de fait le développement des grands quartiers juifs de colonisation autour de Jérusalem. Il était entendu entre eux que cela ne constituerait pas un obstacle à l'accord de paix. Mais, l'accord d'Oslo stipulait maintenant que les parties s'engageaient à ne plus prendre aucune mesure visant à changer le statut de la Cisjordanie

1. Yair Sheleg, *Hadatiim Hakhadashim*, *op. cit.*, p. 14-16. *Jerusalem Post*, 12 décembre 1997.

2. *Haaretz*, 31 juillet 2012.

et de Gaza avant l'aboutissement des négociations sur le statut permanent[1].

Yasser Arafat se rend donc, le 3 mars, à Washington pour demander à Bill Clinton d'intervenir. Mais le Président américain ne veut pas affronter le Premier ministre israélien sur ce terrain-là. D'autant que Netanyahu a fait jouer ses alliés au Congrès. Le Président américain – comme le reste de la communauté internationale – se contentera d'une protestation verbale. Cinq jours plus tard, le représentant des États-Unis oppose son veto à un projet de résolution condamnant Israël pour la construction d'Har Homa[2].

Les Palestiniens multiplient alors les manifestations et les grèves. Mais rien n'y fait. La gauche israélienne ne parvient à mobiliser que quelques centaines de militants. Le mouvement La Paix maintenant est en perte de vitesse depuis l'assassinat de Rabin et les affrontements armés qui ont opposé l'armée israélienne et la police palestinienne en septembre 1996. Colons et nationalistes rejettent d'ailleurs sur les partisans d'Oslo la responsabilité de la détérioration de la situation sécuritaire. Tamar Hermann cite le rabbin – considéré pourtant comme modéré – d'une synagogue située dans un quartier séculaire de Tel-Aviv : « *Les manifestations de La Paix maintenant ont offert aux Palestiniens la légitimation de l'Intifada. Si La Paix maintenant n'avait pas existé, il n'y aurait pas eu d'Intifada et nous ne serions pas coincés dans la situation actuelle*[3]. » À Har Homa, débute la construction de 6 500 logements. Khalil Toufakji, le cartographe palestinien, me déclare : « *Après la Cisjordanie, nous avons perdu Jérusalem*[4]. » En 2012, Har Homa comptait plus de treize mille habitants et le quartier continue de se développer.

Le 21 mars, pour la première fois depuis l'arrivée au

1. http://www.mfa.gov.il/MFA/Peace+Process/Guide+to+the+Peace+Process/THE+ISRAELI-PALESTINIAN+INTERIM+AGREEMENT.htm

2. Charles Enderlin, *Le Grand Aveuglement, op. cit.*, p. 265. Akiva Eldar et Idith Zertal, *Adonei Haaretz*, et Or Yehouda Kinneret, 2004, p. 224.

3. Tamar S. Hermann, *The Israeli Peace Movement*, Cambridge (Mass.), Cambridge University Press, 2009, p. 156.

4. Reportages France 2, mars 1997.

pouvoir de Benjamin Netanyahu, un attentat a lieu. Une bombe explose dans un café à Tel-Aviv. Trois Israéliennes sont tuées, il y a plusieurs dizaines de blessés. Les services de la présidence du conseil accusent Yasser Arafat d'avoir donné le feu vert à la reprise du terrorisme. Pour preuve, ils diffusent à certaines rédactions le procès-verbal d'une rencontre de « réconciliation nationale » avec le Hamas et le Jihad islamique dans le bureau du Président palestinien, à Gaza. Le général Moshé « Boogie » Yaalon, le commandant des renseignements militaires, affirme qu'Arafat a autorisé l'attentat de Tel-Aviv. Mais des arabisants de premier plan, et les experts du Shabak, notamment Ami Ayalon, le patron du service, affirment que la traduction du fameux procès-verbal est erronée. Rien n'y fait, la présidence du conseil maintient que l'OLP est une organisation terroriste[1]. Pourtant, l'Autorité palestinienne coopère au même moment avec les services de sécurité israéliens en vue du démantèlement du réseau responsable de l'attentat dans le village de Tsourif, près d'Hébron, en secteur sous contrôle israélien. Le général Amos Gilad, le chef du département de l'évaluation des renseignements militaires, contredit donc son Premier ministre : *« Nous n'avons jamais affirmé que Yasser Arafat avait donné le feu vert [au Hamas], nous avons dit que les organisations islamistes l'avaient compris ainsi. Bien entendu, on pourra nous rétorquer : quelle est la différence ? […] Il est clair que l'Autorité palestinienne réalise aujourd'hui que le terrorisme et le processus de paix ne font pas bon ménage. Actuellement, je constate un effort plus intensif de l'Autorité palestinienne pour prévenir le terrorisme[2] […]. »*

Le 30 juillet, deux bombes humaines du Hamas explosent au marché juif Mahane Yehouda à Jérusalem. Il y a seize morts et cent soixante-dix blessés. Le gouvernement israélien suspend tous les contacts avec l'Autorité palestinienne. Gaza et la Cisjordanie sont à nouveau bouclés. Le 4 septembre, nouvel attentat-suicide, rue Ben Yehouda, en plein centre de Jérusalem : trois kamikazes font exploser les charges qu'ils

1. Yoël Marcus, *Haaretz*, 25 mars 1997.
2. Charles Enderlin, *Le Grand Aveuglement*, *op. cit.*, p. 265.

portaient autour de la taille. Cinq civils israéliens sont tués, il y a deux cents blessés.

Irving Moskowitz, pendant ce temps, a acheté à des Palestiniens une maison et son terrain, en plein quartier musulman, sur la colline de Ras el-Amoud, à Jérusalem-Est, en contrebas du grand cimetière juif du mont des Oliviers. La municipalité lui a donné l'autorisation d'y construire 132 unités de logement. Le 14 septembre, trois familles juives emménagent dans le bâtiment. Palestiniens et militants de gauche israéliens manifestent sur place[1]. Cette fois, l'administration américaine décide de faire pression et Benjamin Netanyahu est obligé de demander à son ami le milliardaire américain de surseoir à son projet. Les colons quittent l'endroit quatre jours plus tard pour être remplacés par une dizaine d'étudiants de yeshiva...

Netanyahu renforce le Hamas

Une bavure du Mossad va peser sur l'équilibre stratégique dans la région en renforçant le Hamas. Le 25 septembre 1997, dans une rue d'Amman, des agents israéliens injectent un poison à Khaled Mashaal, le chef du bureau politique de l'organisation islamique. Ils sont capturés par des passants et un policier. Le roi Hussein est furieux. C'est une atteinte à la souveraineté jordanienne. Il menace de rompre les relations diplomatiques avec Israël. Dans l'urgence, Benjamin Netanyahu est obligé de se plier aux conditions du souverain : sauver Mashaal en fournissant l'antidote au poison et libérer le cheikh Ahmed Yassine, le fondateur du Hamas, condamné à la prison à vie et emprisonné en Israël depuis 1989.

Le mouvement intégriste palestinien retrouve ainsi son chef spirituel, celui qui va conduire l'opposition à la politique d'Arafat. Or, le processus de paix est complètement bloqué depuis le retrait israélien d'une partie d'Hébron. Netanyahu

1. Reportages France 2.

n'a toujours pas accepté de procéder aux redéploiements de l'armée israélienne en Cisjordanie, prévus par l'accord d'Oslo. Le Président palestinien a donc peu de succès à présenter à son opinion.

La direction de l'OLP observe avec attention le développement des principales colonies urbaines autour de Jérusalem, mais paraît ignorer complètement le renforcement des implantations au cœur de la Cisjordanie. Selon Geoffrey Aronson, l'expert de la Foundation for Peace in the Middle East : *« Les Palestiniens qui ont défini le cadre diplomatique dans lequel ils négocient avec Israël ont peut-être volontairement ignoré la centralité des colonies [dans ce processus], ou, plus probablement, n'ont pas réalisé leur importance comme indicateur principal des intentions israéliennes. [...] Ils n'ont pas assimilé le fait que le maintien de ces colonies signifie la poursuite d'une présence militaire israélienne prépondérante dans les territoires [occupés]*[1]. »

Le 14 octobre, le rabbin Froman se rend à Gaza pour proposer au cheikh Yassine *« de retrousser nos manches en tant que croyants et faire la paix »*. La rencontre se déroule devant l'immeuble des Frères musulmans dont Arafat a ordonné la fermeture le mois précédent. Le chef du Hamas dit à son interlocuteur qu'il est disposé à accepter une « Houdna », une trêve selon les principes du Coran. Israël doit, en contrepartie, s'engager à mettre fin à l'occupation. Froman remet au cheikh des lettres du grand rabbin séfarade d'Israël, Bakshi-Doron, et du grand rabbin de Jérusalem Shalom Mashasah lui demandant de cesser toute effusion de sang. Une initiative quelque peu naïve. L'objectif, la raison d'être du Hamas est précisément la création d'une Palestine islamique où un État juif n'aurait aucune place[2]...

Le 21 octobre, à l'occasion de la fête de Souccot, Benjamin Netanyahu s'en va présenter ses respects au rabbin Yizthak Kadouri, un cabaliste centenaire particulièrement respecté au sein de la communauté religieuse séfarade. Il se penche et chuchote à l'oreille du vieil homme : *« Les gens de gauche ont complètement oublié ce que cela signifie réellement que d'être*

1. FMEP, vol. 8, n° 4, 1998.
2. Voir Charles Enderlin, *Le Grand Aveuglement, op. cit.*

juif. Ils pensent que nous devrions laisser les Arabes s'occuper de notre sécurité[1]. » Un micro était ouvert et la déclaration est immédiatement diffusée par les médias israéliens.

Ouri Dromi, officier de réserve et ancien haut fonctionnaire, réagit en posant la question : « *Netanyahu est-il un idéologue déguisé en pragmatiste ou un pragmatiste déguisé en idéologue ? [...] Le Premier ministre considère que la menace des missiles iraniens est le danger le plus important auquel Israël doit faire face depuis 1948. S'il est pragmatique, il devrait, à l'instar d'Yitzhak Rabin, serrer les dents et conclure un accord avec les Palestiniens et les Syriens afin de réduire le risque posé par la menace iranienne. Si, au contraire, il est un tenant de l'idéologie révisionniste du "Mur d'acier" selon Zeev Jabotinsky, fondée sur la nécessaire résistance juive armée jusqu'à ce que nos ennemis nous laissent en paix, il laissera le processus d'Oslo s'effondrer et n'offrira rien aux Syriens. Quant aux missiles iraniens, c'est un problème pour la communauté internationale tout entière, et nous ne devons faire aucune concession dans l'immédiat sur ce point en raison du danger que représente l'Iran à long terme*[2]. » Dromi aura sa réponse.

Bill Clinton finit par convoquer à Washington le Premier ministre israélien. Mais Netanyahu entend résister aux pressions et se tourne vers ses alliés républicains et les évangéliques pro-sionistes, ennemis jurés du Président des États-Unis.

À son arrivée, le 19 janvier 1998, ils seront un millier à l'accueillir dans l'enthousiasme dans la salle des fêtes de son hôtel. Pendant ce temps, le pasteur Jerry Falwell promet de lancer une campagne auprès de deux cent mille chefs d'églises évangéliques afin qu'ils exigent de Clinton qu'il ne fasse pas pression sur Israël. John Hagee, le pasteur de la Cornerstone Church de San Antonio, au Texas, annonce de son côté que « *la fin des Temps est proche* »[3]. Tous deux prêchent une doctrine selon laquelle les Juifs sont destinés à peupler la Terre sainte, dont ils seront les seuls occupants. Les sacrifices rituels reprendront alors dans le

1. http://www.haaretz.co.il/news/politics/1.1260866
2. *Yediot Aharonot*, 30 octobre 1997.
3. Voir Craig Unger, in *Vanity Fair*, décembre 2005. http://www.vanityfair

Temple juif reconstruit. Jésus réapparaîtra dans le ciel, où il sera rejoint *« dans le ravissement*[1] *»* par les chrétiens ayant retrouvé la foi. Les non-croyants et les apostats, eux, resteront sur terre. Ensuite, cette terre connaîtra sept années de catastrophes : guerres, famines et épidémies. Des forces sataniques conduites par un « antéchrist » la ravageront. Le diable sera alors combattu par cent quarante-quatre mille Juifs convertis au christianisme qui, également, évangéliseront les non-croyants et les apostats. Ensemble ils affronteront les forces du mal lors de la bataille d'Armageddon. Jésus reviendra une seconde fois pour neutraliser le diable et instaurer le royaume messianique[2]. Ces chrétiens soutiennent les Juifs et Israël en espérant les convertir[3]. Exprimant à l'occasion des opinions proches de la tradition antisémite, ces pasteurs organisent des collectes de fonds destinés au développement des colonies israéliennes. Ils condamneront systématiquement toutes les concessions territoriales faites aux Palestiniens par les gouvernements israéliens successifs.

Benjamin Netanyahu ne fera finalement aucune concession, et Bill Clinton, empêtré dans le scandale de sa relation avec Monica Lewinsky, une jeune stagiaire de la Maison-Blanche, cessera de faire pression. Yasser Arafat, arrivé le lendemain de la visite de Netanyahu dans la capitale fédérale, repartira, une fois de plus, les mains vides.

Les Amis du Temple passent à l'offensive

Benjamin Netanyahu finit par comprendre qu'il n'a pas le choix et qu'il lui faut donner quelque chose en gage aux Palestiniens, appliquer au moins une partie des accords en organisant un redéploiement en Cisjordanie. Pour tenter

1. En anglais *« Rapture »*.
2. Tony Campolo, « The Ideological Roots of Christian Zionism », *Tikkun*, numéro du vingtième anniversaire, p. 229-231. Voir aussi http://www.tikkun.org/ http://www.zionismontheweb.org/christian_zionism/
3. Charles Enderlin, *Le Grand Aveuglement, op. cit.*, p. 276-277.

d'amadouer le mouvement de colonisation, il propose à Ouri Elitzour de devenir chef de son cabinet. Le colon d'Ofra accepte et quitte donc ses fonctions de rédacteur en chef de *Nekouda*. Au cours de ses rencontres avec les responsables du conseil des implantations, il explique que le redéploiement de l'armée en Cisjordanie est inévitable et qu'ils devront participer aux négociations. Hanan Porat proteste. Elitzour lui répond : « *En fin de compte, être capable de distinguer entre communiquer et agir en politique suppose que l'on soit capable de comprendre les limites de la force. Ce que tu expliques est une chose, ce que tu fais en est une autre. [...] Netanyahu est capable de gagner des élections et conduire le peuple tout en ayant conscience de ses limites. [Comme lui] je pense que nous, les habitants juifs de Judée-Samarie, n'avons pas la force de tout empêcher. Nous sommes une section confrontée à une division. Cette prise de conscience ne minimise pas le désespoir, tout au contraire. Nous allons bâtir et ferons tout pour que ce processus continue et se renforce [...]*[1]. »

Les mois passent, les négociations n'avancent pas. La secrétaire d'État Madeleine Albright multiplie les pourparlers avec les Israéliens et les Palestiniens, sans succès.

Le 15 septembre 1998, s'ouvre au Palais de la nation, à Jérusalem, la conférence annuelle des Amis du Temple. Hanan Porat, président de la commission des lois à la Knesset, a envoyé sept mille invitations, en son nom et sur papier à entête du Parlement. Deux mille personnes s'y rendront, deux fois plus que l'année précédente. Tout indique que la décision du conseil des rabbins des implantations d'autoriser les Juifs à se rendre sur l'esplanade des Mosquées a placé la question au centre des préoccupations des nationalistes religieux. Gershon Salomon, le président des Fidèles du Temple, prend la parole : « *La mission de cette génération est de libérer le Mont sacré, d'en finir avec l'abomination qui s'y trouve. Plus de dôme ! Plus de mosquée mais l'emblème d'Israël et le Temple ! Assez des rêves d'un Temple qui descendrait du ciel*[2] *!* »

Depuis le début des années 1970, près d'une vingtaine d'organisations messianiques liées au Temple ont vu le jour,

1. *Nekouda*, n° 216, juillet 1998.
2. Smuel Berkovis, *Milkhamot Hamekomot Hakdoshim*, *op. cit.*, p. 129.

certaines dûment enregistrées en tant qu'associations à but non lucratif. Parmi celles que nous n'avons pas encore citées[1], il y a le mouvement pour l'établissement du Temple, du rabbin Yossef Elbaum. Membre de la secte hassidique de Belz, c'est un transfuge des Fidèles du mont du Temple de Salomon. Son nouveau mouvement recrute surtout au sein des milieux ultra-orthodoxes non sionistes. Régulièrement, sans publicité, ce groupe s'en va prier sur l'esplanade ou à proximité, mais en silence, comme le veut le règlement policier.

Moshé Feiglin et Yehouda Etzion, de leur côté, ont fondé les Gardiens du Temple. Des groupes de volontaires issus de cette association, vêtus de blanc, se relayent à l'entrée de l'esplanade afin de maintenir une présence autant que possible permanente. L'opération ne durera que quelques mois.

Il y a encore Les Domaines des Cohanim. Ses membres sont issus de familles de Cohen (en principe les descendants des prêtres). Ils se préparent à assurer le service du culte lorsque le temple sera construit. Un séminaire rabbinique se tient à cet effet à Mitzpeh Jéricho, une colonie située à l'est de Jérusalem. Dans le quartier musulman de la vieille ville de Jérusalem, Ateret Cohanim forme les futurs prêtres, mais mène aussi, par la grâce du généreux financement que lui assure Irving Moskowitz, une campagne discrète d'achats de propriétés palestiniennes dans la vieille ville.

L'Institut du Temple, du rabbin Israël Ariel, se développe lui aussi. Les industries chimiques de la mer Morte qui le soutiennent ont gracieusement, et secrètement, construit l'autel censé servir un jour aux sacrifices d'animaux sur le Temple[2]...

Netanyahu tente de résister

Voyant que le processus de paix va à vau-l'eau, Bill Clinton convoque Benjamin Netanyahu et Yasser Arafat à Wye

1. http://keshev.org.il/images/stories/PDF/2001_temple_mount%20_full_text_eng.pdf
2. Smuel Berkovits, *Milkhamot Hamekomot Hakdoshim, op. cit.*, p. 128.

River, dans le Maryland, pour un sommet. Les discussions débutent le 15 octobre 1998. Elles dureront huit jours. Mis au pied du mur, confronté à une pression sans précédent du Président des États-Unis, le Premier ministre israélien finit par accepter un redéploiement sur plus de 13 % du territoire en Cisjordanie et la libération de centaines de Palestiniens détenus en Israël. Le retrait de l'armée devra s'effectuer en trois étapes sur une période de trois mois. En échange, l'Autorité palestinienne s'engage à lutter contre les intégristes du Hamas et du Jihad islamique. Arafat s'est également engagé à faire voter solennellement par toutes les instances palestiniennes l'annulation de la charte de l'OLP qui prévoit la destruction d'Israël.

Benjamin Netanyahu rentre en Israël, où l'attend une tempête politique. Les colons, l'extrême droite, et même des personnalités de premier plan du Likoud ne veulent pas entendre parler de nouvelles concessions territoriales à l'OLP. Pour un gouvernement dominé par l'idéologie d'Eretz Israël, ce serait la défaite. Face aux réalités, à la pression internationale, le fils de Benzion Netanyahu a bel et bien une nouvelle fois sacrifié les principes du sionisme révisionniste. Yitzhak Shamir, l'ancien Premier ministre, déclare : « *Netanyahu est un ange de la destruction.* » Il quitte le Likoud pour rejoindre, dans l'opposition de droite, un nouveau parti formé par Benjamin Zeev Begin. Le Comité conjoint de lutte contre tout retrait de Cisjordanie publie, de son côté, un communiqué annonçant la couleur : « *La reddition de Netanyahu le rend impropre à diriger le camp national. Nous utiliserons tous les moyens démocratiques pour renverser ce gouvernement*[1]. » Zvi Hendel, du parti national religieux, accuse : « *Même un gouvernement d'extrême gauche n'aurait pas signé un tel accord, tant il met en danger les citoyens d'Israël ! Netanyahu a signé la déclaration d'indépendance de l'État palestinien*[2]. » Avigdor Lieberman claque la porte de la présidence du conseil et du Likoud et s'en va créer un nouveau parti russophone et ultranationaliste : Israël Beiteinou (Israël notre maison).

1. *Haaretz*, 29 octobre 1998.
2. *Hatsofeh* (organe du PNR), 25 octobre 1998.

Ariel Sharon, qui a pourtant participé au sommet de Wye River en tant que ministre des Affaires étrangères, lance un appel aux colons afin qu'ils élargissent les implantations et occupent le plus de collines possible en Cisjordanie de telle façon qu'elles ne puissent plus revenir aux Palestiniens dans la suite des négociations[1]. Des centaines de jeunes religieux ultranationalistes répondent à ce « conseil » du « parrain » de la colonisation et s'installent sur des terres privées ou domaniales dans une cinquantaine d'avant-postes. Le tout sans autorisation du gouvernement ou de l'armée, bien sûr, ce qui ne les empêchera pas de recevoir, comme par miracle, une aide peu discrète desdites autorités : l'adduction d'eau, le branchement au réseau électrique.

Le phénomène va prendre de l'ampleur et, en 2012, on comptera plus d'une centaine d'avant-postes considérés officiellement comme « illégaux ».

Face à l'opposition grandissante, Netanyahu reporte de jour en jour la réunion de son cabinet destinée à examiner l'accord. Finalement, le 17 novembre 1998, la Knesset approuve ce texte. Soixante-quinze députés, parmi lesquels trente seulement appartiennent à la coalition de droite, votent pour. Deux jours plus tard, le gouvernement n'approuve que l'application de la première phase de l'accord et cela, de justesse, par six voix pour, cinq contre et trois abstentions. Le 20 novembre, l'armée israélienne effectue un premier retrait près de Jenine, dans le nord de la Cisjordanie, là où les habitants des implantations juives sont les moins militants.

Lâché par ses alliés, Netanyahu n'a pas le choix et accepte d'avancer la date des élections au 17 mai. Yitzhak Mordehaï, le ministre de la Défense, rue dans les brancards, annonce son intention de quitter le Likoud. Il est limogé le 23 janvier. Le chef du gouvernement nomme à sa place Moshé Arens, un faucon, chaud partisan de la colonisation, qu'il va renforcer jusqu'au scrutin mais dans les limites fixées par la Haute Cour de justice.

1. AFP, 15 novembre 1998.

AU NOM DES IMPLANTATIONS, VOTEZ BARAK !

Profondément déçus par Benjamin Netanyahu, certains responsables du mouvement fondamentaliste messianique se tournent alors vers Ehoud Barak, l'ancien chef d'état-major, qui a pris la tête du parti travailliste. C'est le soldat le plus décoré de l'histoire du pays. Sa visite, en uniforme, à la yeshiva Merkaz Ha Rav, en mai 1994, a été très remarquée dans les milieux religieux. Sous les applaudissements des étudiants, un rabbin avait déclaré : « *Nous espérons et prions pour que vous sachiez comment garder la Terre d'Israël*[1]. » Deux années plus tard, devenu député, Barak, alors qu'il est censé prendre la tête du camp de la paix, expliquera à Ari Shavit, du quotidien *Haaretz*, son attachement à la Terre d'Israël... et aux colonies juives : « *Lorsque je vois les collines à l'est, depuis ma maison à Kokhav Yaïr, je sens que je contemple les montagnes d'Eretz Israël. Notre identité n'a pas de signification sans le lien avec [les colonies] Shilo, Tekoa, Beit El, Ephrata. C'est l'origine de notre culture. [...] Je me sens plus proche de gens comme Yoël Bin Noun et Shilo Gal [des colons] que de Yossi Sarid [gauche sioniste]*[2]. » Et puis, à droite, on sait bien que le candidat travailliste n'est pas, pour le moins, un chaud partisan de l'accord d'Oslo.

En octobre 1995, devenu ministre de l'Intérieur après avoir tombé l'uniforme, il s'était abstenu lors du vote au gouvernement sur l'accord intérimaire avec l'OLP. Occasion pour Yitzhak Rabin de piquer une grosse colère[3]...

Baroukh Marzel, kahaniste et colon d'Hébron, aura droit, exceptionnellement, à une page dans *Nekouda* pour expliquer qu'il faut voter... Barak. Extraits : « *On dit, avec raison, que seul le Likoud peut faire la paix, surtout parce que le peuple ne s'y oppose pas. Mais seul le parti travailliste peut arrêter Oslo sans que le peuple s'y oppose. [...] Imaginez ce qui serait arrivé si le retrait d'Hébron et le redéploiement avaient eu lieu lorsque*

1. *Haaretz*, 13 mai 1994.
2. *Haaretz*, 4 octobre 1996.
3. Charles Enderlin, *Le Grand Aveuglement*, *op. cit.*, p. 286.

la gauche était au pouvoir. Être dans l'opposition a une valeur historique certaine. Nous pourrons toujours dire que seule la partie pourrie du peuple donne des territoires. La coalition internationale contre Netanyahu s'endormira puisque les gauchistes ne la réveilleront pas. Les Américains et les Européens feront moins pression. Barak est moins onctueux dans ses paroles que Netanyahu. Avec Barak, nous saurons toujours où nous en sommes et ressentirons la douleur des retraits. Natanyahu divisera Jérusalem, évacuera des implantations, etc. Les accords d'Oslo exploseront à la figure de Barak. L'idole de la paix créée par la gauche s'effondrera. Si cela se passe sous Netanyahu, la gauche pourra toujours dire qu'avec elle, rien de tout cela ne serait arrivé. [...][1]. »

Barak, premières concessions

Les sondages ne s'étaient pas trompés. Le 17 mai, Barak est élu Premier ministre avec 56,1 % des suffrages exprimés. Netanyahu a perdu et quitte – pour l'heure – la vie politique. Benzion dira plus tard de son fils : « *Il n'a pas compris avec clarté la situation et ses dilemmes, et il n'a pas pris correctement la mesure des problèmes. Il n'a pas été un Premier ministre très accompli*[2]. »

Le soir du scrutin, après la publication des résultats, Ehoud Barak s'adresse ainsi à la foule de gauche qui l'attend place Rabin : « [...] *Le temps [de faire] la paix est venu. Pas la paix dans la faiblesse, mais la paix dans la puissance et la sécurité ; pas la paix en renonçant à la sécurité, mais la paix qui apportera la sécurité. Nous avancerons rapidement vers une séparation avec les Palestiniens en posant quatre lignes rouges : Jérusalem unifiée sous notre souveraineté, capitale d'Israël pour l'éternité, un point c'est tout ; en aucun cas nous ne nous retirerons sur les frontières de 1967 ; pas d'armée étrangère à l'ouest du Jourdain ; la plupart des habitants des implantations de Judée-Samarie installés dans des blocs [de colonies] resteront sous notre souveraineté. Comme je m'y*

1. *Nekouda*, n° 221, janvier 1999.
2. *Maariv*, 2 avril 2009.

suis engagé, tout accord définitif sera soumis à référendum. En fin de compte, ce sera vous, peuple d'Israël, qui déciderez [...] »

Barak forme une coalition soutenue par soixante-treize députés sur cent vingt. Le texte de la plateforme commune a permis au parti national religieux, représentant les colons, et au mouvement russophone de Nathan Sharansky, de rejoindre le gouvernement où un parti de gauche sioniste, Meretz, a également des portefeuilles. *« [...] Le grand Jérusalem, la capitale éternelle d'Israël, restera unifié et entier, sous la souveraineté d'Israël. Les fidèles de toutes les religions auront la garantie d'accéder librement aux lieux saints et la liberté de culte. [...] Le gouvernement considère que la colonisation, sous toutes ses formes, est une entreprise nationale d'importance, et œuvrera pour aider les implantations à affronter difficultés et défis. Jusqu'à ce que soit décidé du statut des communautés juives en Judée, Samarie et Gaza, dans le cadre du statut permanent, aucune nouvelle communauté ne sera construite et aucune communauté existante ne subira de préjudice. Le gouvernement œuvrera pour assurer la sécurité des résidents juifs en Judée, Samarie et à Gaza, et il leur assurera des services gouvernementaux et municipaux identiques à ceux qui sont accordés aux habitants des autres localités en Israël. Le gouvernement contribuera au développement des communautés existantes. [...]*[1]*. »*

Le nouveau Premier ministre décide de tenter de signer un accord avec la Syrie de Hafez el-Assad avant de poursuivre les négociations avec Yasser Arafat. Mais il lui faut auparavant régler le problème des avant-postes « illégaux » installés en Cisjordanie. Barak veut en éliminer quinze sur les quarante-deux existants. Les colons, de leur côté, sont disposés à en évacuer volontairement dix, parmi lesquels quatre ne sont même pas peuplés. Les autres devront être « légalisés » et recevoir un permis de construire dans le cadre des plans de développement existants.

Le conseil des implantations se félicite du compromis. Les colons viennent de remporter une nouvelle victoire. Mais plusieurs rabbins, parmi lesquels Shlomo Aviner, considèrent que tout cela est bien insuffisant et lancent des

1. http://www.mfa.gov.ii/MFA/Government/Previous+governments/Guidelines+of+the+Government+of+Israel+-+July+1999.htm

appels pour que les colons s'opposent par la non-violence à toute évacuation qui serait *« un crime contre la Torah »*. Le rabbin Menahem Felix donne le ton en s'adressant ainsi aux instances du mouvement des colonies : *« Dans cette conjoncture, où les négociations sur le statut permanent sont sur le point de s'ouvrir, et où le Premier ministre répète que les colonies seront rassemblées dans des blocs d'implantation (en clair, cela signifie que des dizaines d'entre elles seront évacuées), il est difficile de ne pas comprendre que l'accord sur les avant-postes préfigure la grande expulsion que prépare le chef du gouvernement*[1]. » Le 10 novembre 1991, des centaines de jeunes Juifs venus de toute la Cisjordanie affronteront soldats et policiers venus évacuer une de ces « minicolonies », la ferme de Maon près d'Hébron. Ariel Sharon, le chef du Likoud, accusera Barak d'avoir *« rasé un village juif »*[2].

QUE LES PALESTINIENS ATTENDENT !

Comme son prédécesseur, le nouveau Premier ministre entend remodeler, à sa façon, les engagements contactés envers l'OLP. Il fait renégocier l'accord de Wye River, qui déjà, pour Netanyahu, devait se substituer à l'accord d'Oslo. Le 4 septembre 1999, en présence de Hosni Moubarak, du roi Abdallah de Jordanie et de Madeleine Albright, Yasser Arafat et Ehoud Barak signent, à Charm el-Cheikh, le *Mémorandum sur l'application du calendrier des engagements et accords signés et la reprise des négociations sur le statut permanent.* La première étape des négociations sur le statut définitif doit prendre fin le 13 février 2000, avec la conclusion d'un accord cadre, l'accord final étant prévu pour le 13 septembre 2000. Le second redéploiement israélien en Cisjordanie, prévu à l'origine pour octobre 1996, est fragmenté en trois phases, prévues les 5 septembre, 15 novembre et 20 janvier. Rien de tout cela ne sera respecté. Le premier retrait n'inter-

1. *Nekouda,* n° 228, décembre 1999.
2. Charles Enderlin, *Le Grand Aveuglement, op. cit.*, p. 291.

viendra que le 4 janvier 2000. Alors, l'autorité autonome administrera et contrôlera pleinement 11,1 %, de la Cisjordanie seulement, 28 % demeurant sous contrôle sécuritaire israélien et administration palestinienne.

Arafat devra encore attendre avant que l'Autorité palestinienne reçoive des territoires supplémentaires, car Barak est alors tout occupé par ses négociations avec la Syrie. Du coup, Oded Eran, qui dirige la délégation israélienne aux pourparlers, doit faire face à des difficultés croissantes avec les Palestiniens, de plus en plus impatients : *« Honnêtement, je n'aimais pas cette idée d'accorder la priorité à la Syrie. J'ai eu de longues discussions avec Barak à ce propos. Je lui ai dit que c'était le problème palestinien qui était au centre du conflit israélo-arabe. Et que donc, s'il n'était pas réglé, on ne parviendrait pas à trouver de solution au conflit et à signer un accord avec les Syriens. La question syrienne est secondaire par rapport au conflit israélo-palestinien. »*

Le 17 janvier 2000, Arafat répète à Barak qu'il doit être en mesure de présenter de réels acquis à sa population. Le prochain retrait israélien devrait, par exemple, inclure une localité palestinienne proche de Jérusalem. *« On verra ! »* répond le Premier ministre israélien, qui ajoute : *« Pour ce qui concerne le troisième et dernier retrait, inutile d'y procéder ! On en discutera au cours des négociations sur le statut définitif[1] ! »*

Les pourparlers avec la Syrie ont échoué. Selon le général Ouri Saguy, qui avait mené des pourparlers secrets avec les envoyés de Hafez el-Assad, Ehoud Barak a décidé à la dernière minute de renoncer à un accord sur le Golan, considérant que l'opinion publique israélienne ne l'accepterait pas. Cette version a été confirmée par les conseillers du *peace team* de Bill Clinton[2].

Le 31 mars 2000, le chef du gouvernement israélien adresse un message chaleureux aux colons d'Hébron à l'occasion du trente-deuxième anniversaire de la création de leur implantation. Il réaffirme *« le droit des Juifs à vivre en sûreté, protégés de toute atteinte dans la ville des Patriarches. Le test, pour la communauté juive renaissante et pour la majorité arabe, résidera dans*

1. Charles Enderlin, *Le Rêve brisé*, *op. cit.*, p. 147.
2. Sur cet épisode, voir *ibid.*, p. 134-144.

leur capacité à instaurer des rapports de bon voisinage fondés sur le respect mutuel. Nous voulons croire que l'instauration de relations pacifiques entre nous et nos voisins palestiniens, sur l'ensemble des territoires, posera les bases de tels rapports entre la communauté juive et ses voisins arabes ». Les Palestiniens n'apprécient pas. Quelques jours plus tard, le 4 mai, Oded Eran découvre que Barak ne considère pas la ligne de démarcation de 1967, entre Israël et la Cisjordanie, comme une future frontière : « *Nous avions des discussions interminables sur la question de la frontière entre les deux États. Les Palestiniens disaient : "C'est évident, selon la résolution 242, c'est la ligne de 1967." Je leur demandais : "Et Jérusalem ? Il y a de grands quartiers juifs qui se trouvent au-delà de la ligne de 67." Ils m'ont répondu clairement, chaleureusement, que ces quartiers pourraient rester sous souveraineté israélienne dans le cadre d'un accord. Je suis allé plus loin : et Goush Etzion, leur ai-je demandé ? Goush Etzion était habité par des Juifs jusqu'à la guerre de 1948. Je leur ai présenté la formule suivante : la frontière serait déterminée sur la base de trois critères – : la ligne de 1967, les facteurs démographiques et la sécurité. Je l'ai proposé à Barak, qui m'a répondu : "Pas question de parler de la ligne de 67 !" Mais alors, se posait le problème du secteur de Toulkarem, où il n'y a pas d'autre choix que de tracer la frontière à partir de la ligne de 67. Barak a accepté l'argument, mais il m'a demandé de modifier ainsi ma formule : d'abord la sécurité, puis la démographie, et enfin la ligne de 67. Les Palestiniens ne l'ont pas accepté.*

Lors des négociations d'Eilat, je suis allé voir, à minuit, Ehoud Barak à Tel-Aviv pour lui dire qu'il était temps que je soumette une carte du statut final aux Palestiniens. Il en a été d'accord, et j'ai été autorisé à présenter une carte sans le moindre nom et divisant la Cisjordanie en trois secteurs. 66 % seraient immédiatement transférés aux Palestiniens dans le cadre de l'accord, 20 % seraient annexés par Israël, et 14 % resteraient sous contrôle israélien pour une période indéterminée. La délégation palestinienne l'a très mal pris. [...] Et, pour la première fois, ils ont exprimé une position claire sur ce problème. Ils ont proposé d'abandonner 4 % de la Cisjordanie sous contrôle israélien, à condition que [cet abandon] soit compensé par un échange de territoire[1]. »

1. *Ibid.*, p. 153

Jérusalem, Jérusalem

Le 15 mai, les Palestiniens commémorent la Nakbah, la « catastrophe » de 1948, la défaite arabe suivant la création d'Israël et le drame des réfugiés. Les manifestations aux barrages militaires israéliens dégénèrent en affrontements armés. Le bilan sera de cinq Palestiniens tués et quatre cents blessés. Durant la matinée, Ehoud Barak a fait accepter par son gouvernement le transfert à l'Autorité autonome de trois faubourgs arabes de Jérusalem. C'est trop pour Yitzhak Lévy, du parti national religieux, qui démissionne et quitte la coalition gouvernementale. Dans l'après-midi, le Premier ministre annonce à la Knesset que le transfert des trois quartiers, notamment Abou Dis, où devrait s'installer le gouvernement palestinien, est repoussé à une date ultérieure en raison de la violence palestinienne. Cela n'empêche pas la droite de se déchaîner. Un député interpelle Barak :

« Les Palestiniens nous tirent dessus et vous leur donnez Abou Dis ! » Ariel Sharon ne se fait pas moins dur : *« Lorsque vous leur aurez donné Abou Dis, ils pourront tirer depuis le toit de leur maison sur Jérusalem. C'est cela que vous appelez la séparation ? Lorsque nous avons réussi à briser le blocus de Jérusalem il y a cinquante ans, nous n'imaginions pas qu'il faudrait à nouveau affronter le siège de notre ville, mais cette fois, un siège imposé par un gouvernement juif. C'est la première fois depuis 1967 qu'un pouvoir étranger parvient jusqu'aux frontières de Jérusalem pour l'encercler. »*

La résolution est pourtant adoptée par cinquante-six voix contre quarante-huit. Yitzhak Lévy quitte immédiatement la Knesset pour la place de Sion, dans le centre de Jérusalem, où il est accueilli par plusieurs milliers de colons et de manifestants de droite clamant leur refus de toute nouvelle concession territoriale aux Palestiniens. En Cisjordanie et à Gaza, les accrochages entre des lanceurs de pierres et l'armée vont se poursuivre encore quelques jours avant que l'Autorité autonome ne parvienne, tant bien que mal, à rétablir le calme[1].

1. Reportages France 2.

Des manifestations sont régulièrement organisées devant la résidence du Premier ministre à Jérusalem. Elles rassemblent, selon les jours, plusieurs centaines, parfois plusieurs milliers de colons sous le slogan : « *On n'abandonne pas son frère !* » Ils exigent que le gouvernement considère les colonies comme faisant partie intégrante de la nation et n'impose pas leur déménagement vers les blocs d'implantation, tels que Ehoud Barak les a envisagés. Le rabbin Yaacov Medan, de la yeshiva Alon Shvout, évoque ainsi la jeune génération qui y grandit et n'a pas connu d'autre paysage : « *Aussi longtemps que nous agissions au nom de la Torah et des frontières historiques de la Terre d'Israël, nos adversaires s'opposaient à nous en nous disant qu'ils n'étaient pas en mission pour la Torah. Mais maintenant que nous nous sommes installés dans les limites de la colonisation [peuplement], dans des endroits déserts, sans expulser qui que ce soit, en achetant des terres rocailleuses, faut-il à nouveau ruiner les rêves d'une génération et demie de création et de développement ? [...] Cela reviendrait à briser individuellement les adolescents qui ont grandi [dans ces territoires]. Ce sont de jeunes couples, des enfants qui n'ont rien connu d'autre [...] Comment les gens de gauche pourront-ils se regarder dans un miroir pendant que des policiers et des militaires palestiniens, le regard haineux, pourront extraire des Juifs de leur voiture et les frapper, devant leurs femmes et leurs enfants*[1] ? » L'argument de ce rabbin est parfaitement fallacieux. Selon les accords d'Oslo, les colons dépendent exclusivement de la juridiction de l'État d'Israël.

« Barak braque un pistolet »

Un sommet Arafat-Barak doit avoir lieu à Camp David, dans le Maryland, et les responsables du conseil des implantations doivent décider de leur attitude face aux négociations engagées, qui semblent bien avancer depuis quelque temps. D'abord, maintenir la solidarité entre les colonies appelées à être intégrées dans les fameux blocs et les 20 %

1. Cité par Nadav Shragaï, *Haaretz*, 2 juillet 2000.

de colons qui seraient déplacés. Puis, lancer des appels à la solidarité du grand public face aux drames humains que représenterait une telle opération.

Moti Karpel n'est pas d'accord avec cette ligne modérée : *« Il faut cesser de chercher à faire bonne figure dans les médias et cesser de vouloir nous montrer sous notre meilleur profil. Cesser de discuter de ce que les autres pensent de nous. Nous devons être nous-mêmes. Nous ne diviserons pas l'armée ou le pays. Nous devons [manifester] pour que le pays s'arrête. Pas pendant un jour ou deux, pas pendant une semaine, mais deux mois. Les projets scandaleux du gouvernement ne sont ni démocratiques, ni humains ni juifs. Il faut regarder Barak dans les yeux et lui dire : Oublie tout ça ! »* Moshé Feiglin, son associé au sein de Manhigout Yehoudit, est encore plus direct : *« Quelqu'un qui imagine pouvoir abandonner à l'ennemi deux cent mille citoyens est un criminel, et il faut manifester contre lui. Barak braque un pistolet sur nous et tente de nous persuader qu'il tire de la crème*[1] *! »*

Le 11 juillet 2000, alors qu'aux États-Unis s'ouvre le sommet de Camp David, devant la Knesset, à Jérusalem, quinze dirigeants des colonies et de la droite nationaliste entament une grève de la faim. L'un d'entre eux, Zvi Slonim, un vétéran de Goush Emounim, déclare : *« Les concessions de Barak aux Palestiniens ne relèvent pas du compromis, mais de la reddition. Les Palestiniens ne donnent rien et ne se contenteront pas de la Judée Samarie. »*

Devant le Mur occidental, des milliers de fidèles, des nationalistes religieux, mais aussi des ultra-orthodoxes, prient à l'appel des deux anciens grands rabbins d'Israël, Mordehaï Eliahou et Avraham Shapira. Ils demandent à l'Éternel d'*« épargner le peuple et la Terre d'Israël*[2] *»*. Pour la première fois, un nouveau slogan se fait entendre dans les manifestations contre le gouvernement Barak : *« Pour le droit des Juifs à prier sur le mont du Temple »*. Ehoud Olmert, le maire (très Likoud) de Jérusalem, réitère qu'il est scandaleux de laisser flotter le drapeau palestinien sur le mont du Temple. *« Ce n'est pas,* dit-il, *un lieu saint musulman, seule*

---

1. *Ibid.*
2. Tournages France 2.

une partie de l'esplanade a un lien avec l'islam. » Le Premier ministre israélien sait parfaitement que là réside la pierre d'achoppement à tout accord. Jusqu'où Arafat est-il prêt à aller dans l'ordre des concessions ?

Une synagogue sur le Haram al-Sharif ?

Le 15 juillet, à Camp David, Sandy Berger, un conseiller à la sécurité de Bill Clinton, lance un ballon d'essai au cours d'une séance de négociation sur Jérusalem et s'adresse en ces termes aux Palestiniens : « *Pourquoi n'accepteriez-vous pas qu'un certain nombre de Juifs puissent prier sur l'esplanade [des Mosquées] ?* » Yasser Abed Rabbo, le négociateur d'Arafat, lui répond : « *Ce que vous dites est très dangereux. Nous sommes venus ici pour faire la paix, pas pour déclencher une nouvelle guerre de religions. C'est comme si je revendiquais pour les musulmans le droit d'aller prier devant le Mur occidental. Vous imaginez ce qu'en seraient les conséquences ?* »

Les Israéliens écoutent l'échange en silence. Abed Rabbo interpelle Gilead Sher, le chef de cabinet d'Ehoud Barak : « *Expliquez-lui que ce qu'il dit est très dangereux. Pourquoi ne dites-vous rien ?* » Il se tourne alors vers Bill Clinton, qui est présent lui aussi : « *Sur le Haram al-Sharif, nous acceptons aujourd'hui les règlements israéliens qui interdisent à toute personne étrangère de prier sur l'esplanade des Mosquées… Pourquoi voulez-vous que les choses changent après la conclusion d'un accord ?* »

En sortant de la salle, Abed Rabbo a un bref entretien avec Robert Malley, lui aussi conseiller du Président américain, qui lui explique que Sandy Berger n'a pas lancé cette idée dans une mauvaise intention, simplement, dit-il, certains Israéliens la lui avaient suggérée[1]…

Le lendemain, place Rabin, à Tel-Aviv, la droite nationaliste avec le ban et l'arrière-ban des colons de Cisjordanie clament leur opposition. Il y a deux cent cinquante mille manifestants selon les organisateurs, cent cinquante mille

1. Charles Enderlin, *Le Rêve brisé, op. cit.*, p. 206-207.

selon la police. Ehoud Olmert est très applaudi. Les Palestiniens, dit-il, « *ne veulent pas [se contenter du] mont du Temple. C'est le seul lieu saint du judaïsme, le troisième en importance pour l'islam. Ils veulent tout Jérusalem !* » Ariel Sharon n'est pas moins dur : « *La paix de Barak est une fausse et mauvaise paix. Une paix de l'instant. Nous devons parler de ce qu'Arafat est prêt à donner. [...] Je demande au Premier ministre de ne pas signer un acte de capitulation.* »

Ehoud Barak ne s'est pas rendu à Camp David avec des propositions bien définies sur Jérusalem. Il n'a d'ailleurs pas demandé au colonel Shaul Arieli, membre du très officiel Département des négociations à la présidence du conseil, à réfléchir aux options possibles. Selon Gadi Baltiansky, son conseiller de presse, c'est à un institut universitaire que le Premier ministre a demandé de lui proposer des idées : « *Il a pris [pour cela] des gens qui étaient à la marge [des négociations], comme s'il ne s'agissait que d'un exercice théorique ou académique. Ainsi, tout serait OK si l'affaire aboutissait [à un accord]. Et si rien n'en sortait, il pourrait toujours dire que l'idée [...] ne venait pas de lui. Il n'envisageait pas de concéder quoi que ce soit*[1]. »

Le 17 juillet, la délégation israélienne examine, pour la première fois, la question de Jérusalem. Barak déclare : « *L'heure est historique, et nous ne saurions nous y soustraire [...]. Je ne connais pas un Premier ministre qui accepterait de signer le transfert de la souveraineté sur le Premier et le Second Temple [le mont du Temple], qui est la base du sionisme. Il n'en va pas de même pour Tsour Baher (un faubourg palestinien au sud de Jérusalem). Mais tel est le cas également pour l'autre partie [les Palestiniens]. Une souveraineté palestinienne sur la vieille ville serait aussi dure [à supporter] qu'un deuil. Sans séparation d'avec les Palestiniens, sans la fin du conflit, nous plongerons dans la tragédie.* »

1. « No One to Talk To. A Critical Look at the Linkage between Politics and the Media », Université de Tel-Aviv, Symposium de l'Institut Herzog, 12 janvier 2005.

Une seule solution : Découper le mont du Temple

Le lendemain, Bill Clinton fait une proposition de son cru. Les Palestiniens auraient la souveraineté pleine et entière sur les quartiers musulmans et chrétiens de la vieille ville de Jérusalem, les quartiers arméniens et juifs passant sous la souveraineté israélienne. Les autres quartiers arabes du centre de la ville seraient dotés d'une autonomie fonctionnelle sous la souveraineté israélienne. Au sujet du Haram al-Sharif, Clinton suggère une « responsabilité souveraine » pour les Palestiniens, les Israéliens conservant « une souveraineté résiduelle » sur le principal lieu saint du judaïsme. Quelques heures plus tard, Yasser Arafat fera savoir qu'il ne peut accepter ces propositions : *« Je ne suis pas prêt à voir substituer à l'occupation israélienne la souveraineté israélienne. »* Barak, lui aussi, rejettera la proposition…

Le Président des États-Unis revient avec de nouvelles idées quelques heures plus tard. Les Palestiniens les rejetteront également. *« […] je pense,* explique Bill Clinton, *que c'est le meilleur "deal". Vous serez les "gardiens" du Haram al-Sharif avec l'approbation du Conseil de sécurité des Nations unies et celle du Maroc, qui vous confieront l'administration des lieux saints musulmans. Le drapeau palestinien flottera sur le Haram, mais sous la souveraineté israélienne. Il en ira de même pour les lieux saints chrétiens. Dans la vieille ville, le quartier arménien sera entièrement placé sous la souveraineté israélienne. Il en ira de même, à l'extérieur des remparts, pour les quartiers comme Cheikh Jarrah et Salah A Din, mais Barak leur accordera plus d'indépendance dans certains domaines d'administration municipale. Par exemple, certains aspects – mais pas tous – de la planification et du développement ; certains aspects aussi de la sécurité, et certains pouvoirs juridiques. Un corridor reliera la nouvelle Jérusalem, qui est Abou Dis, le [futur] centre de votre capitale, et la partie de la vieille ville qui relèvera de votre souveraineté. 80 à 85 % de la vallée du Jourdain sera palestinienne. »*

Le dernier jour du sommet, Arafat dira à Clinton : *« Je ne peux pas trahir mon peuple. Voulez-vous assister à mes funérailles ? Je préfère la mort plutôt que d'accepter la souveraineté israélienne sur le Haram al-Sharif. [...] Je n'entrerai pas dans l'Histoire des Arabes en tant que traître. Comme je vous l'ai dit, Jérusalem sera libérée, et si ce n'est pas maintenant, ce sera plus tard, dans cinq, dix ou cent ans...* »

Lors d'une ultime séance de discussion, Shlomo Ben Ami, le ministre des Affaires étrangères israélien, présente la position de Barak : « *Nous suggérons que les quartiers extérieurs de Jérusalem [Est] soient placés sous souveraineté palestinienne. À l'intérieur, un ou deux quartiers seront placés sous votre souveraineté. Les autres jouiront d'une souveraineté [limitée]. Dans la vieille ville, un régime spécial s'appliquera aux quartiers musulman, arménien et chrétien. La sécurité sera assurée conjointement dans la vieille ville. Un complexe immobilier à l'usage du gouvernement palestinien sera placé sous la souveraineté palestinienne. Les Palestiniens seront les gardiens du mont du Temple, et la sécurité palestinienne [en assurera la protection]. Vous devrez reconnaître la souveraineté résiduelle à Israël sur ce lieu saint. Nous voulons également que soit garanti un espace déterminé sur l'esplanade, où les Juifs pourront prier.* »

Clinton intervient et s'adresse à Saeb Erekat, le négociateur palestinien : « *Il y a deux propositions dont je n'ai pas discuté avec Barak. Les quartiers extérieurs [de Jérusalem-Est] seraient placés sous souveraineté palestinienne, les quartiers intérieurs le seraient sous souveraineté palestinienne limitée afin que la ville reste une cité ouverte. Un régime spécial sous souveraineté israélienne s'appliquerait à la vieille ville. Un complexe d'immeubles à l'usage de la présidence palestinienne serait placé sous sa souveraineté. Sur le mont du Temple, les Palestiniens exerceraient la souveraineté en tant que gardiens de ce lieu saint, Israël se voyant reconnaître une souveraineté résiduelle et un lieu pour la prière juive sur l'esplanade. Ma seconde proposition est la suivante : Les quartiers extérieurs seraient placés sous souveraineté palestinienne [complète], les quartiers intérieurs sous souveraineté limitée pour les Palestiniens. Dans la vieille ville, les quartiers musulmans et chrétiens seraient placés sous souveraineté palestinienne, les quartiers juifs et arméniens seraient placés sous souveraineté israélienne. À propos du mont du Temple, le Conseil de sécurité des Nations unies voterait une résolution qui en accorderait la garde aux Palestiniens, avec une souveraineté résiduelle pour les Palestiniens et un lieu de prière pour les Juifs sur l'esplanade.* »

Yasser Arafat répondra par une lettre à Bill Clinton : « *J'apprécie vos efforts [...] mais ces propositions ne sauraient constituer la base d'une réconciliation historique [...].* »

C'est la faute à Arafat !

Ehoud Barak quitte le sommet et applique la ligne fixée par ses conseillers en communication : Camp David a échoué à cause d'Arafat, qui n'a rien lâché sur Jérusalem. Israël n'a pas de partenaire pour faire la paix. Dans la salle des fêtes de Frederick, la petite ville voisine, Barak déclare : « [...] *Arafat a eu peur de prendre les décisions historiques [qui s'imposaient] pour mettre un terme au conflit. Ce sont les positions d'Arafat sur Jérusalem qui ont empêché la conclusion d'un accord [...].* » À une question concernant la ville sainte, il répond : « *Nous avons envisagé – et certaines idées en ce sens ont été avancées – afin de rendre Jérusalem plus grande et plus forte que jamais dans l'histoire, d'annexer à la ville des localités situées en Cisjordanie, au-delà de la frontière de 1967, comme Maale Adoumim, Givat Zeev et Goush Etzion. En échange, nous aurions donné aux Palestiniens la souveraineté sur certains villages ou de petites localités [palestiniennes] qui ont été annexées à Jérusalem juste après 1967. Ces idées ont été discutées. Mais puisque le sommet s'est déroulé selon le principe : "rien n'est accepté jusqu'à ce que tout soit conclu", même ces idées sont à présent nulles et non avenues. [...]*[1]. »

De retour en Israël, le lendemain, il s'adresse aux colons en lançant une menace à peine déguisée aux Palestiniens : « *[...] Nous avons mené des négociations très difficiles ; nous étions disposés à payer un prix élevé, tout en refusant de négocier sur trois points : la sécurité d'Israël, les valeurs sacrées d'Israël et*

1. http://www.mfa.gov.il/MFA/Government/Speeches%20by%20 Israeli%20leaders/2000/Statement%20by%20PM%20Barak%20on%20 Conclusion%20of%20the%20Camp%20Da

l'unité du peuple israélien. Que chaque Israélien sache que cela n'est pas négociable. Et, que Dieu nous en garde, si nous devions choisir entre y renoncer ou les défendre, le choix sera clair pour chacun d'entre nous. […] À mes frères les pionniers des implantations de Judée, Samarie et de Gaza, à mes frères dans la vallée du Jourdain, à vous tous je dis aujourd'hui : mon cœur est auprès de votre douleur. C'est le chemin vers la rédemption d'Israël. […] Toute ma vie, j'ai combattu aux côtés de mes frères pour la sécurité d'Israël. Je ne laisserai personne y porter atteinte ou l'affaiblir. À nos voisins, les Palestiniens, je dis : Nous ne recherchons pas le conflit. Mais si quelqu'un parmi vous a l'audace de nous défier, nous serons unis, forts et déterminés, convaincus de la justesse de notre cause – et nous triompherons[1]. »

L'opinion publique israélienne accepte ces explications sans discuter : 67 % des Israéliens juifs rejettent ainsi la responsabilité de l'échec sur Yasser Arafat et les Palestiniens, 13 % sur les deux parties et 12 % sur Ehoud Barak. Pour 44 % d'entre eux, le Premier ministre a adopté une position trop modérée dans la négociation. 9 % diront qu'il a été trop dur[2]. Les dirigeants du mouvement des implantations interrompent leur grève de la faim. Ils n'ont aucune raison d'être mécontents du gouvernement. Depuis son arrivée au pouvoir en mai 1999, et jusqu'en octobre 2000, le nombre de chantiers dans les colonies a augmenté de 96 %[3]… La gauche, partie intégrante de la coalition parlementaire, n'a que peu protesté.

L'opinion proche des national religieux réalise que le sommet de Camp David aurait tout aussi bien pu se terminer sur un accord sanctionnant la division de Jérusalem et, le 10 août, le soir du jeûne du neuf Av selon le calendrier hébraïque, plusieurs organisations messianiques lancent un appel aux fidèles pour qu'ils participent à la marche autour des murailles de la vieille ville organisée par le mouvement

1. http://www.mfa.gov.il/MFA/Government/Speeches%20by%20Israeli%20leaders/2000/Statement%20by%20PM%20Barak%20on%20his%20return%20from%20Camp%20Davi
2. Tamar Hermann, *The Israeli Peace Movement, op. cit.*, p. 239.
3. Idith Zertal, Akiva Eldar, *Adonei Haaretz, op. cit.*, p. 238.

des femmes en vert. Cette association, opposée à tout accord avec les Palestiniens, a renoué avec une antique tradition, selon laquelle les Juifs s'installaient pour prier devant les portes de la vieille ville.

C'est un succès sans précédent. Plus de cent mille personnes viennent d'un peu partout dans le pays pour s'y rendre. Aux différentes étapes de la marche, les participants lisent le livre des Lamentations du prophète Jérémie. Devant la porte des Lions, le maire, Ehoud Olmert, prend la parole pour rappeler la conquête de Jérusalem en 1967. Les organisatrices, Ruth et Nadia Matar, condamnent les concessions qu'Ehoud Barak aurait, selon elles, faites à Camp David et citent le prophète Isaïe : *« Que ceux qui t'ont ruiné, tous ces destructeurs s'éloignent de toi ! »*

La marche autour des murailles interviendra désormais le premier soir de chaque mois hébraïque.

CHAPITRE 7

La trahison de Sharon

Secouée par des tensions internes, la coalition gouvernementale d'Ehoud Barak s'effrite au fil des semaines. Un accord avec les Palestiniens lui donnerait un second souffle. Il décide donc de reprendre les négociations. Si elles devaient aboutir, il organiserait un référendum sur les termes de la paix, puis, espérant que le oui l'emporterait, mettrait en place son application sans avoir à évacuer de colonies avant la fin de son mandat. Le tout dans un délai de deux ans.

Arafat fait savoir qu'il entend lui aussi aller de l'avant, et les pourparlers reprennent, discrètement. Gilead Sher, le chef de cabinet de Barak, et Saeb Erekat, le négociateur palestinien, se rencontrent régulièrement en m'autorisant à les suivre. Très vite, je constate que la question de Jérusalem et du mont du Temple/Haram al-Sharif est au centre de cette ultime tentative pour parvenir à la paix. Durant le mois d'août 2000, les discussions entrent dans le vif du sujet. Israël Hasson, l'ancien numéro 2 du Shabak, et Saeb Erekat effectuent une visite dans la vieille ville de Jérusalem, traçant sur une photographie aérienne une ligne de démarcation allant de la porte de Jaffa jusqu'au Mur occidental, en laissant le quartier arménien sous le contrôle d'Israël.

Quelques informations sur ces contacts filtrent dans la presse et parviennent jusqu'aux mouvements messianiques fondamentalistes rendus inquiets par les travaux que le Waqf effectue alors sur l'esplanade des Mosquées. Il s'agit de dégager d'immenses salles, hérodiennes pour certaines, situées sous la mosquée Al-Aqsa, afin de les transformer en salles de prière destinées à accueillir les fidèles durant le mois de ramadan. Une première tranche du chantier a été achevée en décembre 1999, et des milliers de tonnes de débris divers provenant du mont du Temple ont été déversés dans la vallée de Kidron, au grand dam des archéologues israéliens. Jusqu'à présent, les autorités israéliennes se sont refusé à faire obstacle à ces travaux. Répondant à un appel devant la Haute Cour de justice pour qu'elle interdise les initiatives du Waqf, Elyakim Rubinstein, le conseiller juridique du gouvernement, a ainsi demandé aux juges de ne pas intervenir car *« il est quasiment certain que cela enflammerait les passions et entraînerait une effusion de sang qui pourrait aisément s'étendre du mont du Temple à Jérusalem, aux territoires et à l'ensemble de l'État d'Israël*[1] *»*. Les juges l'ont suivi. Et en juin les bulldozers ont fait leur réapparition sur l'esplanade, avec l'autorisation de fait des dirigeants israéliens. Objectif : l'ouverture d'une sortie permettant aux fidèles musulmans de sortir d'Al-Marwani, la nouvelle mosquée souterraine. Il y a une certaine urgence, dans la mesure où l'une des salles menace de s'effondrer. Il n'empêche, les organisations messianiques sonnent le tocsin. Quatre-vingt-deux députés, de droite comme de gauche, ainsi que plusieurs intellectuels israéliens signent une pétition demandant l'arrêt des travaux réalisés par le Waqf *« et détruisant les vestiges juifs sur le mont du Temple »*. Parmi les signataires, des écrivains comme Amos Oz, Amos Keinan, Haïm Hefer.

Pour sa part, Yehouda Etzion repart à la charge contre le grand rabbinat, qui maintient son interdiction aux Juifs religieux de se rendre sur le mont du Temple : *« Ce n'est pas cette attitude du rabbinat qu'il faut condamner mais le fait qu'il est la prostituée du pouvoir séculaire étranger à la Torah. »* Il constate que les rabbins Shlomo Goren et Mordehaï Eliahou, autrefois partisans des visites juives sur l'esplanade des Mosquées, ont changé d'avis lorsqu'ils ont été nommés grands rabbins d'Israël. Goren, remarque-t-il, a même évité de visiter ce lieu saint pendant qu'il était en fonction. Etzion relève aussi que Bakshi-Doron, l'actuel grand rabbin séfarade, a envoyé ses

1. http://www.acpr.org.il/English-Nativ/06-issue/medad-6.htm

salutations aux cheikhs participant à une conférence œcuménique organisée par Yaïr Hirschfeld et Ron Pundak. « *Ces deux universitaires à l'origine des accords d'Oslo ont compris qu'ils devaient neutraliser le dernier obstacle à leur application, le mont du Temple. À leur demande, appuyée par le secrétaire du gouvernement, [...] le grand rabbin écrit : "Nous devons conserver et veiller à préserver le statut actuel et la sainteté du mont du Temple que d'autres reconnaissent comme l'esplanade de la mosquée Al-Aqsa. [...] Tout changement pourrait porter atteinte à la sainteté du lieu et entraîner une effusion de sang." [...] Lorsqu'il a rédigé ce message, s'est-il souvenu du commandement : "Bâtis-moi un sanctuaire" et de la vision des prophètes ainsi que de toutes les prières*[1] *? [...]* »

Bakshi-Doron publiera plus tard une mise au point, déclarant qu'Israël ne devait, en aucun cas, renoncer à la souveraineté sur le mont du Temple, et, début septembre, avec Meir Lau, le grand rabbin ashkénaze, il crée une commission rabbinique destinée à examiner la possibilité d'installer une synagogue sur – ou à proximité – de l'esplanade des Mosquées. Selon Nadav Shragaï, du quotidien *Haaretz*, plusieurs options doivent être examinées. Un lieu de culte juif situé au-dessus de la porte dorée, de telle manière que l'on n'y accède pas par les murailles. Cela devrait permettre de calmer les fidèles inquiets de devoir aller prier à proximité de l'endroit où se trouvait le saint des saints. Et puis, explique-t-il, les musulmans ne devraient pas s'y opposer, une telle synagogue ne se trouvant pas dans l'enceinte de l'esplanade. L'autre possibilité, si un accord est conclu avec les États musulmans et l'Autorité palestinienne, serait d'installer une synagogue entre la mosquée Al-Aqsa et le Dôme du Rocher. Les fidèles juifs pourraient s'y rendre en passant par la porte des Maghrébins, qui se trouve entièrement sous le contrôle de la police israélienne. Certains rabbins proposent, dans cette perspective, de construire un bain rituel près du mont du Temple afin de permettre aux Juifs de se purifier avant d'y pénétrer[2].

Aucun autre détail sur le travail de cette commission n'a

1. *Nekouda*, n° 235, août 2000.
2. Nadav Shragaï, *Haaretz*, 4 septembre 2000.

filtré du grand rabbinat. Quoi qu'il en soit, Lau et Bakshi-Doron s'opposent à de telles initiatives, pour des raisons liées à la Halakha. Une position condamnée par les deux anciens grands rabbins, Mordehaï Eliahou et Avraham Shapira. Etzion relève qu'à l'époque où, eux aussi, étaient en fonction, ils n'ont pas annulé l'interdit du grand rabbinat.

Le Temple en bas, les mosquées en haut

Le 7 septembre 2000, Barak et Arafat sont à New York où ils participent à la réunion de l'Assemblée générale des Nations unies marquant le millénaire. Le chef de l'OLP a un entretien avec Bill Clinton, qui lui soumet des idées nouvelles en vue de trouver une solution au problème du Haram al-Sharif. Est-il possible de placer le lieu saint sous « souveraineté divine » ? Arafat répond : *« Cela ne veut rien dire, même la Maison-Blanche est sous la souveraineté de Dieu ! […] Mes mains sont liées, l'ensemble des muftis du monde arabe ont publié des "fatwas" qui interdisent toute concession sur ce lieu saint de l'islam. »* Au cours d'un entretien avec Madeleine Albright, la secrétaire d'État, le Président palestinien propose de placer le Haram *« sous la souveraineté de la conférence islamique, qui en remettrait la garde au Comité Al-Qods présidé par le roi du Maroc. Toutes les religions y disposeraient de la liberté de culte… »*

Albright : *« Comment pouvez-vous imaginer qu'Israël renonce à la souveraineté sur le lieu où se dressait le Temple du Judaïsme ? »*

Arafat : *« Cela ne veut rien dire. Il y a des ruines romaines à Gaza, et les Italiens n'y revendiquent pas [pour autant] la souveraineté ! »* Et de partir en claquant la porte, absolument furieux. La secrétaire d'État a utilisé le terme de « mont du Temple » au lieu de Haram al-Sharif. Fondamentalement, Américains et Israéliens ne comprennent pas la position des musulmans. Pour ces derniers, le Haram est la mosquée lointaine où le prophète Mohamed a effectué sa montée au ciel[1] ; c'est aussi un lieu associé aux prophètes de l'islam

1. Coran 17,1

– David, Salomon et Jésus –, et ce n'est pas un temple juif. Toute tentative visant à y accorder une forme de souveraineté à Israël ne peut qu'être considérée par eux comme une confirmation de l'histoire biblique telle qu'elle est définie par le judaïsme et le christianisme, et donc inacceptable par l'islam. Cela n'empêche pas les dirigeants américains – et même français – de proposer des formules diverses de partage du lieu saint...

Le 15 septembre 2000, Ehoud Barak informe le Président Jacques Chirac des idées nouvelles qui circulent à Washington et en Israël. Les États-Unis suggèrent que les deux parties transfèrent leurs prétentions au Conseil de sécurité. Kofi Annan, avec l'accord des cinq membres permanents, nommerait alors une sorte de gouverneur qui gérerait le site. Le secrétaire général de l'ONU désignerait également une sorte de conseil consultatif comportant entre autres des intellectuels musulmans, mais aussi juifs et chrétiens, ainsi que des juristes de réputation internationale. Ils recommanderaient la division du mont du Temple. *« [...] la souveraineté palestinienne pour assurer la garde de l'esplanade des Mosquées, la souveraineté israélienne sous terre où se trouveraient les ruines du Temple juif [...]. »* Une autre solution consisterait à ne faire aucune mention de la souveraineté, explique Barak en répétant qu'*« une souveraineté [sur le mont du Temple] dévolue à une organisation internationale musulmane n'est pas acceptable par Israël »*.

Le 20 septembre, le Président français revient sur l'idée d'une division géographique du mont du Temple : *« Que pensez-vous de la formule selon laquelle vous auriez la souveraineté sur l'esplanade des Mosquées et une certaine profondeur du sous-sol ? Les Israéliens auraient la souveraineté à partir de la profondeur des ruines supposées du Temple ! » Arafat refuse : « Les ruines du Temple juif n'existent pas ! Nos études montrent qu'il s'agit en fait de vestiges grecs et romains...*[1] *»*

1. Charles Enderlin, *Le rêve brisé, op. cit.*, p. 271-285.

Quand Sharon veut voir ce qui se passe...

Ariel Sharon est de mauvaise humeur. Selon les sondages, l'opinion israélienne semble lui préférer Benjamin Netanyahu, qui, libéré des menaces d'un procès en corruption, donne des signes d'un retour en politique. Cela, au plus mauvais moment, car tout indique qu'en raison de l'effondrement de sa coalition gouvernementale, Ehoud Barak n'aura pas le choix et va devoir dissoudre le Parlement. Dans la dernière semaine de septembre, Sharon part à New York consulter Arthur Finkelstein, qui lui conseille de placer la question de Jérusalem au centre de sa campagne en vue des prochaines élections[1]. De retour en Israël, il annonce son intention de visiter l'esplanade des Mosquées afin de constater par lui-même « ce qui s'y passe ». Dans l'entourage d'Ehoud Barak, on interprète cette initiative de Sharon comme l'expression de *« la volonté de réduire les acquis du Premier ministre considéré par la communauté internationale comme celui qui a fait des concessions à Camp David, au contraire d'Arafat ; également comme un geste destiné à torpiller le processus de paix*[2] *»*.

Le Premier ministre n'a pas le choix. Interdire au chef du Likoud de se rendre sur le mont du Temple, ce serait reconnaître que l'État ne contrôle pas le lieu saint juif. Le Shabak considère d'ailleurs qu'il ne devrait pas y avoir de problème et donne son feu vert. Shlomo Ben Ami, qui remplace David Lévy, démissionnaire, au poste de ministre des Affaires étrangères, affirmera que Jibril Rajoub, le chef de la sécurité préventive palestinienne pour la Cisjordanie, lui aurait dit que tout se passerait bien à condition que Sharon ne pénètre pas dans les mosquées[3]. Consulté, le commandant de la police de Jérusalem autorise la visite. Mais son adjoint, le commissaire divisionnaire Nisso Shaham,

1. Nir Hefetz et Gadi Blum, *Haroeh. Sipour Hayav shel Ariel Sharon*, Tel-Aviv, Yediot Aharonot, 2005, p. 548.

2. Gilead Sher, *Be Merhak Neguia*, Tel-Aviv, Ed. Yediot Aharonot, 2001, p. 290.

3. Jibril Rajoub démentira.

responsable des lieux saints de Jérusalem, est extrêmement inquiet. C'est que Sharon veut se rendre sur l'esplanade le jeudi 29 septembre, veille de la grande prière du vendredi, et il est persuadé que cela sera perçu par les musulmans comme une provocation.

Shaham demande à ses supérieurs de l'autoriser à aller parler au chef du Likoud, afin qu'il reporte sa visite à une date ultérieure. Il se heurte à une fin de non-recevoir[1]. Le Waqf et Fayçal el-Husseini, le dirigeant palestinien, lancent des mises en garde affirmant que l'initiative de Sharon pourrait entraîner un « bain de sang ». Yasser Arafat rencontre finalement Ehoud Barak, le 25 septembre, à son domicile privé de Kokhav Yaïr. Il affirmera lui avoir demandé de ne pas autoriser le chef de l'opposition à se rendre sur le Haram[2]. Cet entretien préparait la relance des négociations israélo-palestiniennes aux États-Unis. Shlomo Ben Ami, qui est également ministre de la Sécurité intérieure, et donc responsable de la police, part justement pour Washington.

Le 28 septembre 2000, à sept heures trente du matin, portant un gilet pare-balles sous sa veste, Ariel Sharon, accompagné par cinq députés du Likoud et son fils Gilead, arrive sur l'esplanade des Mosquées où plusieurs centaines de policiers ont été déployés. Il ne pénètre ni dans Al-Aqsa ni dans le Dôme du Rocher, mais s'approche de la nouvelle entrée de la mosquée souterraine, reste là quelques minutes, puis fait demi-tour et s'en va. Cinq députés arabes, parmi lesquels Ahmed Tibi, manifestent. Sharon les qualifie d'« agitateurs » antisionistes et anti-israéliens, et ajoute : *« Je crois que nous pouvons cohabiter avec les Palestiniens. Je suis venu ici afin de constater ce qui s'y passe [...] je ne me suis livré à aucune provocation. Il serait inadmissible qu'un Juif ne puisse pas visiter l'endroit le plus saint du judaïsme. »*

C'est terminé. Le chef du Likoud n'est resté que quarante-cinq minutes sur l'esplanade. Mais maintenant, près d'un millier de jeunes Palestiniens affrontent la police et les gardes-

1. Idith Zertal et Akiva Eldar, *Adonei Haaretz, op. cit.*, p. 530.
2. Charles Enderlin, *Le Rêve brisé, op. cit.*, p 284-285.

frontières, qui ripostent avec des balles en caoutchouc. Il y a une cinquantaine de blessés légers, tant du côté des policiers que des manifestants. Ahmed Tibi a le bras cassé. Durant l'après-midi, de brefs affrontements se dérouleront devant plusieurs barrages militaires à Gaza et en Cisjordanie. Dans la soirée, le calme revient. Les responsables israéliens de la sécurité poussent un soupir de soulagement mais ne s'aperçoivent pas que la tension persiste dans les territoires palestiniens.

L'intifada Al-Aqsa

Tôt le lendemain, vendredi, près de Kalkilya, un policier palestinien, participant à une patrouille conjointe, ouvre le feu et tue un officier israélien. Il est appréhendé par la sécurité préventive de Jibril Rajoub. Tsahal annule toutes les patrouilles conjointes avec la police palestinienne. En partie témoin, j'ai décrit, dans *Le Rêve brisé,* la suite des événements tragiques qui ont mené à des années d'un conflit sanglant et à l'effondrement du processus de paix.

À Jérusalem, Yaïr Yitzhaki, le commandant de la police, a décidé de ne pas limiter l'accès à l'esplanade des Mosquées aux fidèles âgés de moins de 40 ans, comme il le fait habituellement lorsque des incidents sont à craindre. À la mi-journée, vingt mille musulmans assistent à la prière. Au moment où la foule commence à se disperser, une vingtaine de jeunes lancent des pierres en direction des forces de police, et, en contrebas, vers l'esplanade devant le Mur occidental. Yitzhaki fait évacuer les fidèles Juifs et monte la rampe qui conduit à la porte des Maghrébins. Il est alors blessé par une pierre qui l'atteint à la tête. Le visage ensanglanté, le chef de la police est évacué par une ambulance. Son adjoint, David Krauze, assume le commandement et donne l'ordre à ses hommes de pénétrer sur l'esplanade.

La radio israélienne diffuse la nouvelle et annonce qu'Yitzhaki est gravement blessé. Il souffrirait, dit-on, d'une fracture du crâne. La suite a été racontée par Shlomo Ben Ami, au cours d'une interview filmée en 2001. Il venait de rentrer de New York : « *Pendant mon absence, le Premier ministre Ehoud Barak assurait l'intérim de la Sécurité intérieure. Je venais d'arriver lorsque j'ai appris que Krauze avait décidé de pénétrer sur l'esplanade afin de repousser la foule qui, selon lui, s'apprêtait à descendre pour envahir le secteur du Mur occidental. Sous ce type de pression, cet officier a décidé de pénétrer sur le mont du Temple !* »

Question : « *Nous disposons de la vidéo de ces quelques minutes. Il n'y avait qu'une vingtaine de lanceurs de pierres...* »

Ben Ami : « *Je ne peux pas entrer dans les détails. Ce fut, de mon point de vue, une faute. Si Yaïr Yitzhaki s'était trouvé sur place, rien de cela ne serait arrivé. Il s'est agi d'une décision erronée, prise par un officier sur le terrain alors que le commandant en chef de la police, qui normalement se rend sur les points chauds, n'était pas présent. Il regagnait alors son domicile à Tel-Aviv. Cela prouve bien que le commandement national de la police n'avait aucune idée de ce qui allait se passer.* »

Les policiers ouvrent le feu à courte distance avec des balles de métal caoutchouté, mais aussi à balles réelles. Ils atteignent quelques-uns des lanceurs de pierres, et plusieurs fidèles sortant des mosquées. Devant les caméras des chaînes internationales accourues sur les lieux, les officiers perdent le contrôle de leurs hommes, rendus furieux par la blessure infligée à Yitzhaki. L'affrontement durera plusieurs heures. Il y a quatre morts et cent soixante blessés, certains gravement, parmi les musulmans. Quatorze policiers sont légèrement blessés.

Les affrontements font tache d'huile dans l'ensemble des territoires palestiniens. Comme en octobre 1990, après le massacre de quatorze fidèles musulmans par la police israélienne sur le troisième lieu saint de l'islam, la région s'embrase. C'est le début de l'Intifada Al-Aqsa. Le second soulèvement palestinien. Mais, cette fois, les chefs militaires israéliens n'ont pas l'intention d'être les perdants de ce qu'ils définissent comme un conflit armé avec des groupes terroristes. Leur objectif est bien plutôt de rétablir la capacité de dissuasion d'Israël après l'échec de la première guerre au Liban en 1982, puis la première Intifada, qui a fini par convaincre les décideurs politiques de s'engager vers les accords d'Oslo.

L'armée s'est préparée à un tel scénario. Un plan opérationnel intitulé « Champ de ronces » est aussitôt mis en place. Déploiements de tireurs d'élites, d'unités blindées et d'hélicoptères de combat. L'objectif stratégique ainsi défini est de « graver dans la conscience » des Palestiniens qu'ils n'obtiendront rien par la violence. Cela signifie l'imposition de couvre-feux prolongés sur des secteurs entiers en Cisjordanie, des bouclages et des sanctions économiques. Au fil des jours, les affrontements se font de plus en plus durs entre les manifestants palestiniens souvent appuyés par les Tanzim, les groupes armés du Fatah, et les militaires israéliens.

Le 7 octobre, le Conseil de sécurité des Nations unies adopte, par 14 voix pour et une abstention – celle des États-Unis –, la *résolution* 1322, qui condamne la *« provocation commise sur l'esplanade »* et exige d'Israël qu'il se conforme à la Quatrième Convention de Genève sur la protection des civils. Extraits :

« [...] Profondément préoccupé par les événements tragiques qui ont eu lieu depuis le 28 septembre 2000, qui ont fait de nombreux morts et blessés, essentiellement parmi les Palestiniens, [...]

Réaffirmant qu'il faut que les Lieux saints de la ville de Jérusalem soient pleinement respectés par tous, et condamnant tout comportement contraire à ce principe,

1. Déplore l'acte de provocation commis le 28 septembre 2000 au Haram al-Sharif, à Jérusalem, de même que les violences qui y ont eu lieu par la suite ainsi que dans d'autres lieux saints, et dans d'autres secteurs sur l'ensemble des territoires occupés par Israël depuis 1967, et qui ont causé la mort de plus de quatre-vingts Palestiniens et fait de nombreuses autres victimes ;

2. Condamne les actes de violence, particulièrement le recours excessif à la force contre les Palestiniens, qui ont fait des blessés et causé des pertes en vies humaines ;

3. Demande à Israël, puissance occupante, de se conformer scrupuleusement à ses obligations juridiques et aux responsabilités qui lui incombent en vertu de la Quatrième Convention de Genève relative à la protection des personnes civiles en temps de guerre, en date du 12 août 1949 ;

4. Exige que les violences cessent immédiatement et que toutes les mesures nécessaires soient prises pour faire en sorte que cessent les violences, que n'ait lieu aucun nouvel acte de provocation, et que s'opère un retour à la normale d'une manière qui améliore les perspectives du processus de paix au Moyen-Orient ;

5. Souligne qu'il importe de mettre en place un mécanisme en vue de la réalisation d'une enquête rapide et objective sur les événements tragiques de ces derniers jours, l'objectif étant d'empêcher ces événements de se reproduire, et se félicite de toute action entreprise dans ce sens. [...] »

6. Appelle à la reprise immédiate des négociations dans le cadre du processus de paix au Moyen-Orient [...][1]. »

Vers une alliance entre musulmans et chrétiens ?

Les colons se retrouvent en première ligne. Ils sont régulièrement attaqués sur les routes de Gaza, mais aussi de Cisjordanie. Les slogans des promoteurs immobiliers proposant des logements dans des implantations situées « à cinq minutes de Jérusalem » ou « à cinq minutes de Kfar Saba » sont évoqués désormais, selon Danny Rubinstein, de *Haaretz*, comme : « *cinq minutes de tirs, de peur et d'angoisse* ». L'illusion de normalité dans laquelle vivaient les habitants des implantations s'est évanouie sous les attaques des Palestiniens. L'armée a le plus grand mal à assurer leur sécurité.

En novembre 2000, Yehoshoua Mor-Yossef, un responsable du conseil des implantations, donne le ton dans un éditorial intitulé *« La fin de la saison des expériences ». « Les émeutes sanglantes qui ont éclaté à Rosh Hashana ont rappelé à de nombreux Israéliens la guerre de Kippour [en 1973], surtout en raison de l'époque où elles ont éclaté – le mois hébreu de Tishri – et le fait que les Arabes ont attaqué les premiers, mais aussi parce que la conception [qu'avaient de la situation les dirigeants israéliens] s'est effondrée. Pendant sept années, la gauche a en effet [imposé] la conception selon laquelle les Palestiniens ont fini par*

1. http://www.un.org/french/documents/view_doc.asp?symbol=S/RES/1322%20%282000%29&Lang=F

accepter notre existence. Et voilà que le contraire est démontré. Les territoires et les fusils qui leur ont été donnés n'ont pas réussi à les apaiser. Ils nous haïssent, comme d'habitude. »

Moshé Feiglin, lui, s'en prend à la presse internationale : « *La coopération entre CNN et Arafat est la conséquence d'une communication israélienne défectueuse. C'est ainsi que se manifeste la guerre islamo-chrétienne contre l'entité juive. Si nous parvenons à convaincre l'opinion de nos rêves pour l'avenir du peuple d'Israël, nous gagnerons cette guerre. [...] Les musulmans présentent au monde chrétien, par le truchement des caméras de télévision, l'image du faible et du juste, mais, à l'intérieur du pays, ils brandissent les slogans du type : Nous sommes forts et nous avons la justice pour nous.* » Pourtant, Feiglin relève des éléments positifs dans la situation actuelle. Si l'Intifada n'avait pas éclaté, « *le mont du Temple aurait déjà été remis aux terroristes et des implantations seraient en voie de démantèlement* ». Et puis, écrit-il, « *un groupe est en train de définir un nouveau mode de pensée national fondé sur le rêve juif et non sur la fiction israélienne. [...]*[1] »

Le 23 décembre 2000, Bill Clinton, qui achève son mandat trois semaines plus tard, convoque les délégations israélienne et palestinienne à la Maison-Blanche. Le Président américain leur soumet ses paramètres pour la paix :

« *Sur la base de ce que j'ai entendu, je crois que la solution réside dans le transfert à l'État palestinien d'une surface de la Cisjordanie comprise entre [...] 94 et 96 %. Le territoire annexé par Israël devrait être compensé par le transfert [aux Palestiniens] de l'équivalent de 1 à 3 % [de territoire israélien]. En plus [il faudra parvenir à] des arrangements territoriaux, le passage protégé [entre la Cisjordanie et Gaza] par exemple. Les parties, pour satisfaire leurs besoins respectifs, devraient également envisager un échange de territoires dans le cadre d'une location à bail. Pour cela, il existe des solutions créatives qui devraient satisfaire les besoins et les intérêts palestiniens et israéliens. Les parties devraient tracer une carte selon les critères suivants :*

80 % des colons seraient regroupés dans des blocs d'implantation.

Il faut minimiser [le nombre] de régions annexées et le nombre de Palestiniens affectés.

---

1. *Nekouda*, n° 237, novembre 2000.

SÉCURITÉ :

La solution réside dans une présence internationale à laquelle il ne pourra être mis fin qu'avec le consentement mutuel des parties. Cette "présence" aura également pour mission de surveiller l'application de l'accord entre les parties. [...]

JÉRUSALEM

J'ai le sentiment que les divergences qui subsistent portent davantage sur les formulations que sur les réalités pratiques.

Le principe général est : les secteurs arabes sont palestiniens, et les secteurs juifs, israéliens. Il s'appliquerait également à la vieille ville. Je vous conseille vivement de travailler à une carte afin d'établir un maximum de continuité au sein des zones respectives. Au sujet du Haram al-Sharif / mont du Temple, je crois que les divergences ne portent pas sur la [gestion au quotidien de ce lieu saint] mais sur le problème symbolique de la souveraineté et [la nécessité] de trouver un accord respectant les croyances religieuses des deux parties. Je sais que vous n'êtes tombés d'accord sur aucune des formules que vous avez examinées. Je vous propose deux autres formules garantissant le contrôle effectif du Haram par les Palestiniens tout en respectant les croyances du peuple juif. Aucune de ces deux formules ne retient le principe d'une surveillance internationale destinée à renforcer la confiance mutuelle [entre Israéliens et Palestiniens] :

1. La souveraineté israélienne sur le Mur occidental et le saint des saints qui en fait partie. [Israéliens et Palestiniens] s'engageraient fermement à n'effectuer aucune fouille sous le Haram ou derrière le Mur occidental.

2. La souveraineté palestinienne sur le Haram et la souveraineté israélienne sur le Mur occidental, et une souveraineté fonctionnelle partagée sur les fouilles sous le Haram et derrière le Mur occidental afin qu'un consentement mutuel soit indispensable avant que des fouilles puissent y être organisées. [...] »

Yasser Arafat demande des éclaircissements à Bill Clinton. Ehoud Barak, lui, accepte les propositions américaines, mais avec des réserves[1]. Selon un sondage, l'opinion publique juive, en Israël, les rejette : 66 % des personnes interrogées ne veulent pas d'une souveraineté palestinienne sur

1. Charles Enderlin, *Le Rêve brisé, op. cit.*, p. 334-338.

Jérusalem-Est et sur le mont du Temple en échange de la paix avec les Palestiniens. Seuls 27 % sont pour, 7 % sont sans opinion[1].

EXIT BARAK, LES COLONS SONT EN FÊTE

Les élections ont lieu le 6 février 2001. Ariel Sharon est élu Premier ministre avec 62,39 % des voix. Avant de quitter la scène politique, Ehoud Barak a écrit à plusieurs personnalités étrangères pour les informer que l'ensemble des propositions qu'il a faites aux Palestiniens sont désormais nulles et non avenues et, bien que président du parti travailliste, il aura, de fait, réalisé les objectifs de la droite israélienne. Le processus d'Oslo est moribond et il est le chef de gouvernement qui aura le plus développé la colonisation. 6 045 unités de logements ont été construites dans les implantations pendant cette période. La population des colonies a augmenté de 22 400 habitants depuis son arrivée au pouvoir en juin 1999, et elle atteint désormais 203 000 habitants[2].

Ce n'est au fond pas surprenant. On l'a vu, Barak s'est toujours déclaré plus proche des colons que de Meretz, le parti sioniste anti-annexionniste. En 2001 et 2002, il aura d'ailleurs l'occasion de développer sa conception du problème palestinien, proche de celle de Benzion Netanyahu :

« Arafat a [quitté les négociations] et s'est tourné vers le terrorisme. Tout le reste, c'est de la blague. [...] Ils veulent un État palestinien sur l'ensemble de la Palestine. Ils rejettent la notion de deux États pour deux peuples. Ils reconnaissent Israël car [notre pays] est trop puissant pour être vaincu actuellement. Mais leur jeu est d'établir un État palestinien tout en ménageant une place pour d'autres exigences "légitimes". Ils sont prêts à [accepter] une trêve temporaire comme celle que le prophète Mohamed avait conclue avec les dirigeants de La Mecque. Ils exploiteront la tolérance et la

1. http://www.peaceindex.org/indexMonthEng.aspx?num=109
2. http://www.fmep.org/reports/archive/vol.-11/no.-2/baraks-settlement-legacy

démocratie d'Israël pour transformer le pays en "État pour tous ses citoyens". [...] Ils œuvreront pour créer un État binational, puis, par le jeu démographique, l'État deviendra à majorité musulmane et à minorité juive [...][1]. »

Plus tard, Barak ajoutera : « *Les Palestiniens sont le produit d'une culture dans laquelle le mensonge est [acceptable]. La vérité est, pour eux, hors de propos. [...]*[2]. »

En 2007, Ehoud Barak reviendra à la tête du parti travailliste. Il sera ministre de la Défense dans les gouvernements d'Ehoud Olmert puis de Benjamin Netanyahu.

Ariel Sharon arrive donc au pouvoir. Les colons sont à la fête. Leur parrain, le dirigeant qui les a toujours soutenus, est Premier ministre ! Bien peu d'entre eux savent que sa vision politique est avant tout sécuritaire. Le 15 janvier 2000, à l'occasion d'une interview pour France 2, il m'en donne un avant-goût : « *La vallée du Jourdain doit rester sous contrôle israélien, ainsi que d'autres zones de sécurité en Judée-Samarie, et Jérusalem est la capitale réunifiée d'Israël. Aucune concession n'est possible [sur ces points-] là*[3]. »

Au quotidien *Haaretz*, il révélera ensuite qu'il est prêt à céder 42 % de la Cisjordanie aux Palestiniens, pas davantage. Et « *dans le cadre d'un accord de non-belligérance pour une longue période à définir. Un accord qui ne doit pas comporter de calendrier mais la liste de ce que nous attendons des Palestiniens : une action préventive contre le terrorisme et ses infrastructures ; la fin de l'incitation à la violence et une éducation à la paix ; enfin, la coopération économique*[4] ».

Le gouvernement est formé le 7 mars. C'est l'union nationale, avec Shimon Pérès aux Affaires étrangères, Benjamin (Fouad) Ben Eliezer à la Défense, et cinq autres ministres travaillistes.

Le conflit avec les Palestiniens se durcit bien vite, car le Hamas a décidé de lancer une nouvelle campagne d'attentats-suicides. Le premier a lieu le 4 mars à Netanya. Trois morts

1. *The New York Review of Books*, 9 août 2001.
2. *The New York Review of Books*, 13 juin 2002.
3. Charles Enderlin, *Le Rêve brisé*, *op. cit.*, p. 342.
4. *Haaretz*, 12 avril 2000.

israéliens, quatre-vingts blessés. À nouveau le 18, également à Netanya. Cinq morts, une centaine de blessés. Systématiquement l'armée riposte contre des objectifs ciblés de l'Autorité autonome et du Fatah. Toute la communication, interne et externe, de Tsahal est dirigée contre Arafat. Les rapports des analystes des renseignements militaires et du Shabak selon lesquels l'Intifada n'a en rien été décidée et planifiée par Arafat sont rangés dans les tiroirs et ne seront évoqués publiquement que des années plus tard. Avi Dichter, le patron du Shabak, dira ainsi, en 2005 : « *Arafat n'a pas contrôlé l'ampleur du soulèvement, au contraire de ce que nous disions à l'époque. Il n'a pas fomenté l'Intifada. L'Intifada a débuté comme un phénomène de boule de neige. Il n'a pas assumé ses fonctions telles que nous les comprenons. Des gens qu'il avait nommés et financés se sont transformés en terroristes. Au contraire de l'image d'un Arafat tout-puissant doté d'une pensée stratégique, à mon regret, j'ai vu un Arafat affaibli et pris de peur, incapable de faire son entrée dans l'histoire palestinienne en s'attaquant à une organisation comme le Hamas*[1]. » Ami Ayalon, son prédécesseur à la tête du service de sécurité, voit les choses quelque peu différemment : « *Aucun d'entre nous n'a pris la mesure de l'énergie qui alimentait le soulèvement palestinien. On aurait dit un cheval sauvage que personne ne parvenait à contrôler alors qu'Arafat se trouvait par hasard sur la selle. Mais… puisqu'il était en selle, nous devions nous occuper de lui car c'était lui le cavalier. C'est ce que nous avions en tête, mais la réalité était totalement différente*[2]. »

Le général Amos Gilad, commandant du département de l'analyse des renseignements militaires, est de ceux qui ont soutenu et défendu la théorie d'un Arafat déclenchant et dirigeant en personne l'Intifada : « *Arafat entend utiliser le processus d'Oslo dans le cadre de sa stratégie de destruction d'Israël. Son but est la création d'une Grande Palestine. Au cours des négociations, il a exigé le droit au retour des réfugiés palestiniens pour liquider Israël par l'arme démographique.* » Ces affirmations ne reposaient sur aucun rapport de son propre service. Le

---

1. Interview d'Avi Dichter, vidéo. Cité dans Charles Enderlin, *Les Années perdues, op. cit.*, p. 30.
2. *Ibid.*, p. 31.

colonel Ephraïm Lavi, responsable du desk palestinien, a ainsi témoigné : « *Aucun document issu de notre département ne comportait des éléments pouvant servir de base à une telle théorie. L'axiome selon lequel Arafat n'aurait eu d'autre souci que la destruction d'Israël par le droit au retour est devenu un dogme*[1]. »

Le message de la responsabilité palestinienne est assimilé par l'opinion israélienne. Selon un sondage, 72 % des Juifs israéliens interrogés sont convaincus que la majorité des Palestiniens n'acceptent pas l'existence de l'État d'Israël et le détruiraient s'ils étaient en mesure de le faire. 41 % pensent que l'Intifada a pour but d'amener Israël à signer un accord de paix aux conditions d'Arafat. Pour 53 % d'entre eux, l'Intifada a pour but unique de combattre Israël pour lui porter atteinte[2].

Depuis le début, le 28 septembre 2000, et jusqu'au 31 décembre 2001, 582 Palestiniens et 85 Israéliens trouveront la mort dans l'Intifada, sa répression et les attentats-suicides. On relèvera des milliers de blessés dans les deux camps[3]. Et le bilan va s'aggraver de semaine en semaine.

Non à la paix offerte par la Ligue arabe

À Beyrouth, la Ligue arabe adopte, le 28 mars 2002, l'initiative de paix du prince Abdallah d'Arabie saoudite. C'est un texte fondamental, la reconnaissance *de facto* de l'État d'Israël :

« *[...] Les pays arabes s'étant convaincus qu'une solution militaire au conflit n'apportera pas la paix et ne garantira en rien la sécurité aux parties, le Conseil des États arabes :*

1. *Ibid.*, p. 16-17.
2. http://www.peaceindex.org/indexMonthEng.aspx?mark1=&mark2=&num=107
3. http://www.mfa.gov.il/MFA/Terrorism-+Obstacle+to+Peace/Palestinian+terror+since+2000/Victims+of+Palestinian+Violence+and+Terrorism+sinc.htm

Également : http://reliefweb.int/report/israel/opt-btselem-publishes-2001-summary-data-intifada-fatalities

1. Appelle Israël à reconsidérer sa politique et à déclarer qu'une paix juste est partie intégrante de ses options stratégiques.

2. Appelle Israël – À déclarer un retrait total de tous les territoires occupés depuis 1967, y compris des hauteurs du Golan syrien et des territoires libanais encore occupés. [Ce retrait] devrait se faire sur les lignes du 4 juin 1967.

– À accepter une solution juste et agréée au problème des réfugiés palestiniens, en accord avec la résolution 194 de l'Assemblée générale des Nations unies.

– À accepter la création d'un État palestinien souverain et indépendant sur les territoires occupés depuis le 4 juin 1967, en Cisjordanie, dans la bande de Gaza, et avec Jérusalem-Est pour capitale.

3. À la suite de cela, les États arabes :

– Considéreront que le conflit israélo-arabe est terminé et [accepteront de signer] un accord de paix avec Israël, assurant la sécurité à tous les États de la région.

– Établiront des relations normales avec Israël dans le contexte de cette paix globale. [...] »

La réaction israélienne ne se fait pas attendre. Au début du mois, Sharon avait rejeté le plan saoudien, considérant qu'il relevait d'un « complot arabe » : « *L'objectif du monde arabe est de substituer aux résolutions 242 et 338 [du Conseil de sécurité] l'exigence d'un retrait total d'Israël sur les frontières d'avant juin 1967. Nous ne pouvons pas l'accepter*[1]. » Shimon Pérès, le ministre des Affaires étrangères, rejette lui aussi l'initiative arabe. Les communicants officiels répètent à l'envi qu'il s'agit d'une nouvelle initiative visant à la destruction d'Israël.

Matti Steinberg, le principal analyste du Shabak jusqu'en 2002, n'est pas d'accord et rejette les arguments de la droite israélienne. C'est tout de même la première fois, relève-t-il, que la partie arabe accepte collectivement le principe d'une normalisation et la fin du conflit avec Israël. Le principe du « droit au retour » des réfugiés palestiniens est absent du plan de paix de la Ligue arabe, qui stipule : « *Le problème des réfugiés doit faire l'objet d'une solution juste et agréée.* »

1. *Jerusalem Post*, 4 mars 2002.

Cette question serait réglée dans le cadre de négociations avec Israël, en contradiction avec la *résolution* 194, ici réinterprétée. Et puis le texte de la Ligue arabe ne mentionne pas l'évacuation de certaines colonies israéliennes, ce qui laisse la voie libre à de possibles corrections du tracé des frontières[1].

Un plan de paix arabe proposant la reconnaissance d'Israël alors que les négociations menées entre Ramallah et Jérusalem par l'entremise de l'émissaire de l'administration américaine semblent progresser vers un cessez-le-feu, c'en est trop pour le Hamas. L'organisation islamiste dépêche donc une bombe humaine à Netanya le jour de la réunion de la Ligue arabe. Le terroriste actionne sa ceinture d'explosifs dans la salle des fêtes d'un hôtel, le soir de Pessah, la Pâque juive. C'est un massacre : 30 morts et 114 blessés. Cela, après des semaines particulièrement sanglantes. Jusqu'au 28 mars, 229 Palestiniens – parmi lesquels 83 non-combattants – et 130 Israéliens, dont une trentaine de civils, ont été tués[2].

Tuer celui qui vient te tuer

Quarante-huit heures plus tard, Israël déclenche l'opération « Remparts » contre l'Autorité palestinienne. Yasser Arafat est littéralement assigné à résidence dans son QG de la Mouqataa à Ramallah désormais occupé par des unités blindées. Lorsque les combats cesseront, vers la fin avril, le bilan sera de 497 Palestiniens et 29 soldats israéliens morts. Il y a des milliers de blessés et plus de 7 000 arrestations[3]. Les attentats-suicides ont fait, en Israël, 33 tués. Le siège de la Mouqata ne sera levé que le 1er avril. Selon un sondage,

1. Matti Steinberg. Conférence, 11 juillet 2010. The Arab Peace Initiative – Its significance and implications.

2. http://www.mfa.gov.il/MFA/Terrorism-+Obstacle+to+Peace/Palestinian+terror+since+2000/Victims+of+Palestinian+Violence+and+Terrorism+sinc.htm http://old.btselem.org/statistics/english/Casualties_data.asp?Category=1®ion=TER

3. http://www.un.org/peace/jenin/index.html

90 % des Israéliens juifs approuvent l'opération. Seuls 6 % d'entre eux considèrent qu'il ne fallait pas la déclencher.

Ces événements viennent conforter le mouvement fondamentaliste messianique dans sa vision. Le rabbin Yitzhak Shilat, le directeur de la yeshivat hesder de Maale Adoumim, publie dans *Nekouda* sa définition de l'ennemi. « *Durant la bataille, un soldat clairvoyant ne se pose pas la question : Ai-je le droit de porter atteinte au soldat qui me fait face ? Est-il innocent ? La question de l'innocence ne se pose pas sur le champ de bataille. En situation de combat, la norme morale simple et existentielle est la suivante : "Tue celui qui vient te tuer ! Aussi celui qui fournit [à l'ennemi] des munitions, de l'eau et de la nourriture, ou l'encourage moralement vient te tuer !"* »

Pour le rabbin Shilat, la situation politique est bien simple : « *Puisque le roi David était là avant le grand-père de Marouane Barghouti [dirigeant du Fatah], que Moïse a sorti le peuple d'Israël d'Égypte avant que Mohamed quitte la Mecque pour Médine, que les pays arabes ont attaqué Israël dans l'intention de le détruire, et que la Jordanie était l'État des Palestiniens, il n'y a aucune raison au monde pour qu'Israël renonce à sa souveraineté sur la Terre d'Israël occidentale [la Cisjordanie] et l'offre aux Palestiniens. Le gouvernement doit être prêt à leur offrir un dédommagement économique parce qu'ils ont résidé ici. Puis, pour ceux qui veulent rester ici en paix – et seulement ceux-là –, leur attribuer des cantons municipaux séparés*[1]. »

Le rabbin Azriel Ariel, de la colonie Ateret près de Ramallah, définit l'éthique de la colonisation en la comparant à la morale de la gauche israélienne : « *L'idée de la Terre d'Israël (dans son ensemble) serait soi-disant immorale. En fait, deux camps politiques s'opposent. Le premier porte l'étendard de l'intégrité de la Terre. Le second prône les valeurs de la morale humaniste, libérale et universelle en plaçant, au premier plan, la paix. [...] En fait, nous sommes là en présence de deux conceptions de la morale. La première est authentiquement juive, la seconde est chrétienne, déguisée sous de vieux oripeaux occidentaux. [...]. Les peuples européens et la gauche israélienne exigent de nous de la modération envers l'ennemi. Les racines de cet appel sont profondes, vieilles de deux*

1. *Nekouda*, n° 251, mai 2002.

millénaires, elles sont issues de la doctrine du "Messie" de Nazareth. C'est le christianisme qui prône l'amour pour tous, également pour les vilains et les criminels – la miséricorde pour tous, également pour l'ennemi le plus cruel. [...]

La culture occidentale provient de trois sources : le judaïsme dont les idées ont été passées au filtre du christianisme ; les cultures grecque et romaine antiques, et les traditions des tribus barbares qui ont envahi l'Europe il y a mille cinq cents ans et sont les ancêtres des peuples européens. De Rome et de la Grèce, la culture occidentale a emprunté les principes du droit, la pensée rationnelle, d'où vient également la pensée scientifique, et du judaïsme, elle a tiré la morale. Mais il ne s'agit pas de la morale juive d'origine, pas celle de nos pères [...] la justice d'une part, et la charité [la miséricorde] de l'autre. [...] Les bégaiements de la communication israélienne ne proviennent pas d'un manque de professionnalisme mais d'un problème moral. Il est impossible d'expliquer les mesures de défense prises par l'armée sur la base de la morale chrétienne occidentale. [...] De la même façon, une partie importante de la société israélienne considère qu'elle est partie intégrante du monde occidental. Cela, pas uniquement en vertu des liens économiques [qui nous unissent à lui] mais du fait de notre [prétendue] appartenance intellectuelle, culturelle et morale aux peuples d'Europe occidentale et d'Amérique du Nord. Telle serait la clé pour entrer dans le club honorable de "l'homme éclairé". Ces Israéliens [estiment qu'ils] n'ont pas le choix et adoptent donc les principes moraux chrétiens et occidentaux. Ils exigent du pays qu'il agisse selon leurs normes et critiquent les Juifs [...] de là vient leur hostilité envers les habitants des implantations de Judée-Samarie et de Gaza [...][1]. »

Faire sauter une école palestinienne

Le 29 avril 2002, à trois heures du matin, des policiers en patrouille sur le mont des Oliviers repèrent des ultra-orthodoxes à bord d'un 4x4 tirant une remorque. Curieux, pensent-ils. Le quartier est arabe, et les religieux juifs n'ont

1. *Nekouda*, n° 252, juin 2002.

rien à y faire, surtout en pleine nuit. Les suspects s'arrêtent devant une école de filles à proximité de l'hôpital palestinien Mokassed. Ils détachent la remorque et l'enchaînent à un poteau électrique. Les policiers décident d'intervenir et interpellent deux hommes. Dans leur véhicule, ils découvrent des armes détenues sans permis. Appelé sur les lieux, un artificier examine la remorque. Elle contient une charge explosive de 500 grammes, des bidons d'essence, deux bonbonnes de gaz et des sacs de clous. Un attentat anti-arabe vient d'être évité. Les terroristes, Yarden Morag et Shlomo Dvir, habitent la colonie Bat Ayin, dans le secteur de Goush Etzion. Un troisième suspect, Ofer Gamliel, est également arrêté. Il avait réussi à prendre la fuite.

Policiers et agents du Shabak pensent qu'ils viennent de démanteler un réseau terroriste juif responsable de plusieurs attaques anti-arabes au cours des deux dernières années. Huit Palestiniens ont ainsi trouvé la mort au cours de ces agressions non élucidées. En mars 2002, une charge a explosé devant une école de garçons à Jérusalem-Est, blessant huit élèves et un enseignant. Une mystérieuse organisation intitulée « Les vengeurs des enfants » avait alors diffusé un tract dans lequel elle revendiquait ces attentats et conseillait aux Arabes israéliens de préparer leurs linceuls. Au cours de leur interrogatoire, Dvir et Morag avoueront en être les auteurs, mais se rétracteront avant leur procès. Ils impliqueront deux autres colons : Noam Federman, un kahaniste habitant Hébron, qui aurait fourni les explosifs de l'attentat manqué du mont des Oliviers, et Yossef Ben Baroukh, de la colonie Maon près d'Hébron. Il aurait été le cerveau du réseau.

L'extrême droite et les kahanistes affirment immédiatement que les suspects sont innocents et accusent le Shabak de les avoir forcés à avouer. Dans *Nekouda*, le rabbin Haïm Navon se lance dans la défense des services de sécurité : « *Trois secondes après l'arrestation des suspects, des cris ont retenti. Miséricorde juive ! Le Shabak diffame et torture ! De quoi s'agit-il ? […] Un des accusés s'est plaint au tribunal qu'on l'avait réveillé la nuit pour lui lire le supplément littéraire du quotidien* Haaretz. *J'espère que Barghouti est interrogé avec moins de douceur ! […]*

Si quelqu'un parmi nous pense que faire sauter une école arabe ne mérite pas une enquête sérieuse, c'est que nous avons un vrai problème. Mais il s'avère, malheureusement, que certains le pensent. Moshé Feiglin écrit : "C'est un mensonge que de parler d'Arabes innocents en Israël. Il n'y a pas d'Arabes innocents en temps de guerre, ni dans les hôpitaux, ni dans les écoles. […]" » Navon récuse cet argument du tout au tout : « *dire qu'il n'y a pas d'Arabes innocents est une abomination morale. Ce faisant, [Moshé Feiglin] commet deux erreurs. La première est qu'il y a évidemment des Arabes innocents, et lorsqu'il affirme qu'il n'y a pas d'innocents dans les hôpitaux, vise-t-il les nourrissons âgés de deux jours ? Un tel enfant n'a jamais commis de crime. En fait, Feiglin veut dire qu'il y a bien des Arabes innocents mais qu'il est permis de leur porter atteinte en raison des actes commis par leur nation et leurs dirigeants. Il serait donc permis de tuer des innocents pour les punir des crimes commis par leur peuple. Mais cela aussi est interdit pour des raisons morales* ». Et Navon de citer le rabbin Shlomo Goren : « *Nous devons épargner également l'ennemi. Ne pas tuer en temps de guerre, et le faire uniquement en situation d'autodéfense ou en vue d'avancer vers la victoire. [En tout état de cause], il est interdit de porter atteinte à la population non combattante, et, bien entendu aux femmes et aux enfants qui ne participent pas à la guerre* » et Navon de souligner que pourtant, « *le rabbin Goren n'était pas un gauchiste. Au contraire, il était très à droite ! […]*[1] ».

La communauté internationale veut deux États

La coalition gouvernementale a fini par éclater en raison des problèmes budgétaires, et, le 28 janvier 2003, les Israéliens sont retournés aux urnes. La loi électorale a été modifiée et l'on en est revenu à l'ancienne formule de la proportionnelle intégrale. Le Likoud, sous la direction d'Ariel Sharon, double sa représentation à la Knesset et recueille trente-huit députés. La gauche est en perte de vitesse. Les

1. *Nekouda*, n° 253, juillet 2002.

travaillistes, conduits par Amram Mitzna, un ancien général qui propose un retrait unilatéral de Gaza et de certains secteurs de Cisjordanie, n'obtiennent que dix-neuf sièges et passent à l'opposition.

Sharon forme le nouveau gouvernement. Il accorde le portefeuille des Finances à Benjamin Netanyahu, avec pour mission de répondre à la crise économique. Le pays est en pleine récession. Il faut donc mettre en place un budget d'austérité dure. Pour réduire les déficits, une réduction des dépenses est nécessaire. Netanyahu introduit une politique ultralibérale de coupes sombres dans les aides sociales. Le chômage frappe plus de 10 % de la population active. Sharon soutiendra son grand argentier en dépit des grèves, de l'agitation sociale et des manifestations de mères célibataires qui ont perdu une partie de leurs allocations sociales…

Alors qu'attentats-suicides palestiniens et opérations de représailles israéliennes se succèdent, la communauté internationale décide d'intervenir. Dans le cadre d'un « quartet », les représentants des États-Unis, de la Russie, de l'Europe et des Nations unies ont fini par se mettre d'accord sur une « feuille de route » susceptible de mener à un règlement du conflit israélo-palestinien. Le texte est remis à Yasser Arafat et à Ariel Sharon le 30 avril 2003.

Extraits : « […] *Un règlement du conflit israélo-palestinien prévoyant deux États ne verra le jour que lorsque la violence et le terrorisme auront pris fin ; que le peuple palestinien aura des dirigeants qui agiront de façon décisive contre le terrorisme et auront la volonté et la capacité de construire une véritable démocratie fondée sur la tolérance et la liberté ; qu'Israël se montrera prêt à faire ce que nécessite l'instauration d'un État palestinien démocratique et que les deux parties accepteront clairement et sans ambiguïté l'objectif d'un règlement négocié, tel qu'il est décrit ci-dessous. Le quartet facilitera la mise en œuvre du plan, en commençant par la phase I, y compris les discussions directes entre les parties lorsqu'il y a lieu. Le plan établit un calendrier de mise en œuvre réaliste. Toutefois, étant donné qu'il est axé sur les résultats, la réalisation de progrès exigera que les parties agissent de bonne foi et respectent chacune des obligations énoncées ci-dessous. Si les parties s'acquittent de leurs obligations rapidement, il se peut que les progrès prévus à chaque phase et le passage de l'une à l'autre soient plus rapides que prévu dans le plan. Le non-respect de ces obligations entravera le progrès.*

Un règlement, négocié entre les parties, conduira à la création d'un État palestinien indépendant, démocratique et viable vivant côte à côte avec Israël et ses autres voisins dans la paix et la sécurité. Il mettra fin au conflit israélo-palestinien et à l'occupation qui a commencé en 1967, en s'appuyant sur les résultats de la conférence de Madrid, le principe « la terre contre la paix », les résolutions 242 (1967), 338 (1973) et 1397 (2002) du Conseil de sécurité des Nations unies, les accords précédemment conclus par les parties et l'initiative du Prince héritier Abdallah d'Arabie saoudite – approuvée par le Sommet des États membres de la Ligue arabe réuni à Beyrouth, laquelle demande qu'Israël soit accepté en tant que pays voisin vivant dans la paix et la sécurité, dans le cadre d'un règlement global. Cette initiative est un élément crucial des efforts accomplis au plan international pour promouvoir une paix globale sur tous les volets, y compris le volet israélo-syrien et le volet israélo-libanais. [...]

Phase I : Fin du terrorisme et de la violence, normalisation de la vie des Palestiniens et mise en place des institutions palestiniennes – d'ici à mai 2003.

Pendant la phase I, les Palestiniens entreprennent immédiatement de mettre fin, sans conditions, à la violence, conformément aux mesures indiquées ci-dessous ; cette action doit s'accompagner de mesures de soutien de la part d'Israël. Les Palestiniens et les Israéliens reprennent leur coopération en matière de sécurité [...], afin de mettre fin à la violence, au terrorisme et à l'incitation à de tels actes en restructurant les services de sécurité palestiniens et en les rendant efficaces. Les Palestiniens entreprennent une réforme politique d'ensemble en prévision de la création d'un État, notamment en élaborant une constitution palestinienne et en organisant des élections libres, régulières et ouvertes à tous sur la base des mesures indiquées. Israël prend toutes les dispositions nécessaires pour aider à normaliser la vie des Palestiniens. Il se retire des territoires palestiniens qu'il occupe depuis le 28 septembre 2000, et les deux parties en reviennent au statu quo *qui existait avant cette date, au fur et à mesure du rétablissement de la sécurité et de la coopération. En outre, Israël gèle toutes les activités d'implantation de colonies […].* »

Yasser Arafat, dans son QG de la Mouqata, fait grise mine. Le Quartet l'oblige à nommer Mahmoud Abbas Premier ministre et à lui remettre certains de ses pouvoirs. Ariel Sharon, lui aussi, a des réserves sur ce texte. Son gouvernement n'exige pas moins de quatorze amendements ! Finalement, les Israéliens, parfaitement conscients que l'Autorité palestinienne n'a pas les moyens d'affronter les organisations islamistes et d'éradiquer le terrorisme, approuvent la feuille de route telle quelle. Mais elle ne sera jamais appliquée.

LES JUIFS DOIVENT POUVOIR SE RENDRE SUR LE MONT DU TEMPLE

Le 9 mai 2003, le conseil des rabbins de Cisjordanie et de Gaza publie une décision halakhique, qui va à l'encontre de l'interdit décrété par le grand rabbinat. Non seulement il est permis de se rendre sur le mont du Temple, mais c'est à présent une prescription religieuse que de visiter ce lieu saint. « *En n'effectuant pas l'ascension sur le mont, nous déclarons au monde que nous n'avons pas de lien avec la montagne de Dieu et renforçons le sentiment des Arabes que le mont leur appartient. […]*

Nous lançons donc un appel à tous les rabbins en accord avec nous pour qu'ils visitent le mont du Temple et guident leurs fidèles pour qu'ils agissent en accord avec la Halakha. Nous considérons comme honteux le fait que les Arabes […] se rendent sur le site par dizaines de milliers alors qu'un Juif peut tout juste y pénétrer. […] » Les rabbins rappellent qu'avant de se rendre sur l'esplanade, il faut se purifier dans un bain rituel, ne pas porter de chaussures en cuir et savoir avec précision où se trouve le secteur interdit. Ils remercient Tzahi Hanegbi, le ministre de la Sécurité publique, pour ses efforts destinés à permettre aux Juifs d'accéder au lieu saint[1].

1. Arutz 7, 9 mai 2003.

Le Haram al-Sharif était fermé aux visiteurs depuis la visite de Sharon le 28 septembre 2000. Progressivement la police, en coordination avec le Waqf, a d'abord dépêché certains de ses agents, habillés en civil, sur l'esplanade. Puis des groupes de touristes étrangers ont été autorisés à effectuer la visite, puis des Israéliens non religieux, et enfin des Juifs portant la kippa.

En juillet, les statistiques indiquent que la population des colonies a augmenté de cinq mille habitants depuis le début de l'année et atteint désormais deux cent trente et une mille personnes[1].

En septembre, Yarden Morag, Shlomo Dvir et Ofer Gamliel, du réseau terroriste de Bat Ayin, sont condamnés à des peines de huit à quinze ans de prison. Yossef Ben Dror et Noam Federman sont acquittés faute de preuves suffisantes.

Le retrait de Gaza pour geler le processus de paix

Un soir d'octobre 2003, au cours d'une discussion dans la salle à manger de la ferme familiale, Gilead Sharon s'adresse à son père : « *Je ne comprends pas ta position au sujet de Gaza. Elle n'est pas claire. La vie, là-bas, est impossible. La réalité quotidienne y est insupportable. Le terrorisme est permanent. Des roquettes, des obus de mortier, des charges explosives, des embuscades. Il y a de nombreuses victimes parmi les habitants des implantations, y compris des femmes et des enfants, également chez les soldats. [...] À long terme, ou bien nous ne serons plus à Gaza, ou bien ce sont eux qui n'y seront plus. [...] Puisque nous n'avons pas d'interlocuteurs de l'autre côté et que les accords ne sont pas appliqués – et ne le seront pas – [...], nous devons envisager une opération unilatérale de notre part, afin d'améliorer notre situation sans tenir compte de l'attitude des Palestiniens [...]*[2]. »

1. http://www.fmep.org/reports/archive/vol.-13/no.-4/the-route-to-settlement-expansion-2014-11-000-new-units-planned
2. Gilead Sharon, *Hayav shel manhig*, Tel-Aviv, Mabat, 2011, p. 488.

L'idée d'un retrait de Gaza serait essentiellement destinée à réduire les pertes israéliennes et à s'attirer le soutien de l'opinion israélienne – qui déteste Gaza.

Sans compter que la perspective d'un accord avec l'OLP semble s'éloigner. Mahmoud Abbas a démissionné de son poste de Premier ministre, certes sous la pression d'Arafat, mais également parce qu'il n'a reçu aucun soutien de la communauté internationale et d'Israël. Certains commentateurs inscrivent la décision de retrait dans un contexte plus large : détourner l'attention de l'agitation sociale due à la crise économique et des scandales. Ariel Sharon et ses deux fils, Omri et Gilead, sont alors soupçonnés d'avoir trempé dans diverses affaires de corruption et sont sous le coup d'enquêtes judiciaires. Une initiative de retrait unilatéral de Gaza, avec l'évacuation des colonies, brouillerait les cartes.

Dov Weissglass, l'avocat et conseiller du Premier ministre, a donné une toute autre explication dans *Haaretz*, le 8 octobre 2004 : « *Arik [Sharon] a compris que du côté des Palestiniens, la majorité ne contrôlait pas la minorité [...]. Il a compris que le terrorisme palestinien n'était pas entièrement nationaliste mais religieux. [...] Arik ne considère pas Gaza comme une région d'intérêt national, au contraire de la Judée-Samarie. [...] Le [retrait] signifie le gel du processus politique. Et, lorsque vous gelez ce processus, vous empêchez la création d'un État palestinien et toute discussion sur les réfugiés, sur les frontières et sur Jérusalem. Ce paquet intitulé "État palestinien", avec tout ce que cela signifie, est définitivement retiré de l'agenda. Et cela, avec la bénédiction présidentielle [américaine] et la ratification du Congrès. Que peut-on donner de plus aux habitants des implantations [...] ? Par ailleurs, nous avons entretenu le monde entier dans l'idée qu'il n'y a pas d'interlocuteur palestinien à qui parler. Et cette idée, selon laquelle il n'y a personne à qui parler, a été validée par tous. Or, tant qu'il n'y a pas quelqu'un à qui parler, le* statu quo *géographique demeure intact. On en reparlera quand les choses auront changé, c'est-à-dire lorsque la Palestine sera devenue la Finlande*[1]. »

1. *Haaretz*, 8 octobre 2004. Face au tollé suscité par ces déclarations, Dou Weissglass publiera un démenti.

En d'autres termes, le retrait de Gaza a pour but de torpiller la feuille de route du Quartet.

Ariel Sharon subit, dans l'autre sens, la pression de la gauche anti-annexionniste. Yossi Beilin, l'ancien ministre de la Justice du gouvernement Barak, l'un des artisans des accords d'Oslo, a, en compagnie de Yasser Abed Rabbo à Washington, un proche d'Arafat qui est membre du cabinet palestinien, négocié depuis deux ans un projet d'accord intitulé « Initiative de Genève » en hommage à l'aide qui leur a été fournie par le gouvernement suisse. Avraham Burg, l'ancien président de la Knesset, le général Amnon Lipkin-Shahak, ex-chef d'état-major, l'écrivain Amos Oz participent aux ultimes négociations, aux côtés de Nabil Kassis et de Hicham Abdel Razek, qui furent ministres du gouvernement palestinien.

Le texte, très détaillé, prévoit l'évacuation par Israël de 98 % de la Cisjordanie et de la plupart des colonies. Tous les quartiers arabes de Jérusalem-Est ainsi que l'esplanade des Mosquées seraient placés sous souveraineté palestinienne.

La présentation officielle du projet a lieu le 1er décembre 2003, à Genève. Colin Powell, le secrétaire d'État américain, passe outre aux critiques des organisations pro-israéliennes parties en guerre contre cette initiative de paix et annonce qu'il va recevoir Beilin et Abed Rabbo à Washington. Ariel Sharon est furieux. Il parle de *« couteau dans le dos, d'erreur historique la plus grave depuis Oslo »*. De son côté, la présidence du conseil à Jérusalem qualifie l'accord d'« acte irresponsable qui porte atteinte à Israël ». Ehoud Barak, l'ancien chef de gouvernement, condamne lui aussi, en affirmant : *« C'est une manœuvre commanditée par Arafat ! »*

En septembre, lorsque les responsables de l'initiative de Genève feront distribuer leur texte dans tous les foyers israéliens, certains rabbins en organiseront l'autodafé. Le rabbin David Druckman, de Kyriat Malakhi, près de Haïfa, déclarera ainsi que ces fascicules doivent être brûlés car, dit-il, l'initiative de Genève *« a le soutien des antisémites du monde [entier] »*. Le porte-parole du mouvement Habad conseille à ses fidèles de le jeter directement à la poubelle. Nathan Sharansky, l'ex refusenik, membre du Likoud et ministre des affaires de la Diaspora, réagit en publiant une tribune dans Haaretz, le 16 octobre. Elle est intitulée : « Le mont du Temple est plus important que la paix ». Extraits : « *Beilin et son gang méprisent toutes les valeurs à l'exception d'une seule : la paix. [...] Nous n'avons pas besoin d'être religieux pour réaliser qu'en renonçant au mont du Temple, nous renoncerions, non seulement à notre passé mais, surtout à notre avenir à nous tous, ici. [...]* » Selon un sondage publié par *Yediot Aharonot*, en octobre, seules 39 % des personnes interrogées se disent en faveur d'un tel accord, 70 % estimant que la gauche ne devrait pas négocier sans le feu vert du gouvernement.

Les Israéliens ont un autre centre d'intérêt : le retrait annoncé de Gaza. Les premiers sondages montrent que l'opinion israélienne soutient l'initiative de Sharon. En février 2004, 62 % des Israéliens juifs interrogés se disent favorables, 28 % hostiles. 60 % sont en faveur de l'évacuation des colonies de Gaza, 32 % contre. En décembre 2003, 80 % se disaient pour l'évacuation de colonies dans le cadre d'un accord de paix. 64 % soutenaient le principe de l'évacuation des petites colonies isolées, 27 % s'y opposaient. Mais 60 % étaient hostiles à l'évacuation de l'ensemble des colonies[1].

Le ton de Sharon a changé. Souffrant, il n'a pas pu prononcer le discours traditionnel devant la tombe de David Ben Gourion à Sde Boker, dans le Néguev. Ehoud Olmert, qui a quitté son poste de maire de Jérusalem pour devenir vice-Premier ministre et détenteur du portefeuille du Commerce et de l'Industrie, le remplace. Les personnalités qui assistent à la cérémonie sont abasourdies. Olmert déclare en effet : « *La grandeur de Ben Gourion fut sa capacité à se limiter à ce qui était possible dans les circonstances de l'époque. Il avait déclaré : "Supposons que, militairement, nous puissions conquérir l'ensemble de la Terre d'Israël occidentale [la Cisjordanie], qu'arriverait-il alors ? Nous formerions un seul État, qui devrait être démocratique. Aux premières élections nous serions minoritaires. Donc, lorsque la question s'est posée, nous avons choisi [de construire] un État juif [sur une partie] de la Terre d'Israël."* »

1. http://www.peaceindex.org/indexMonthEng.aspx?num=70&monthname=February

Olmert, qui avait toujours soutenu la colonisation et voté contre les accords de Camp David conclus entre Menahem Begin et Anouar el-Sadate, vient d'opérer un virage idéologique à 180 degrés. Il deviendra un chaud partisan d'un accord avec l'OLP et, dans une interview à *Yediot Aharonot*, déclarera même : « *Nous nous approchons du jour où les Palestiniens seront majoritaires et renonceront à leur État pour réclamer le droit de vote en Israël. Je suis partisan d'un État qui comprendrait 80 % de Juifs et 20 % d'Arabes, et dont les frontières ne seront pas celles de la Terre d'Israël comme je le souhaitais jusqu'à présent*[1]. »

Sharon dévoile son projet le 18 décembre. À la conférence sur la sécurité de Herzliya, il annonce : « *Le désengagement comprendra le redéploiement de forces de Tsahal sur de nouvelles lignes et un changement [d'optique] dans le déploiement des implantations, afin de réduire le plus possible le nombre d'Israéliens [isolés] au cœur de la population arabe. [...] Je voudrais répéter ce que j'ai dit par le passé : dans le cadre d'un accord futur, Israël ne restera pas partout où il se trouve aujourd'hui. La délocalisation des implantations sera effectuée dans la perspective de tracer une ligne de sécurité la plus efficace possible. [...] Les implantations concernées seront celles qui ne seront pas incluses dans le territoire de l'État d'Israël dans le cadre d'un accord permanent. Simultanément, Israël renforcera son contrôle sur ces secteurs de la Terre d'Israël qui constitueront une partie inséparable de l'État d'Israël dans tout accord futur. Je sais, vous voudriez entendre des noms [ceux des colonies qui seront délocalisées], mais laissons cela pour plus tard. [...]*[2] »

Sharon est plus sérieux qu'on ne croit

L'opposition de gauche accueille le discours de Sharon avec scepticisme. Au cours des années écoulées, il a fait de nombreuses promesses mais les a rarement tenues. Pérès

1. Charles Enderlin *Les Années perdues, op. cit.*, p. 276-277.
2. http://www.mfa.gov.il/MFA/Government/Speeches+by+Israeli+leaders/2003/Address+by+PM+Ariel+Sharon+at+the+Fourth+Herzliya.htm

considère qu'il s'agit, en l'occurrence, de paroles vides de sens. Certains dirigeants du mouvement de colonisation veulent croire qu'il n'y a pas de quoi sonner le tocsin. Depuis l'arrivée au pouvoir de Sharon en 2001, et jusqu'en janvier 2004, la population des colonies a d'ailleurs augmenté de 16 %. Toutefois, le conseil des implantations de Cisjordanie et de Gaza s'inquiète, et décide d'envoyer un émissaire à la présidence du conseil afin d'en avoir le cœur net.

Zeev Hever, surnommé Zambish, l'un des principaux responsables de la construction dans les colonies et proche du Premier ministre, est chargé de cette mission. Il reviendra sans avoir pu le rencontrer.

Le 11 janvier, place Rabin à Tel-Aviv, cent vingt mille manifestants clament leur refus du plan de Sharon. Effy Eytam, ministre du Logement et membre du parti national religieux, accuse le Premier ministre de faiblesse : « *Sur le champ de bataille, dit-il, il n'y a pas de désengagement, on ne s'enfuit pas !* » Aryeh Eldad, du parti d'extrême droite L'Union nationale, qualifie l'initiative de Sharon de « Plan de suicide national ». Au même moment, à Jérusalem, Sharon déclare à la presse étrangère : « *Ce ne sont pas les manifestants qui prennent les décisions mais le gouvernement, mon gouvernement ! [...] Je comprends leurs craintes, mais je suis convaincu que si nous voulons faire la paix, Israël ne pourra pas conserver toutes les implantations, là où elles se trouvent aujourd'hui.* »

Le 2 février, Sharon franchit le pas. Dans une interview au quotidien *Haaretz*, il annonce qu'il a donné « *l'ordre de préparer l'évacuation de dix-sept implantations dans la bande de Gaza. J'agis en vertu de l'hypothèse qu'à l'avenir, il n'y aura plus de Juifs dans ce territoire. [...] Ce plan devra être mis en œuvre avec l'accord et le soutien des Américains. [...] nous parlons d'une population de sept mille cinq cents personnes, et ce n'est pas une simple affaire. Il s'agit de milliers de kilomètres carrés de serres et d'usines. La première chose à faire est de parvenir à un accord avec les habitants [...]*[1]. » Le Premier ministre mentionne à cette occasion quatre colonies « problématiques » en Cisjordanie. Au cours des discussions qu'il a menées avec l'administration Bush, les Américains ont

1. *Haaretz*, 2 février 2004.

fait valoir que, pour être crédible aux yeux de la communauté internationale, Israël devait également faire un geste en Cisjordanie. Évacuer quelques colonies isolées…

Le fait même d'avoir choisi *Haaretz,* autrement dit un organe de presse libéral, pour dévoiler les détails de son plan est considéré comme une véritable provocation par l'extrême droite et les colons. Déjà, au sein du Likoud, l'adoption de la feuille de route du Quartet par le gouvernement, prévoyant, on l'a vu, la création d'un État palestinien, avait eu du mal à passer. Mais dirigeants et militants s'étaient dit qu'il s'agissait d'une nouvelle promesse que Sharon ne tiendrait pas plus que les précédentes. Mais cette fois c'est sérieux. Le 30 mars, Ariel Sharon est hué par le comité central du Likoud lorsqu'il évoque son plan de désengagement.

Le 14 avril 2003, Sharon arrive à la Maison-Blanche pour s'entretenir avec George Bush. Le Premier ministre israélien a besoin de s'assurer du soutien du Président américain s'il veut pouvoir faire face à la révolte qui se développe au sein de son parti. Sharon repartira de Washington avec une lettre signée par le Président des États-Unis : « [...] *Dans le cadre d'un accord de paix définitif, Israël devra avoir des frontières sûres et reconnues, issues de négociations entre les parties, dans le cadre des résolutions 242 et 338 du Conseil de sécurité. À la lumière des nouvelles réalités sur le terrain, y compris d'importants centres de population israéliens, il n'est pas réaliste de considérer que les négociations sur le statut final déboucheront sur un retrait complet et total d'Israël sur les lignes d'armistice de 1949. Tous les efforts pour négocier une solution à deux États ont, dans le passé, abouti à la même conclusion. Il est réaliste de considérer que les négociations sur le statut final n'aboutiront que sur la base de changements mutuellement agréés et reflétant ces réalités.* » La missive stipule également que le problème des réfugiés palestiniens – le droit au retour – ne pourra être réglé que par leur installation dans un État palestinien après sa création, et non pas en Israël[1].

1. http://www.fmep.org/reports/archive/vol.-14/no.-3/bush-letter-to-sharon-recognizes-facts-on-the-ground

Sharon en proie aux fondamentalistes

Pour les militants du mouvement fondamentaliste messianique, rien n'y fait. Ils considèrent que Sharon leur a déclaré la guerre. Déjà, en décembre 2003, Ouri Elitzour a écrit : « *La question ne concerne pas Goush Katif [à Gaza] ou Ariel Sharon. Ce processus pourrait se poursuivre jusqu'à l'évacuation de toutes les implantations jusqu'à la dernière, et, à mesure qu'elles s'effectueraient, nous perdrions le soutien de l'opinion israélienne*[1]. » Ses craintes sont donc avérées. En avril 2004, il met à nouveau en garde : « *Les implantations en Judée-Samarie et à Gaza entament la grande bataille pour leur survie. Il y a un mois, le plan de désengagement de Sharon n'était qu'une idée vague qui ne recueillait l'adhésion ni du gouvernement, ni de la coalition parlementaire ou du Likoud. Aujourd'hui, il est beaucoup plus difficile de la torpiller. Elle gagne chaque jour en puissance*[2]. »

Elyakim Haetsni accuse bientôt Sharon de trahison. Le Premier ministre aurait « *inscrit au cadastre le cœur de la Terre d'Israël au nom du "Peuple palestinien" et liquidé la légitimité internationale de la lutte que mène Israël contre le terrorisme. Quel intérêt y a-t-il à tuer des terroristes dans le camp de réfugiés El Boureige [à Gaza] puisque l'endroit va leur être abandonné ? Sharon a l'intention de déraciner certaines implantations, et ainsi renforcer l'image de Croisés que les Arabes collent au sionisme. L'application de son plan signifie pour nous défaites militaire et politique dans le combat contre le terrorisme. Mais personne ne réagit, comme si l'on avait affaire au joueur de flûte d'Hamelin, à Shabtaï Zvi* [le prétendu Messie]. *Les gens, jusqu'aux meilleurs, le suivent jusqu'à se noyer dans la rivière. [...]*[3]. »

Sous la pression des responsables de son parti, Sharon décide d'organiser un référendum au sein du Likoud. Les sondages lui sont favorables, et il est persuadé qu'il devrait recueillir une majorité sans trop de problèmes grâce à l'appui de George Bush, les nouvelles prises de position américaines,

1. *Nekouda,* n° 267, décembre 2003.
2. *Nekouda,* n° 269, avril 2004.
3. *Ibid.*

et l'efficacité des opérations militaires qui se poursuivent alors contre le Hamas – le cheikh Ahmed Yassine a été tué par un tir de missile le 22 mars 2004. Abdel Aziz al-Rantisi, son successeur à la tête de l'organisation islamiste, a ensuite été tué dès le 17 avril...

Le vote a lieu le 2 mai. Plus de 190 000 inscrits au Likoud sont invités à venir voter. Mais le mouvement des implantations a fait une campagne systématique pour persuader les militants de se prononcer en faveur du non. Depuis des semaines, les colons sont mobilisés ; presque chaque électeur a été contacté.

En fin de matinée du 2 mai, Tali Hatuel, 34 ans, habitante de Goush Katif, va chercher ses quatre filles âgées de 2 à 11 ans à la sortie du jardin d'enfant et de l'école. Elle prend la route pour rejoindre Ashkelon où David, son mari, est posté devant un bureau de vote du Likoud. Près du barrage de Kissoufim, deux Palestiniens ouvrent le feu sur son véhicule. Ils abattent la mère et ses filles. Les meurtriers seront tués par une unité de l'armée quelques minutes plus tard. L'attentat est revendiqué par le Jihad islamique.

Le résultat du scrutin est publié dans la soirée. Le non l'emporte avec 59,5 % des voix. Seule la moitié des inscrits est allée voter.

Quelques jours plus tard, Ariel Sharon va présenter ses condoléances à David Hatuel. Il lui explique qu'il a l'intention d'appliquer le plan de désengagement en dépit du résultat du référendum.

L'opinion est massivement favorable au retrait de Gaza, où l'armée subit de plus en plus de pertes. Le 11 mai, six soldats sont tués à l'occasion d'une incursion. Les Palestiniens ont quatorze morts à déplorer. Le lendemain, on relève cinq morts israéliens à Rafah, deux le 13. Les Palestiniens ont treize tués. *Yediot Aharonot* publie un sondage le 14 : 71 % des personnes interrogées se disent favorables au plan de désengagement, 24 % hostiles. Le 15, cent cinquante mille personnes s'en viennent, place Rabin, manifester sous le slogan : « Sharon, ne renonce pas au retrait de Gaza ! » Le rassemblement est organisé par le parti travailliste, Meretz et l'Initiative de Genève. Shimon Pérès prend la parole à cette occasion et dit à la foule que sa présence ici est de bien plus grand poids que celle des militants du Likoud opposés au désengagement.

Sharon prépare une nouvelle mouture de son projet qu'il entend soumettre bientôt à son gouvernement. Problème : quatre ministres affiliés au Likoud sont disposés à voter contre. C'est que deux mille personnes, parmi les deux mille neuf cents membres du comité central du parti, ont signé une pétition demandant à leurs représentants de rejeter le retrait de Gaza. Les organisations de colons exercent également une intense pression, multipliant courriels et lettres aux membres du cabinet, qui font également l'objet d'appels personnels d'amis et de personnalités diverses.

Le 29 mai, le Premier ministre comprend qu'il ne réunira pas la majorité dans son parti, et reporte le vote du gouvernement à une date ultérieure. Puis il limoge deux ministres de l'Union nationale, le parti d'extrême droite, Avigdor Lieberman et Benny Eilon. Après d'ultimes pourparlers avec Benjamin Netanyahu et deux autres ministres du Likoud jusqu'alors dans l'opposition au retrait, moyennant aussi quelques modifications apportées au texte de la résolution, le plan est finalement adopté par quatorze voix pour… et sept contre. Dans ces conditions, dans la mesure où il ne peut pas compter sur le soutien de son propre parti, Sharon conclut un accord avec Shimon Pérès afin qu'il entre au gouvernement avec les travaillistes. Mais il est mis en minorité au comité central de son propre parti…

Appel à l'insubordination

Moshé Feiglin et son organisation, le Leadership juif, ont intégré le Likoud, dont ils représentent près de 20 % des effectifs, la plupart issus des colonies… Une initiative dont les conséquences sont examinées par Elyashiv Reichner, l'un des rédacteurs de *Nekouda* : « *Après le référendum, personne ne peut plus tourner en ridicule l'idée fondamentale de Feiglin, à savoir que l'endroit où sont prises les décisions importantes, c'est le Likoud. Des questions se posent toutefois : les "feiglinistes" ont-ils influencé le vote ? Est-il moral d'être membre d'un parti et de voter aux législatives pour une autre formation ? Le parti national religieux et l'Union nationale craignent-ils un transfert de voix vers le Likoud ? Les messages révolutionnaires du Leadership juif ne seraient-ils pas complètement étrangers à la majorité des militants du Likoud ?* »

Moti Karpel, l'associé de Feiglin et l'idéologue du mouvement, lui répond : « *Nous sommes à l'origine de l'agitation qui a poussé Sharon à accepter le principe du référendum. Nous avons rappelé aux députés et aux ministres affiliés au Likoud qu'il est une idéologie et certains principes qu'on ne peut rayer d'un trait de plume. […] Par notre entrée au Likoud nous traduisons en termes politiques les idées du Leadership juif. D'une part, il s'agit d'un parti populaire, le seul qui ne soit pas sectoriel et témoigne de l'équilibre parfait de ce qu'est le peuple d'Israël. D'autre part, il s'agit d'un mouvement qui, après un siècle de sionisme, n'a plus de contenu. Il a certes une orientation, mais ses forces agissent contre ses idéaux. Pour cette raison, le Likoud est naturellement susceptible d'accueillir un nouveau contenu qui renouvellerait son programme d'origine. Notre plateforme politique, que certains qualifient aujourd'hui d'"extrême droite" est, très fondamentalement, celle du Likoud. […] Nous finirons par faire adopter nos idées par [les instances du Likoud], mais cela prendra du temps. Pour l'heure, nous les diffusons avec modération, essentiellement afin de les mettre en débat. Nous ne nous faisons pas d'illusion, elles ne passeront pas au comité central, mais, si nous y recueillons le soutien de 20 ou 30 % de ses membres, cela signifiera que nous avons réussi*[1]. »

Ouri Ariel, député de l'Union nationale, et Effy Eytam, ministre affilié au parti national religieux, rejettent les affirmations de Moti Karpel en affirmant que le rôle joué par le Leadership juif dans le référendum du Likoud a été infime.

De fait, le mouvement fondamentaliste messianique commence à réaliser qu'il risque de perdre la partie et envisage de prendre diverses mesures. Ouri Elitzour, le rédacteur en chef de *Nekouda* et ex-chef de cabinet de Benjamin Netanyahu lorsqu'il était Premier ministre, déclare, le

1. *Nekouda*, n° 271, juin 2004.

17 juin 2004, à *Sheva*, un organe nationaliste religieux : « *Le déracinement de localités juives est une chose choquante et illégale. Cela justifie l'insubordination et [la résistance par] la violence sans utiliser les armes. Cela, quelle que soit la manière dont une personne défendra sa maison. Celui qui exécutera l'ordre d'évacuation devrait être traduit en justice. [...] À mes yeux, il n'est pas illogique que cela finisse par une effusion de sang. Toute population, dans le monde, agirait de cette manière. Je ferai preuve de compréhension envers celui qui blessera ceux qui viendront l'évacuer*[1]. »

Plusieurs députés de gauche demandent alors au conseiller juridique du gouvernement de traduire Elitzour en justice. Ils ne seront pas suivis. Bentzion Liebermann, le président du conseil des implantations de Cisjordanie, réagit lui aussi : « *Expulser des Juifs de leur demeure est un crime historique et moral, mais refuser un ordre menace l'existence même de l'État d'Israël*[2]. »

Le conseil des rabbins des colonies de Cisjordanie a publié, quelques jours plus tôt, sa décision : « *Aucune personne, aucun citoyen, officier de police ou soldat, n'est autorisé à participer à l'évacuation d'implantations.* » Avraham Shapira, l'ancien grand rabbin d'Israël et directeur de la yeshiva Merkaz ha Rav, va plus loin. Dans un « jugement » diffusé par les médias, il déclare : « *Il est clair et évident que, selon la Torah, c'est un crime et un péché que de transférer des parties de notre Terre sainte à des non-Juifs, y compris des parties de Goush Katif. En conséquence, toute pensée, idée, décision ou action quelle qu'elle soit visant à évacuer Goush Katif [...] est contraire à la Halakha. Rien ne doit être fait pour participer à l'expulsion des habitants de leurs maisons. Tout doit être fait pour l'interdire*[3]. »

1. http://news.walla.co.il/?w=/9/558143
2. *Jewish Journal*, 1 juillet 2004.
3. *Ibid.*

Le complexe messianique selon Sharon

Le 25 juillet 2004, le mouvement contre le retrait organise une chaîne humaine entre le barrage d'Erez, à l'entrée de Gaza, et le Mur occidental dans la vieille ville de Jérusalem. Sur une distance de quatre-vingt-dix kilomètres, donc ! Des dizaines de milliers de colons et de sympathisants se donnent la main. Ils sont vêtus de T-shirts orange, la couleur choisie pour marquer le soutien à Goush Katif.

La droite nationaliste n'est pas en reste. Le 9 septembre, plusieurs quotidiens publient une pétition où l'on relève parmi les signataires les noms de plusieurs membres de la famille Netanyahu – Benzion, le père du ministre des Finances, et Hagaï Ben Artzi, son beau-frère . « *Face à l'intention du gouvernement Sharon de détruire plusieurs implantations en Terre d'Israël et de les remettre aux mains de l'ennemi, nous déclarons que déraciner leurs habitants est un crime national, un crime contre l'humanité, l'expression d'une tyrannie du mal et d'un arbitraire destiné à priver les Juifs de leurs droits. Nous affirmons que l'Armée de défense d'Israël a pour mission de protéger le pays et non d'agir contre des citoyens juifs. [...] En conséquence, nous demandons aux fonctionnaires à qui on a donné l'ordre de préparer cette épuration ethnique de Juifs de leur patrie, et à tous, officiers, soldats et policiers, d'écouter la voix de leur conscience et de ne pas participer à des actes qui les souilleraient et qu'ils regretteraient le reste de leur existence. Nous demandons aux habitants des implantations qui doivent être évacuées de ne pas coopérer avec la machine à expulser, de ne pas accepter de compensation financière, et de résister au retrait sans porter atteinte à [l'intégrité physique de] ceux qui viendront pour en assurer la bonne exécution*[1]. »

Le 25 octobre 2004, la Knesset entame un long débat sur le projet de loi. Ariel Sharon prend la parole : « *[...] On m'accuse de tromper le peuple et les électeurs parce que je prends des mesures en totale opposition avec ce que j'ai fait ou déclaré dans le passé. Ceci est une accusation fallacieuse. Pendant la campagne*

1. *Jerusalem Post*, 9 septembre 2004.

électorale et en qualité de Premier ministre, j'ai constamment et publiquement déclaré que je suis en faveur de la création d'un État palestinien aux côtés de l'État d'Israël. J'ai répété que j'étais disposé à faire des concessions douloureuses pour mettre un terme à ce conflit […] et que je ferai tout mon possible pour parvenir à la paix. […] je voudrais rappeler qu'il y a de nombreuses années, en 1988, au cours d'une rencontre avec le Premier ministre Yitzhak Shamir et ses ministres du Likoud, j'ai dit qu'à mon avis, si nous ne voulions pas être ramenés sur les lignes de 1967, le territoire devrait être divisé. […] Je voudrais terminer en citant le Premier ministre Menahem Begin qui, fin décembre 1977, a déclaré devant ce parlement : "D'où vient ce langage irresponsable ?" J'ai déclaré au cours d'une discussion avec des militants de Goush Emounim que je les aimais, et continuerai à les aimer demain. Je leur ai dit : Vous êtes de formidables pionniers, bâtisseurs de la terre, travaillant le sol nu, sous la pluie et en hiver, face à toutes les difficultés. Mais vous avez une faiblesse : vous souffrez d'un complexe messianique !

Vous devez garder en mémoire qu'il fut un temps, avant votre naissance […] où d'autres ont risqué leurs vies nuit et jour, fait des sacrifices et accompli leur devoir sans l'ombre d'un complexe messianique. Et je vous demande, mes bons amis de Goush Emounim, d'accomplir vos tâches avec autant de modestie que vos prédécesseurs. Nous n'avons pas besoin de superviseur de la cacherout de notre engagement envers la Terre d'Israël. Nous avons dédié notre vie au combat pour sa libération et nous avons bien l'intention de continuer. » Et Ariel Sharon de lancer un appel à l'unité de la nation pour que tous « *rejettent la haine fratricide* » parce que « *nous avons déjà payé un prix insupportable au fanatisme meurtrier*[1] ».

Des milliers de colons et des militants de droite manifestent devant la Knesset. À l'intérieur du Parlement, des dirigeants du mouvement de colonisation tentent de persuader les députés hésitants de refuser le retrait de Gaza.

Le vote a lieu le lendemain. Le plan de désengagement

1. http://www.mfa.gov.il/MFA/Government/Speeches+by+Israeli+leaders/2004/PM+Sharon+Knesset+speech+-+Vote+on+Disengagement+Plan+25-Oct-2004.htm

est entériné par soixante-sept voix, grâce à la mobilisation des travaillistes et de la gauche sioniste. La droite, divisée, ne parvient à réunir que quarante-sept voix contre le désengagement. Plusieurs ministres affiliés au Likoud, parmi lesquels Tzahi Hanegbi, avaient l'intention de voter contre, mais se sont finalement ravisés. Il faut dire que Sharon avait annoncé qu'il limogerait tout membre de son gouvernement qui ne respecterait pas la discipline de vote... Seuls Ouzi Landau, ministre sans portefeuille, et Michael Ratzon, vice-ministre, tous deux membres du parti au pouvoir, devront restituer leurs portefeuilles.

150 CONTRE 70

Le sionisme religieux est profondément divisé. Cent cinquante rabbins s'associent à l'appel à l'insubordination lancé par Avraham Shapira. On trouve parmi eux les plus militants du mouvement fondamentaliste messianique. Dov Lior, de Kyriat Arba, Zalman Melamed, de Beit El, Elyakim Levanon, d'Eilon Moreh, Daniel Shilo, de Kadoumim, Moshé Levinger, d'Hébron, Eliezer Waldman, de Kyriat Arba. Le rabbin Froman, de Tekoa, partisan d'une entente israélo-palestinienne sans évacuation de colonies, les a rejoints. Les rabbins du mouvement Habad ont fini par prendre position : *« Il est interdit d'apporter une aide quelconque à ce désengagement, qui met en danger la sécurité de millions de Juifs vivant sur notre sainte terre. »*

Le rabbin Zvi Tau, de la yeshiva Har Hamor, ne s'associe pas, quant à lui, à l'appel d'Avraham Shapira, son rival de Merkaz Ha Rav, mais se prononce toutefois en faveur d'une *« insubordination individuelle »* : *« Si un soldat religieux participait à l'expulsion de Juifs de leurs terres, ou y contribuait indirectement [...] cela signifierait que nous avons échoué dans l'éducation de nos étudiants qui font leur service militaire. »* Le rabbin Shlomo Aviner, de Beit El et de la yeshiva Ateret Cohanim, s'il qualifie l'ordre d'évacuation de « folie et de crime contre l'humanité », n'en estime pas moins qu'un soldat doit obéir aux ordres car cette *« horreur n'est pas de la responsabilité du soldat lui-même mais du gouvernement »*. Il suggère aux militaires religieux d'obéir, « mais sans motivation ».

Soixante-dix rabbins seulement prennent position contre toute forme d'insubordination. Ils appartiennent, pour la plupart d'entre eux, au mouvement Meimad, fondé par le rabbin Yehouda Amital, et à des kibboutzim religieux : *« Nous considérons l'unité de Tsahal comme une valeur nationale et morale. Bien que, parmi nous, certains considèrent le retrait de Gaza comme une faute grave et dangereuse, nous nous opposons avec force à tout appel à l'insubordination, même dans l'hypothèse où le plan de désengagement serait vraiment appliqué. Nous lançons un appel à la reconnaissance de l'autorité du gouvernement et de la Knesset en matière de décisions politiques et militaires, et demandons au gouvernement ainsi qu'aux dirigeants politiques d'œuvrer à l'unité d'Israël, dans le respect mutuel. »* Les principaux signataires du texte sont les rabbins Yehouda Amital, Yoël Bin Noun, Youval Sherlo et Benny Lau, le neveu du grand rabbin Meir Lau[1].

Début janvier 2005, trente-quatre officiers de réserve, et parmi eux deux lieutenants-colonels, chefs de bataillons, adressent une lettre à leur commandant de brigade, annonçant qu'ils refuseront de participer à l'évacuation de Goush Katif : *« Nous considérons l'ordre d'exécuter le plan de désengagement comme illégal [...] auquel aucun militaire ne doit obéir selon les lois de l'État et le règlement de l'armée. [...] Nous demandons à la hiérarchie de ne pas nous obliger à exécuter un ordre que notre foi et notre conscience nous interdisent d'exécuter. Nous sommes prêts à continuer à servir en réserve autant que nécessaire pour des missions de défense de l'État et de guerre contre l'ennemi. »*

Les signataires sont presque tous des colons. Ils appartiennent à la brigade territoriale déployée dans le secteur de Ramallah[2]. Seuls certains d'entre eux seront limogés.

---

1. http://www.nrg.co.il/online/1/ART/804/492.html
2. http://www.ynet.co.il/articles/0,7340,L-3029433,00.html

CHAPITRE 8

Une marche irrésistible vers le pouvoir

Le mouvement fondamentaliste messianique fait un bond en avant en se dotant d'une instance supérieure, spirituelle et législative. Soixante et onze rabbins proclament, en effet, le 13 octobre 2004 à Tibériade, la création du nouveau Sanhédrin, le tribunal suprême du peuple juif. Selon la Bible, cette institution créée par Moïse après la sortie d'Égypte avait existé jusqu'en 429 de l'ère chrétienne, lorsqu'un empereur romain avait décidé sa dissolution. Au XVIe siècle, également à Tibériade, le rabbin Joseph Ephraïm Karo, l'auteur du Shoulhan Aroukh, le code de la loi juive, avait tenté de la ressusciter, mais sans succès.

Les juges de l'époque moderne ont été choisis après, dit-on, consultation de centaines de rabbins israéliens. Même le rabbin Ovadia Yossef, le guide spirituel du parti Shass, aurait donné son feu vert. Parmi les participants, on relève les noms des rabbins Israël Ariel, de l'Institut du Temple, Yehouda Edri, le directeur du système d'éducation du parti séfarade orthodoxe Shass, Dov Lior, de Kyriat Arba, Nahman Kahana, le frère du défunt Meir Kahana, Yossef Dayan, ex-membre du mouvement Kach. Selon ses collègues, ce dernier serait un descendant direct du roi David, et le candidat rêvé pour devenir le prochain roi d'Israël. Il est le fondateur de Malkhout Israël, un mouvement qui prône l'instauration d'une monarchie[1]. Dayan s'était fait remarquer en proposant, à l'époque, de lancer une malédiction à l'encontre d'Ariel

1. *Jerusalem Post,* 12 janvier 2005.

Sharon. Pour éviter les pressions, les noms de la plupart des autres membres du Sanhédrin ne sont pas divulgués. Toutefois, un site internet lui est consacré[1].

Réunis à nouveau en janvier 2005 à Jérusalem, ces juges ont dressé une première liste des problèmes à résoudre. En voici quelques-uns : uniformiser les règles de la cacherout ; déterminer l'endroit exact où se trouvait l'autel sur le mont du Temple ; retrouver les descendants des tribus d'Israël éparpillés de par le monde ; restaurer la monarchie davidique ; établir un nouveau code éthique juif pour l'armée pour le substituer au texte en vigueur, fondé sur des sources séculaires, etc. Mais les juges n'examineront pas la question du retrait de Gaza, tous les rabbins présents étant opposés au désengagement. Or, pour que s'ouvre un vrai débat, il faudrait au moins que se manifeste un partisan de l'évacuation de Goush Katif[2].

Mahmoud Abbas a été élu président de l'OLP et de l'Autorité autonome après le décès de Yasser Arafat, le 11 novembre 2004 à Paris, et les pourparlers israélo-palestiniens ont repris. Les Américains demandent à Ariel Sharon d'appliquer la feuille de route. Il est donc censé geler la construction dans les implantations et ordonner le démantèlement des avant-postes construits sans autorisation gouvernementale en Cisjordanie. Ces même colonies sauvages dont il est le responsable, puisqu'il avait, en octobre 1998, lancé un appel aux jeunes des colonies pour qu'ils occupent les collines... Début juin 2004, il a remis aux Américains une liste de vingt-huit avant-postes en promettant de les faire évacuer. Et pour faire patienter l'administration Bush, il a confié à Talia Sasson, une juriste, ancienne responsable des services du procureur de l'État, la tâche de rédiger un rapport en bonne et due forme.

1. http://www.thesanhedrin.org
2. Arutz 7, 14 janvier 2005.

Construire en toute illégalité

Remis au gouvernement le 8 mars 2005, ce rapport constitue un véritable acte d'accusation contre les plus hautes autorités de l'État. Sasson a, en effet, inventorié cent cinq avant-postes non autorisés, mais s'est convaincue qu'il doit en exister bien davantage dans la mesure où les diverses administrations ne lui ont pas fourni toutes les informations réclamées[1]. Selon le rapport : *« vingt-six sont situés sur des terres domaniales, quinze sur des terrains appartenant à des Palestiniens, trente-neuf sur des terres en partie privées, en partie domaniales. [...] Depuis le jugement de la Haute Cour de justice en 1979, le gouvernement a décidé qu'une implantation ne pouvait être construite que sur des terres domaniales. Aucune colonie ne peut être construite sur des terres privées palestiniennes. Ce serait un délit et une atteinte au droit à la possession tel qu'il est défini par la loi constitutionnelle [israélienne]. La Cour ayant jugé que le commandant militaire devait protéger les droits fondamentaux des Palestiniens en Judée-Samarie et à Gaza. Cela implique de protéger le droit à la possession face au préjudice intolérable que représente l'installation d'un avant-poste sur une propriété privée palestinienne [...]. »*

Talia Sasson décrit la manière dont sont créées ces colonies sauvages, *« en contournant toutes les procédures, en violation de la loi, en présentant de faux arguments à certaines administrations, mais aussi avec la coopération d'autres autorités en violation flagrante des lois. Une manière de faire est de demander l'installation d'une antenne sur une colline, puis le branchement au réseau électrique. Une cabane est ensuite installée sur place. Puis, un jour, des caravanes arrivent sur le site. Et l'avant-poste voit le jour. L'autre méthode est de demander – mensongèrement – l'autorisation de construire une ferme agricole. Puis d'y amener des caravanes. Aussi, [les colons] réclament-ils le droit d'établir une institution éducative, que le "personnel enseignant" va finir par habiter. [...] Souvent, un avant-poste est construit à proximité d'une implantation*

1. Idith Zertal et Akiva Eldar en relèveront 125, dont 68 seulement sont habités. Idith Zertal et Akiva Eldar, *Adonei Haaretz*, *op. cit.*, p. 581-587.

autorisée déjà existante sous le prétexte qu'il s'agit d'un nouveau quartier. Les responsables du lieu réclament alors bientôt un budget pour [faire face à] cet accroissement de population. Par la suite, ils demanderont à être reconnus indépendamment de la colonie-mère et s'adresseront aux ministères de l'Intérieur, de la Construction et du Logement, de la Défense ainsi qu'au département de la colonisation du mouvement sioniste mondial. [...] » Ce dernier a répondu ainsi à Talia Sasson : *« A : Aucune autorisation politique n'est [en principe] nécessaire pour l'installation d'avant-postes. B : Quand cette autorisation était nécessaire, elle a été accordée. C : Les avant-postes ont été établis sans plan [d'urbanisation] valide, car c'est ainsi que les implantations sont construites en Israël. [...] L'assistant du ministre de la Défense chargé des implantations a envoyé des lettres au département de la colonisation du mouvement sioniste mondial confirmant que certains avant-postes non autorisés étaient en fait des colonies indépendantes dûment enregistrées et avaient donc droit à des budgets. [...] Le ministre de la Défense n'était pas informé de ces enregistrements et de leur contenu. Une colonie ne peut être enregistrée que si elle dispose d'un statut légalement planifié. »*

Le rapport révèle également comment le ministère de la Construction contourne la loi par cet exemple : *« En 2003, il a procédé à l'achat de 400 caravanes pour près de 34 millions de shekels à l'intention du conseil des implantations de Judée-Samarie et de Gaza. Deux compagnies ont gagné l'appel d'offre. [...] Or, elles ont été produites et mises en place AVANT la publication de l'appel d'offre, 140 en Cisjordanie et 90 dans des avant-postes illégaux. [...] »* Les centaines d'ordres de destruction de ces colonies, décidés par les autorités ou les tribunaux, restent lettre morte depuis des années. Certaines injonctions de la Haute Cour de justice ne sont pas exécutées. Manifestement, les responsables ne sont pas très attentifs à appliquer la loi lorsqu'il est question de colonisation. Le message qui est ainsi envoyé à l'armée, à la police, aux différents ministères est le suivant : *« Créer un avant-poste est illégal, mais c'est conforme à l'esprit sioniste. Il faut donc fermer les yeux*[1]. *»*

1. http://www.mfa.gov.il/MFA/Government/Law/Legal+Issues+and+Rulings/Summary+of+Opinion+Concerning+Unauthorized+Outposts+-+Talya+Sason+Adv.htm

La douleur du retrait

Ariel Sharon prend bonne note du rapport de Talia Sasson… et le range dans un tiroir. Aucun avant-poste ne sera évacué. La gauche n'insistera pas pour qu'il se lance dans de telles opérations avant le retrait de Gaza, d'autant que Shimon Pérès et les travaillistes sont à nouveau membres de sa coalition gouvernementale. Le Premier ministre explique aux Américains qu'il faut à tout prix éviter de provoquer les colons, qui font alors campagne contre le désengagement. Geler la colonisation dans les implantations existantes ? Pas question non plus ! Il faut, dit-il à tous les visiteurs étrangers, autoriser la croissance naturelle : *« Vous n'allez quand même pas empêcher les femmes de tomber enceintes ? »* La communauté internationale s'incline. C'est alors que Sharon, le parrain des colonies, va entreprendre l'impensable : faire évacuer et détruire des implantations.

À la veille du retrait de Gaza, l'énorme mobilisation de la droite messianique a échoué. Selon un sondage, 34 % seulement des personnes interrogées s'opposent au retrait, quand 60 % y sont favorables. Mais, ce n'est pas tout. 73 % pensent que le désengagement est une première étape vers l'évacuation massive de colonies en Cisjordanie, quand 20 % pensent qu'on ne procédera à aucun autre retrait de ce genre[1].

Le 21 juillet, Ariel Sharon est l'invité d'Ariel, une colonie urbaine (non religieuse) située au cœur de la Cisjordanie. Il promet au maire : *« Ce bloc de localités juives sera pour toujours partie intégrante de l'État d'Israël. Je suis venu voir comment nous pouvons développer cette ville et la région. »* Au même moment, à Kfar Maïmon, près de la frontière de Gaza, des milliers de colons manifestent contre le retrait. Hanan Porat est là, il me déclare : *« Je n'ai jamais vraiment eu confiance en Sharon. Il n'est pas religieux et il nous a utilisés[2] ! »* Le 4 août,

1. http://www.peaceindex.org/indexMonthEng.aspx?num=63& month name=July
2. Témoignage personnel. Tournage France 2.

Eden Nathan-Zada, un jeune soldat du contingent, déserteur, monte dans un autobus. Arrivé dans Shfaram, la ville arabe de Galilée, il ouvre le feu, tue quatre personnes et en blesse six. Il sera lynché par la foule, avant l'intervention de la police. Le conseil des implantations condamne ce crime. Plusieurs Arabes israéliens suspectés du lynchage seront appréhendés.

Le conseil des ministres donne son feu vert le 7 août. Benjamin Netanyahu crée la surprise en annonçant sa démission. Ariel Sharon s'y attendait. Depuis plusieurs mois, il le soupçonne de préparer en coulisse la chute du gouvernement : 47 % des personnes interrogées dans le cadre d'un sondage sur la question estiment d'ailleurs que ce geste n'est pas lié au plan de désengagement, mais à des considérations personnelles. 48 % estiment que Netanyahu a commis une faute politique. 55 % se disent en faveur du retrait de Gaza. En fait, Netanyahu applique une stratégie de conquête du Likoud[1].

Le 15 août 2005, Ariel Sharon s'adresse à la nation : « *Le jour est arrivé. Nous amorçons ce qui est le plus difficile et douloureux de tout. L'évacuation de nos localités à Gaza et en Cisjordanie. Cette mesure m'est particulièrement pénible. C'est le cœur lourd que le gouvernement d'Israël a pris la décision du désengagement, que la Knesset n'a pas approuvé à la légère. Ce n'est pas un secret que, comme de nombreux autres, je croyais et j'espérais que nous pourrions conserver Netzarim et Kfar Darom [à Gaza] pour toujours. Mais la réalité a changé dans notre pays, dans cette région et dans le monde ; il fallait procéder à une réévaluation et repenser nos positions. […] Cette opération est essentielle pour Israël. Nous ne pouvons pas garder Gaza pour toujours. Plus d'un million de Palestiniens y vivent dans des camps de réfugiés surpeuplés, dans la pauvreté, sans espoir. […]*[2] »

Les opérations débutent le lendemain. Devant les caméras de centaines de journalistes venus du monde entier, treize mille militaires et policiers frappent aux portes des

1. Dov Weissglass, *Arik Sharon*, Tel-Aviv, Yediot Aharonot, 2012, p. 276.
2. http://www.mfa.gov.il/MFA/Government/Speeches+by+Israeli+leaders/2005/PM+Sharon+addresses+the+nation+15-Aug-2005.htm

maisons, dans les colonies de Goush Katif. Certains colons sortent, les mains en l'air, portant l'étoile jaune symbolisant la Shoah et les rafles conduites par les nazis. D'autres se laissent porter jusqu'à l'autobus de l'évacuation. Dans l'après-midi, à l'entrée de Shilo, en Cisjordanie, un colon abat quatre ouvriers palestiniens à coups de pistolet. Il sera condamné à la prison à vie et se suicidera en se pendant l'année suivante, dans sa cellule. Le 23, l'évacuation des dix-neuf colonies de Gaza et des quatre situées dans le nord de la Cisjordanie est achevée. L'armée quitte Gaza, le 12 septembre, après avoir détruit deux mille huit cents maisons et bâtiments divers. Les synagogues n'ont pas été passées au bulldozer. À la dernière minute, Dov Weissglass a annoncé à Saeb Erekat qu'elles ne seraient pas rasées. L'Autorité palestinienne devra elle-même s'assurer qu'il n'est pas porté atteinte à ces lieux de culte. Or, les forces d'Abbas sont insuffisantes pour y parvenir…

Sharon d'ailleurs a refusé toutes les demandes d'Abbas visant à déployer un bataillon supplémentaire de sa police à Gaza. Pas question non plus d'autoriser des transferts d'armes à la sécurité palestinienne. Or, selon un rapport américain, un policier palestinien sur quatre dispose alors d'une arme en état de fonctionner. C'est ainsi qu'après le départ de Tsahal, des milliers de Gazaouis se précipitent dans les secteurs évacués : ils pillent tout ce qui se présente devant eux et incendient quelques synagogues. Les organisations juives condamnent l'Autorité autonome. Quelques dizaines de militaires seulement ont refusé de participer à l'évacuation de Goush Katif. Dans certaines unités, les officiers ont tout de même veillé à ne pas déployer de soldats religieux nationalistes, pour éviter toute manifestation d'insubordination.

Justice de l'État contre justice religieuse

Au début du mois, neuf adolescentes, manifestement issues des colonies voisines, sont arrêtées alors qu'elles tentaient de retourner à Sanour, la colonie évacuée fin août en Cisjordanie. Elles ne portent aucun document, refusent de s'identifier et déclarent qu'elles ne reconnaissent pas l'autorité du gouvernement, des tribunaux et de la police israéliens. Un juge décide de les placer en détention jusqu'à nouvel ordre. Depuis la prison, trois d'entre elles écrivent au « Tribunal des affaires du peuple et de l'État », une institution créée par le nouveau Sanhédrin et comprenant sept juges présidés par le rabbin Israël Ariel. Cette Cour leur répond en les félicitant, car elles exigent d'être jugées selon les règles de la Torah, et leur conseille de maintenir leur refus du système judiciaire séculier.

L'affaire suscite des réactions diverses au sein du mouvement sioniste religieux. Le rabbin Michael Avraham, le directeur de l'Institut supérieur d'étude de la Torah, de l'Université Bar Ilan, critique l'existence même du nouveau Sanhédrin, qu'il qualifie de « ridicule » et d'« enfantillage ». Les jugements de ce « tribunal », écrit-il, n'ont aucune valeur selon la Halakha. « *L'ordination de juges du Sanhédrin s'est interrompue quelques siècles après la destruction du Second Temple. Depuis nous ne pouvons plus tenir de procès selon la Torah. [...] Si j'ai honte de devoir discuter de cette farce, néanmoins, j'ai bien conscience qu'il est indispensable de le faire lorsqu'on ordonne à des adolescentes naïves de rester en prison. Une des raisons pour lesquelles le monde rabbinique garde le silence face à cette farce insolente c'est, apparemment, en raison de la crainte d'être accusé de manque de foi profonde en la rédemption et le renouvellement du Sanhédrin. [...] Que faire ? Un messianisme malade est bel et bien là ! Que faire ? La foi et l'espérance en la venue du Messie ne transforment pas chaque idiot en Messie ou en roi d'Israël. On peut croire en la venue du Messie et en la rédemption – et même œuvrer à cette fin – sans perdre sa santé mentale et écraser toutes les valeurs et la Halakha*[1]. » La dernière adolescente – âgée de 16 ans – sera libérée en décembre, après plus de quatre mois de détention. Elle déclarera à sa sortie de prison : « *J'ai gagné. Le tribunal rabbinique m'a donné instruction de ne pas coopérer avec la cour civile. Le système judiciaire qui a sou-*

1. *Nekouda*, n° 285, novembre 2005.

tenu l'expulsion de Juifs et effacé l'identité juive n'a pas le droit de me juger[1]. »

Le nouveau Sanhédrin se réunit en novembre 2005, dans une synagogue du quartier religieux Har Nof, à Jérusalem. Son président, nommé par ses pairs, s'appelle Adin Steinsaltz, un disciple du rabbin de Loubavitch, auteur d'une soixantaine d'ouvrages – et surtout de la compilation complète du Talmud de Babylone, comportant notamment la traduction en hébreu des textes araméens. C'est l'œuvre d'une vie, qu'il n'achèvera qu'en 2010. Dans son allocution, il conseille la patience et la prudence : « *Avant le déluge, Noé a mis cent vingt ans à construire l'arche. Avant d'aller de l'avant et ne plus être définis comme un fœtus avorté, et pour être sérieux, afin que nous puissions dire : "Un enfant nous est né !", nous avons besoin de temps [...]. Le calendrier juif est fait de millénaires. Nous avons besoin de beaucoup de travail et de patience. Je serai heureux si, dans quelques années, ces sièges sont occupés par des savants plus érudits que nous.* » Steinsaltz critique indirectement la politisation du Sanhédrin : « *Je n'ai pas peur de la Cour suprême, de la police ou du procureur général. Un rabbin a le droit d'examiner les affaires publiques, mais, pour cela, il doit réunir toutes les informations nécessaires, qu'il traite de la cacherout d'un poulet ou du désengagement. [...] Ce Sanhédrin ne doit pas devenir une succursale du conseil des implantations de Judée-Samarie ou du Conseil pour la paix et la sécurité*[2]. »

Juifs contre Israéliens

Moti Karpel, l'idéologue et compagnon de route de Moshé Feiglin, est désormais le rédacteur en chef de *Nekouda*. En décembre 2005, il consacre un numéro de sa revue à la problématique « *Juifs face aux Israéliens* ». « *L'expulsion de Goush Katif,* écrit-il, *est l'expression et non pas la cause de la fracture entre les groupes juifs et l'establishment en Israël.* » Dans

1. *Ynet,* 18 décembre 2005.
2. *Haaretz,* 3 novembre 2005.

son éditorial, il précise : « *Se préparer à nouveau au combat politique entre la droite et la gauche, c'est se préparer à la guerre précédente. […] C'est sur l'axe Juifs-Israéliens que se profile le prochain combat. Ceux qui sont d'abord juifs font face à ceux qui sont d'abord israéliens. […] À la vision israélienne d'un État pour tous ses citoyens, avec tout ce que cela signifie, il faut opposer la vision d'une démocratie juive – juive et pas religieuse. […] La majorité silencieuse au sein de la société israélienne est encore juive, son identité juive est importante, et elle est attachée à la tradition de plusieurs façons, même si elle n'est pas religieuse. L'unir autour d'un projet juif est la seule manière de restituer son État au peuple juif.* »

Moshé Kopel, habitant la colonie Efrat et enseignant à la faculté des sciences informatiques de l'Université Bar Ilan, analyse ainsi le problème : « *[…] Les Israéliens ont converti leur culture et leur identité juive en une culture et une identité séculière non juive alors que les Juifs [religieux] ont, de fait, réalisé les prévisions des sionistes : bien que les ultra-orthodoxes antisionistes ne l'admettraient pas, les défis et les possibilités offerts par l'État ont insufflé une nouvelle vie à la culture et à l'identité juive. […] En raison de l'effondrement de l'entente entre l'establishment séculier et les Juifs [religieux] et, à la suite de l'expulsion des Juifs de Goush Katif, une nouvelle idéologie est en train de voir le jour. Un nombre croissant de sionistes religieux et d'ultra-orthodoxes s'unissent et adoptent une idéologie fondée sur le rejet du droit des Israéliens séculiers à utiliser l'État pour imposer leurs valeurs. La capacité à faire la distinction entre l'État et ceux qui le dirigent libère les deux groupes […]. Les sionistes religieux ne doivent plus respecter l'establishment séculier et les ultra-orthodoxes ne doivent plus honnir l'État. Ils développent entre eux un groupe nouveau appelé : Les nouveaux opposants juifs. […] La majorité des Juifs vivent hors de l'État, et un quart des citoyens d'Israël ne sont pas juifs. Une minorité – très influente – au sein de l'establishment séculier considère que son judaïsme n'est rien de plus qu'un défaut de naissance. Pour cette raison, l'État n'a pas l'autorité de parler au nom du peuple juif ou de s'immiscer dans les affaires concernant la Halakha. […] Un des centres [de pouvoir] où les Juifs souffrent de sous-représentation scandaleuse est le système judiciaire. […] Ici, tout peut être jugé selon les valeurs du "public éclairé", c'est-à-dire [celles] des Israéliens éloignés du judaïsme. Les opposants juifs feraient bien d'œuvrer pour l'établissement d'une constitution afin d'exiger la démocratisation du système judiciaire et le mode de nomination des juges. Il faudrait également en finir avec le monopole séculier sur les médias électroniques publics*[1]. *[...]* »

Les rabbins du mouvement fondamentaliste messianique se tiennent à l'avant dans le combat contre tout nouveau retrait. Le Tribunal des affaires du peuple et de l'État, présidé par le rabbin Israël Ariel, convoque, début juillet, un officier religieux du département juridique de l'armée qui est accusé d'avoir publié un décret administratif interdisant à une vingtaine de militants de quitter leurs domiciles pendant des périodes allant de trois à douze mois. Constatant qu'il refusait de comparaître devant eux, le Tribunal des affaires du peuple et de l'État demande à la synagogue que fréquente le coupable de ne pas l'appeler à la Torah. L'armée porte plainte et la police envoie plusieurs convocations à Israël Ariel pour qu'il se rende au commissariat. Le rabbin fait savoir qu'il n'a pas l'intention d'obtempérer. Finalement, il sera interpellé et conduit au poste de police où il sera interrogé pendant plusieurs heures avant d'être remis en liberté[2].

Ariel Sharon sait que les Américains et la communauté internationale vont maintenir la pression afin qu'il applique la Feuille de route et fasse encore des concessions en Cisjordanie dans le cadre des discussions engagées avec Abbas. Mais il doit faire face à l'opposition de Benjamin Netanyahu, et la situation au sein du Likoud le préoccupe. Les colons de Leadership juif, menés par Moshé Feiglin, sont de plus en plus nombreux à s'inscrire au sein du parti créé par Menahem Begin, bien décidés à empêcher tout nouveau geste envers les Palestiniens. Sharon se décide donc à préparer un nouveau plan de retrait dans le cadre d'un regroupement de colonies dans des blocs d'implantation situés sur la frontière. Cette initiative permettrait de satisfaire l'administration Bush, qui lui demande d'accorder la

1. *Nekouda*, n° 286, décembre 2005.
2. Arutz 7, 12 juillet 2005.

continuité territoriale à l'Autorité autonome. C'est que la barrière de séparation dont la construction a débuté en 2002 se poursuit. Et seulement 20 % de l'ouvrage suit la ligne de 1967 ; le reste se déploie en territoire palestinien.

Olmert, l'ennemi des colons, succède à Sharon

Les réunions du comité central du Likoud sont particulièrement houleuses. Le 6 novembre, Sharon met au vote la nomination d'Ehoud Olmert à la place de Netanyahu au ministère des Finances. Elle est rejetée. Du côté des travaillistes, Shimon Pérès est de plus en plus contesté. Le 9 novembre, le syndicaliste Amir Peretz remporte les primaires et provoque la chute de la coalition gouvernementale. Sharon n'a plus de majorité. Des élections législatives anticipées auront lieu le 28 mars 2006.

Le 21 novembre, Sharon décide de quitter le Likoud et de former un nouveau parti. Son nom : Kadima (en avant). En décembre, un sondage lui accorde 39 sièges de députés alors que le parti désormais dirigé par Benjamin Netanyahu s'effondrerait avec seulement 13 mandats. Mais l'imprévu intervient le 4 janvier 2006. Ariel Sharon subit une attaque cérébrale et entre dans un coma profond, dont il ne sortira pas. Ehoud Olmert, vice-premier ministre, membre de Kadima lui aussi, assume les fonctions de chef du gouvernement. Il doit très vite affronter un problème majeur : le Hamas remporte les élections palestiniennes le 25 janvier, avec 76 députés sur les 132 que compte le parlement palestinien.

La presse israélienne voit là un échec des services de renseignement israéliens et américains. C'est complètement faux. L'année précédente, Sharon avait décidé de ne pas autoriser l'organisation islamiste à participer au scrutin en présentant des candidats. Mais, le 7 novembre, il a changé d'avis en recevant un rapport du général Yossi Kuperwasser, le chef des renseignements militaires, prévoyant que le Hamas allait à coup sûr remporter la victoire à Gaza et marquerait des points importants en Cisjordanie[1]. Plusieurs analystes du Shabak étaient du même avis. C'est donc en toute connaissance de cause que Sharon a ouvert le chemin de la victoire aux islamistes.

Désormais à la tête du pays, Ehoud Olmert prononce son premier grand discours le 24 janvier 2006, et ce qu'il annonce ne plaît pas au mouvement fondamentaliste messianique. Il débute en citant le père du révisionnisme : *« Zeev Jabotinsky a défini ainsi la notion de majorité juive : "L'expression État juif est absolument claire : elle signifie majorité juive." C'est ainsi que le sionisme a commencé et telle est la base de son existence [...]. »* Le Premier ministre poursuit : *« L'existence d'une majorité juive dans l'État d'Israël ne peut être assurée avec la poursuite du contrôle [par Israël] de la population palestinienne en Judée, Samarie et à Gaza. Nous revendiquons toujours le droit historique du Peuple d'Israël sur l'ensemble de la Terre d'Israël. [...]. Mais la contradiction entre notre désir d'autoriser un Juif à vivre là où il l'entend en Terre d'Israël et le problème [démographique] de l'existence d'Israël en tant qu'État juif nous contraint à renoncer à une partie de la Terre d'Israël. [...] Si nous voulons assurer l'existence du foyer national juif, nous ne pourrons pas continuer à contrôler des territoires à la majorité palestinienne. [...] Israël maintiendra son contrôle sur des zones de sécurité, les blocs d'implantation juive et, surtout, sur Jérusalem unifiée, maintenue sous sa souveraineté [exclusive]. [...] Le gouvernement d'Israël ne se laissera pas arrêter par les menaces d'une minorité de délinquants. Les avant-postes non autorisés seront démantelés, et j'ai déjà donné des instructions adéquates à nos forces de sécurité ainsi qu'à ceux qui sont chargés de faire appliquer la loi [...]*[2]. *»*

La Haute Cour de justice a, de fait, ordonné la destruction de neuf maisons construites sur des terres privées palestiniennes, à Amona, un avant-poste situé à quelques kilomètres au nord-est de Ramallah. L'évacuation doit avoir lieu au cours des prochaines semaines. L'histoire de cette colonie débute

1. Roni Shaked, dans *Yediot Aharonot* le 8 novembre 2005.
2. http://www.mfa.gov.il/MFA/Government/Speeches+by+Israeli+leaders/2006/Address+by+Acting+PM+Ehud+Olmert+to+the+6th+Herzliya+Conference+24-Jan-2006.htm

en juillet 2000, quand les inspecteurs de l'administration militaire constatent l'ouverture d'un chantier sur ce site où se trouvent enfouis quelques restes archéologiques. Ils interdisent immédiatement la poursuite des travaux. Quatre années plus tard, les colons recommencent à bâtir sans la moindre autorisation. En juillet 2005, le mouvement La Paix maintenant s'adresse à la Haute Cour de justice pour qu'elle ordonne l'expulsion des colons et la restitution de la terre à son légitime propriétaire palestinien. Immédiatement, des colons viennent s'installer dans les maisons. Trente familles s'y installent. Les autorités leur fournissent tous les services de base : raccordement au réseau électrique, adduction d'eau, téléphone.

À la demande de la Cour, les habitants évacuent une première fois les lieux. Mais le 3 janvier 2006, les responsables d'Amona demandent aux juges d'annuler l'expulsion car, disent-ils, ils prétendent prouver que le terrain leur appartient. La Cour leur accorde un délai de vingt-huit jours pour ce faire. Les jours passent. Les colons n'ont évidemment ni titre de propriété, ni autorisation de construire. Plus de trois mille jeunes activistes viennent se barricader dans les maisons d'Amona. Le 2 février, dix mille policiers et gardes-frontières vont les déloger. Des centaines de soldats sont déployés alentour pour assurer la sécurité de l'opération, sans y participer directement : les chefs militaires ne veulent pas risquer des cas d'insubordination. La bataille durera près de quarante-huit heures. Il y aura plus de trois cents blessés, parmi lesquels un tiers sont des policiers. Deux députés d'extrême droite devront être hospitalisés. L'opposition accusera les forces de l'ordre de s'être comportées avec brutalité. Des plaintes seront déposées contre certains policiers.

Les jeunes des collines

Le 5 février, le conseil des implantations organise une manifestation place de Sion, à Jérusalem, autour du slogan : « *Olmert est mauvais pour les Juifs.* » Sur un écran géant s'affiche ce message : « *Un Premier ministre inexpérimenté conduit le pays à la catastrophe.* » Plus de cinquante mille personnes participent à ce rassemblement. Les orateurs successifs condamnent la politique du Premier ministre et promettent de le renverser. Le rabbin d'Eilon Moreh, Elyakim Levanon, critique la Cour suprême : « *Il s'agit d'une cour de justice qui défend les maisons des Arabes mais, lorsqu'il est question des constructions non autorisées des Juifs, elle fait dégager des millions de shekels pour procéder à des opérations de police. [...] Les jeunes qui sont venus défendre Amona l'ont fait au nom de la vérité, et elle vaincra !* » Ouri Elitzour évoque ces mêmes adolescents dans son éditorial de *Nekouda* : « *Nous, qui sommes reclus dans nos maisons bien chauffées à panser nos blessures de Goush Katif, nous abandonnons le combat pour la défense de l'œuvre de notre vie à des gamins masqués de 14 et 15 ans, qui se battent avec colère et désespoir pour la défense de leur maison et de la nôtre. [...]*[1]. »

Les Israéliens surnomment ces nouveaux colons « les jeunes des collines » car ils vivent sur les hauteurs de Cisjordanie, dans certaines colonies particulièrement militantes où ils expérimentent un retour à la terre. Parfois en rupture de famille et de yeshiva, ces adolescents sont représentatifs d'une partie de la seconde génération de colons. Un de leurs gourous s'appelle Avri Ran. Lieutenant-colonel de réserve, originaire d'un kibboutz séculier, il est retourné à la foi orthodoxe avec son épouse. Au nom d'une idéologie marquée par le sacrifice individuel pour la Terre d'Israël et la nation, sa famille s'est installée sur une colline proche de la colonie d'Itamar, non loin de Naplouse, où elle a créé une ferme organique. Les Palestiniens des localités environnantes ont régulièrement des accrochages avec Ran, sa famille et les jeunes venus le rejoindre.

Après un affrontement avec un agriculteur palestinien, sous le coup d'un mandat d'arrêt, et en cavale pendant cinq mois, la police a finalement arrêté Avri Ran alors qu'il était en vacances avec sa famille, ses dix enfants et

1. *Nekouda*, janvier 2006.

ses cinq petits-enfants. Au tribunal, il a déclaré : « *Lorsque j'ai commencé l'installation de l'avant-poste, j'ai pris avec moi de quoi faire du café et un sac de couchage avant d'escalader la colline et de m'y installer, d'abord seul. Les Arabes n'aiment pas cela. Il y a eu des nuits de bagarres. Des journées violentes. L'imagination des Arabes est féconde. Lorsqu'un capteur solaire tombe du toit dans un village arabe, ils disent aussitôt qu'Avri était là. Dans 99 % des cas, c'est inexact. Les Arabes n'ont pas peur de moi, non. Ils me révèrent. Ils me craignent, plutôt. Ai-je établi des règles ? Certainement. Et il n'y a pas un Arabe de la région de Naplouse qui ose agir à l'encontre de ces règles. Qu'est-ce que cela signifie ? Ils disent qu'il y a un Juif en ville, le fils d'Avraham, notre père – que ce Juif ancien est retourné sur la Terre d'Israël. Un Juif doit être respecté. Un Arabe, lorsqu'il voit un Juif, doit un peu baisser la tête.* » Il sera acquitté. Dans son jugement, la Cour soulignera également qu'elle ne peut pas établir à qui appartient la terre occupée par Avri Ran[1]. Les « jeunes des collines » ont suivi ses idées et adopté ses attitudes racistes[2]. Selon le Shabak, ils sont formés d'un noyau dur de plusieurs centaines de colons, soutenus par plusieurs milliers de sympathisants, à l'intérieur d'Israël. Ce mouvement, que les services de sécurité ont le plus grand mal à infiltrer, est à l'origine d'attaques que leurs auteurs appellent : « Le prix à payer ». Souvent, après l'évacuation complète ou partielle d'un avant-poste, des champs palestiniens, des mosquées, des voitures sont incendiés ou endommagés. Ils considèrent l'État et son armée comme l'ennemi, et le conseil des implantations comme des collabos[3]. En septembre 2011, après la destruction de trois maisons dans un avant-poste, une opération « prix à payer » a eu lieu dans une base de l'armée en Cisjordanie. Douze véhicules militaires ont été endommagés. Le conseil

1. http://www.haaretz.co.il/1.1078063 Également : http://www.haaretz.com/print-edition/news/hilltop-youth-leader-avri-ran-acquitted-1.62423
2. http://www.israelnationalnews.com/News/News.aspx/90208. Reportage diffusé par Arutz 7 en septembre 2005
3. http://www.crisisgroup.org/~/media/Files/Middle%20East%20North%20Africa/Israel%20Palestine/89_israels_religious_right_and_the_question_of_settlements.pdf

des implantations a vivement condamné cette action « d'un groupe marginal[1] ». Au cours de 2012, plusieurs lieux de culte chrétiens ont eu droit à des tags insultants.

Ce rejet de la présence de non-Juifs en Terre d'Israël est un élément de la théologie développée par l'aile la plus dure du mouvement fondamentaliste-messianique, proche du kahanisme. L'Institut du Temple a publié ainsi, sous la plume de son directeur, le rabbin Israël Ariel, une exégèse de textes de Maïmonide. Il en ressort que les chrétiens devraient être considérés comme des idolâtres. Quant à l'islam, il serait plus dangereux pour le judaïsme que le christianisme[2].

La Cour suprême, qui siège également en qualité de Haute Cour de justice, est, avec le gouvernement Olmert, l'autre bête noire du mouvement fondamentaliste messianique. Yossi Fouks, un avocat du Forum juridique de défense des colons de Goush Katif, fait ainsi le bilan de ce combat perdu : *« La Cour a rejeté, les uns après les autres, [tous] nos appels et a accepté toutes les manœuvres incomplètes et hideuses de Sharon, confirmant ainsi officiellement l'affirmation que dans le palais de justice d'Israël, les Palestiniens ont plus de droits que les Juifs. »* Et de citer l'opinion (minoritaire) du juge Edmond Lévy – *« Un juste solitaire à Sodome »* selon *Nekouda* – qu'il qualifie de *« la plus sioniste-nationale »* jamais exprimée au sein de la Cour suprême : *« Selon moi, la décision du gouvernement de juin 2004 et la loi sur le désengagement :*

A : Sont nées dans le péché car elles ont porté atteinte aux valeurs de l'État d'Israël, à l'encontre de la volonté des électeurs.

B : Leur mise en application implique une atteinte grave aux droits de l'individu et à ceux de l'ensemble [...].

C : Elles vont mener à des journées difficiles, et remettre en question le droit du peuple juif de s'installer en Terre d'Israël, et je ne parle pas seulement des territoires disputés mais de ceux pour lesquels il y a un consensus au sein de l'opinion sur la nécessité de les conserver dans le cadre d'un accord futur.

1. *Haaretz*, 7 septembre 2011.
2. Tsfiah Gimmel, publications Institut du Temple, Jérusalem p. 185-222.

Cette décision et cette loi devraient être annulées, et c'est ce que je propose à mes collègues, si seulement ils acceptent de m'écouter[1]. »

Les élections ont lieu, comme prévu, le 28 mars 2006. Malgré l'absence d'Ariel Sharon, Kadima obtient 29 députés. Le parti travailliste arrive en seconde position, avec 19 sièges ; le Likoud n'obtient que 12 mandats. Ehoud Olmert forme un gouvernement avec Kadima, les travaillistes, Shass et le parti des retraités. Il refuse d'accorder le portefeuille des Finances à Amir Peretz, le chef de file des travaillistes – qui accepte la Défense – malgré son manque d'expérience dans les affaires de sécurité. Or, il va devoir affronter deux conflits armés majeurs.

Une nouvelle guerre au Liban

Le 25 juin 2006, un commando islamiste pénètre quelques centaines de mètres en territoire israélien et capture Gilad Shalit, un jeune soldat israélien. Le Hamas et les responsables de l'enlèvement prétendent l'échanger contre plus de mille prisonniers palestiniens détenus en Israël. Ehoud Olmert refuse et, trois jours plus tard, lance l'opération « Pluies d'été ». Bombardements aériens, incursions terrestres. La seule centrale électrique de ce territoire est détruite ainsi que des dizaines d'immeubles et d'ouvrages routiers. Tsahal ne mettra officiellement un terme à ces raids qu'en novembre et durcira le siège de la bande de Gaza. Un bilan fera état de plus de quatre cents morts palestiniens, des combattants pour les trois quarts, et des centaines de blessés. Côté israélien, cinq soldats et six civils ont été tués, et il y a quarante blessés. Gilad Shalit ne sera libéré que le 18 octobre 2011 en échange d'un millier de prisonniers palestiniens.

Le 12 juillet 2006, c'est le Hezbollah libanais qui passe à l'offensive. La milice chiite enlève deux réservistes israéliens en patrouille le long de la frontière. Plusieurs localités

1. *Nekouda*, n° 292, juillet 2006.

israéliennes sont bombardées par des tirs de mortiers et de roquettes. Cinq autres militaires sont tués en tentant de rattraper le commando. Pour Ehoud Olmert, c'est un *casus belli.* Israël part en guerre au Liban. L'aviation bombarde des objectifs du Hezbollah, qui riposte par des salves de centaines de missiles sur le nord d'Israël. Des milliers de réservistes sont rappelés.

Moti Karpel, qui fut l'un des premiers militants nationalistes religieux à refuser d'endosser l'uniforme lors de la signature des accords d'Oslo en 1993, se prononce contre l'insubordination : *« [...] La guerre au Sud-Liban est une guerre pour l'existence de l'État. [...] Ce n'est pas "leur" guerre, c'est celle de nous tous. [...] la place naturelle des jeunes croyants est aux premiers rangs de Tsahal. Ils représentent l'âme de l'armée. Sans eux, il n'est pas certain que l'armée aurait la foi, la volonté, à présent plus nécessaires que jamais face aux terribles échecs du haut commandement. [...] Celui qui combat actuellement pour l'existence de l'État doit être capable de refuser l'ordre d'exécuter le plan fou [d'Olmert] [de retrait partiel de Cisjordanie]. Cela aussi au nom de l'existence de l'État. Il est possible qu'à l'issue de cette guerre, nous devions adresser un ultimatum à la direction politique : ou bien vous retirez ce plan, ou bien tous, militaires du contingent et réservistes, nous quittons l'armée. [...] »*

« Est-ce notre guerre ? » Gideon Dokov, l'un des rédacteurs de *Nekouda,* pose la question à plusieurs personnalités du mouvement des implantations. Pour le rabbin Yigal Kamintzky, il n'y a pas à hésiter : *« Dans des instants pareils, il faut apporter tout son soutien aux opérations décidées par l'État d'Israël. Nous ne sommes pas des individus isolés, nous faisons partie du peuple d'Israël. Lorsqu'une guerre met en danger le peuple d'Israël, il faut cesser de lutter contre le gouvernement. »* Elyakim Haetsni dit son désaccord : *« Il faut frapper nos ennemis au nord et au sud, mais ne pas cesser un instant de lutter pour l'intégrité de la Terre d'Israël. La gauche se trouve quotidiennement des excuses et des explications pour couvrir les crimes qu'elle commet. [...] L'opinion qui circule dans les cercles proches du Premier ministre est la suivante : cette guerre apporte la preuve qu'il ne faut pas craindre les retraits unilatéraux. Si l'ennemi fait des problèmes après le retrait, nous devrons retourner lui briser les reins. »* Le rabbin Michael

Fouah, officier de réserve dans les blindés et directeur administratif du Leadership juif de Karpel et Feiglin, prône une attitude plus ambiguë : « *Si je reçois un ordre de marche, je le déchirerai immédiatement. [...] Nous devons tracer une ligne rouge et dire qu'il est inadmissible que le chef d'état-major – qui est le général de l'expulsion des Juifs – [...] soit celui qui dirige cette guerre.* » Il suggère que les soldats partant au combat écrivent à leurs officiers qu'ils se portent volontaires pour la paix du nord d'Israël, mais qu'ils n'obéiront pas à un ordre d'évacuation de colonies juives. « *Si cinq mille soldats le font, il n'y aura plus d'expulsions*[1]. » Sur le site de son mouvement, Michael Fouah critique la guerre au Liban : « *Nos soldats sont envoyés dans des secteurs dangereux où ils risquent leurs vies pour ne pas mettre en danger une population "innocente" qui a choisi de soutenir les organisations terroristes, les encourager et saluer leurs succès. [...]*[2] »

Les opérations se déroulent mal. L'armée, en dépit des raids aériens massifs, ne parvient pas à mettre un point final aux salves de roquettes qui s'abattent quotidiennement sur le nord d'Israël. Pendant trente-quatre jours, un demi-million d'Israéliens se terreront dans les abris, souvent dans des conditions difficiles.

Les forces terrestres, le contingent et les réservistes n'étaient pas préparés à un tel conflit. Les services de renseignement, obnubilés par l'affaire palestinienne, n'ont rien vu venir. Aucun expert n'avait prévu que le Hezbollah serait en mesure de tenir ainsi tête à la puissance de Tsahal.

Le cessez-le-feu est proclamé le 14 août 2006. Plus de 1 200 Libanais et 156 Israéliens ont trouvé la mort, parmi lesquels 117 soldats. Les quartiers chiites de Beyrouth et de nombreuses localités libanaises sont presque entièrement détruits. Une commission d'enquête est mise sur pied, présidée par Eliahou Winograd, juge à la Cour suprême. Elle devra examiner les raisons de l'impréparation de l'armée et les circonstances de l'enlèvement des deux militaires par le Hezbollah, à l'origine de la guerre.

---

1. *Nekouda*, n° 293, août 2006.
2. http://he.manhigut.org/consciousness-and-insubordination/2797

Le mouvement La Paix maintenant suit de près le développement de la colonisation. En novembre 2006, il révèle que 40 % des implantations sont construites sur des terres privées palestiniennes. Yariv Oppenheimer, son porte-parole, accuse le gouvernement de se comporter « en mafia en se livrant à des vols de terres privées, au mépris du droit international et du droit israélien ». Emilie Amroussi, du conseil des implantations de Judée-Samarie, lui répond : *« Voilà un tissu de mensonges, [diffusé dans le cadre] de la guerre menée par La Paix maintenant contre les Juifs*[1]. » Mais le mouvement ne dispose pas de tous les documents sur les réquisitions de terres et les titres de propriété. Une cour de justice donnera l'ordre à l'administration militaire de les lui fournir, et, le 13 mars 2007, elle publie un nouveau rapport corrigeant le précédent. En fait, ce sont 32 % des colonies qui occupent des terrains privés appartenant à des Palestiniens. Cent trois d'entre elles sont donc en contravention avec la loi israélienne[2]. Pour la communauté internationale, toutes les implantations en territoire occupé en juin 1967 sont illégales.

Dans son premier rapport intérimaire, le 30 avril 2007, la commission d'enquête du juge Winograd accuse Ehoud Olmert, Amir Peretz et le général Dan Haloutz, le chef d'état-major, d'être responsables des défaillances constatées dans la conduite des opérations et rappelle qu'à en croire les dirigeants du pays *« la supériorité militaire d'Israël [était] suffisante pour dissuader un ennemi de lui déclarer la guerre. Il n'était donc pas nécessaire de préparer le pays à la guerre ou même de rechercher activement la voie vers des accords stables et à long terme avec nos voisins*[3] ».

L'opposition réagit et réclame la démission du gouvernement. Trois jours plus tard, le cabinet Olmert résiste à une motion de censure présentée par Benjamin Netanyahu.

1. *Le Monde*, 21 novembre 2006.

2. http://peacenow.org.il/eng/content/settlement-are-built-private-palestinian-land

3. Rapport intérimaire de la commission Winograd, 30 avril 2007. *Ha Vaada le Bdikat IeYroé Hamaarakh Belevanon*, 2006, p. 31. http://www.vaadatwino.co.il/press.html#null

Mais, dans la soirée, place Rabin, plus de cent mille manifestants, de droite comme de gauche, se réunissent pour réclamer son départ.

La paix redoutée

Ehoud Barak est de retour en politique, après un séjour dans le monde des affaires. Il brigue à nouveau la présidence du parti travailliste, dont il remporte les primaires le 12 juin, et occupe le poste de ministre de la Défense à la place d'Amir Peretz, démissionnaire. Il doit immédiatement faire face à un problème majeur.

À Gaza, mieux armé, mieux entraîné, le Hamas lance l'assaut contre la police palestinienne de l'Autorité autonome et le Fatah, avant de prendre le contrôle du territoire. Il y a plus de cent vingt morts et près de cinq cents blessés. L'organisation islamiste met en place un régime totalitaire. Le Président Mahmoud Abbas dissout alors le gouvernement d'union nationale dirigé par le Hamas et nomme Salam Fayyad, un économiste indépendant, au poste de Premier ministre. En Israël, Benjamin Netanyahu est réélu à la tête du Likoud, avec 73 % des voix des militants. Moshé Feiglin créé la surprise en obtenant 24 % des suffrages.

Condoleezza Rice, la secrétaire d'État américaine, considère que la rupture entre le Hamas et le Fatah ouvre de nouvelles possibilités de négociations. Elle propose donc ainsi au Président Bush d'organiser une conférence internationale pour relancer le processus de paix. La chef de la diplomatie américaine effectue ensuite quatre navettes entre Jérusalem et Ramallah. Le 13 novembre 2007, elle déclare devant les délégués à l'assemblée annuelle de l'Union des communautés juives à Nashville, dans le Tennessee : « [...] *Je crois que la plupart des Palestiniens et des États arabes sont prêts à mettre fin à ce conflit. Je crois que la plupart des Israéliens accepteraient de quitter la quasi-totalité de la Cisjordanie, comme ils ont été disposés à quitter Gaza pour la paix. Je crois que nous avons à faire à deux leaders démocratiques, le Premier ministre*

Olmert et le Président Abbas, qui savent que la meilleure manière de servir leurs peuples est de bâtir pour la paix[1]. »

Les informations qui filtrent sur des pourparlers en cours inquiètent considérablement la droite et le mouvement fondamentaliste messianique. Une vingtaine de députés présentent ainsi, le 14 novembre, une proposition de loi à la Knesset stipulant que tout changement dans le statut de Jérusalem devra être approuvé par les deux tiers de la Knesset, soient quatre-vingts députés sur cent vingt. Gideon Saar, un député du Likoud, explique qu'il s'agit d'envoyer un message à la communauté internationale : « *Le peuple d'Israël et son Parlement s'opposent à toute concession à Jérusalem.* » Le texte est adopté en lecture préliminaire par cinquante-quatre voix pour contre vingt-quatre, plusieurs députés, membres de la coalition gouvernementale, ont voté pour.

La conférence s'ouvre le 27 novembre, à Annapolis, dans le Maryland. Quarante-quatre pays y sont représentés, y compris quatorze États arabes, parmi lesquels le ministre des Affaires étrangères saoudien, le prince Saoud el-Fayçal, qui, pour la première fois, se trouve à la même table qu'un Premier ministre israélien. George Bush lit le communiqué conjoint israélo-palestinien : « [...] *Pour aboutir à l'objectif de deux États, Israël et Palestine, vivant côte à côte en paix et en sécurité, nous décidons d'entamer immédiatement, en bonne foi, des négociations bilatérales afin de conclure un traité de paix susceptible de résoudre tous les problèmes fondamentaux, sans exception.* » Le Président des États-Unis poursuit : « *[...] Pour que ces négociations aboutissent, les Palestiniens doivent montrer au monde que, s'ils sont sensibles à la question des frontières dont jouira cet État palestinien, la nature de cet État est d'importance égale. Ils doivent savoir convaincre qu'un État palestinien créera des opportunités pour tous ses citoyens, gouvernera dans la justice et démantèlera l'infrastructure du terrorisme. [...] Les Israéliens, de leur côté, doivent montrer au monde qu'ils sont prêts à mettre un terme à l'occupation initiée en 1967, en concluant un accord négocié. Cet accord établira la Palestine comme le foyer national palestinien, de même qu'Israël est le foyer national du peuple juif.*

1. http://2001-2009.state.gov/secretary/rm/2007/11/95103.htm

Israël doit apporter son soutien à la création d'un État palestinien prospère en évacuant les avant-postes non-autorisés, en cessant l'expansion des colonies [...][1]. »

Ehoud Olmert prononce à son tour une allocution. Or, les commentateurs israéliens sont frappés par l'absence de la phrase habituelle : *« Jérusalem est la capitale éternelle et réunifiée d'Israël »* dans ce discours. Il annonce que les négociations doivent être terminées avant la fin 2008. Elles traiteront de tous les problèmes qui n'ont pas été abordés jusqu'à présent et se fonderont sur les résolutions 242 et 338 du Conseil de sécurité, la feuille de route ainsi que la lettre de George Bush à Ariel Sharon du 14 avril 2004.

Pour sa part, Mahmoud Abbas n'oublie pas de mentionner Jérusalem : *« Il est de mon devoir de dire ici que le sort de Jérusalem est un élément fondamental de tout accord de paix que nous pourrions conclure. Nous devons faire de Jérusalem-Est notre capitale, établir des relations ouvertes avec Jérusalem-Ouest et assurer aux fidèles de toutes les religions le droit à l'exercice de leur culte en accédant aux lieux saints sans discrimination [...]. »* Le Président palestinien s'engage à observer toutes ses obligations *« dans le cadre de la feuille de route. Lutter contre le chaos, la violence, le terrorisme, assurer la sécurité, l'ordre et le régime de la loi*[2] *».*

Les Américains prennent en main le dossier de la sécurité en Cisjordanie. Dès le lendemain, Condoleezza Rice nomme le général Jim Jones envoyé spécial au Proche-Orient. Il a notamment pour mission de remettre sur pied l'ensemble des services de police palestiniens. En coordination avec le Shabak israélien, qui approuve le dossier de chaque nouvelle recrue, des conseillers militaires américains forment de nouveaux bataillons de policiers en Jordanie. Une unité de maintien de l'ordre est ainsi créée alors que les Européens s'installent à Jéricho pour mettre en place une police judiciaire palestinienne. Parallèlement, dans le cadre d'un accord

1. http://www.nytimes.com/2007/11/27/world/middleeast/27cnd-prexytext.html?pagewanted=all
2. http://www.haaretz.com/news/the-full-text-of-olmert-abbas-speeches-at-the-annapolis-summit-1.234081

d'amnistie avec les autorités israéliennes, des membres des groupes armés du Fatah vont être progressivement autorisés à sortir de la clandestinité. Plus de quatre cents détenus appartenant au mouvement d'Abbas seront ainsi libérés de prison au cours des semaines suivantes.

À Paris, le chef de l'État français, Nicolas Sarkozy, organise le suivi de la conférence d'Annapolis. Le 17 septembre s'ouvre la conférence internationale des donateurs pour l'État palestinien. Mahmoud Abbas et Salam Fayyad présentent, à cette occasion, un plan de réformes et de développement devant les représentants de quatre-vingt-sept pays et organisations internationales. Ils reçoivent des engagements d'aide financière pour un montant inégalé de sept milliards quatre cents millions de dollars. La moitié devrait être versée dès 2008[1].

Il faut renverser Olmert

À Jérusalem, une majorité, au sein du gouvernement Olmert, approuve la déclaration d'Annapolis. Seuls les ministres membres du parti Shass votent contre, ainsi qu'Avigdor Lieberman, qui a le portefeuille des Affaires stratégiques. À l'en croire : « *Mahmoud Abbas ne représente rien.* » Il démissionnera le 16 janvier 2008, en expliquant à la presse : « *Négocier sur la base de la terre contre la paix est une erreur fatale qui va nous détruire. Si nous nous retirons sur les frontières de 1967, chacun se posera la question : Qu'arrivera-t-il [maintenant] ? Comment lutterons-nous contre le terrorisme ?* »

Après le départ des onze députés d'Israël Beiteinou, le parti russophone, la coalition gouvernementale ne dispose plus que d'une majorité de soixante-sept sièges au Parlement. Mais Ehoud Olmert a d'autres problèmes. Depuis qu'il assume les fonctions de Premier ministre, il est l'objet

---

1. http://www.diplomatie.gouv.fr/fr/pays-zones-geo/israel-territoires-palestiniens/conference-internationale-des/la-conference-et-son-suivi/article/conference-internationale-des

d'enquêtes policières à répétition, soupçonné de corruption à la suite de dénonciations diverses. Ces scandales font les gros titres des médias, notamment d'*Israel Hayom*, un quotidien gratuit, entièrement financé par Sheldon Adelson, le milliardaire juif américain, chaud partisan de la colonisation et très proche de Benjamin Netanyahu...

En juillet 2008, un certain Morris Talansky, homme d'affaires américain, juif religieux, révèle qu'il a remis à Olmert des sommes importantes en liquide destinées au financement de ses campagnes électorales à l'époque où il était maire de Jérusalem. Sous la pression, le Premier ministre annonce, le 30 juillet, qu'il ne briguera pas de nouveau mandat à la tête de son parti et démissionnera lorsque Kadima aura élu un nouveau président. Il tient parole le 17 septembre, lorsque Tzipi Livni, la ministre des Affaires étrangères, emporte les primaires. Shimon Pérès, devenu Président de l'État d'Israël le 13 juin 2007, lui accordera un délai de six semaines pour former un gouvernement.

La tâche s'annonce extrêmement compliquée. Nahoum Barnea, l'éditorialiste du quotidien *Yediot Aharonot*, révèle qu'Ehoud Barak œuvre en coulisse avec Benjamin Netanyahu pour mettre des bâtons dans les roues de Livni. Le chef du Likoud aurait, en parallèle, conclu un accord secret avec le parti Shass, qui pose alors des conditions quasiment inacceptables à sa participation à une coalition gouvernementale. Barak, lui, refuse de siéger dans un gouvernement aux côtés de Meretz, le parti de gauche. L'objectif de Netanyahu et du chef du parti travailliste étant, à terme, la disparition de Kadima[1]. Livni ne parvient pas à réunir de majorité parlementaire. Des élections anticipées sont prévues pour le 10 février 2009.

La campagne électorale débute immédiatement. Livni prône la reprise du processus de paix avec l'Autorité autonome, interrompu sous l'effet de la crise politique en Israël[2]. Lors d'une des dernières séances de négociation, Ehoud

1. *Yediot Aharonot*, 5 septembre 2008.
2. Déclaration de Tzipi Livni à Tanger, 27 novembre 2009. Interview et sources personnelles.

Olmert avait proposé à Mahmoud Abbas d'annexer 6,3 % de la Cisjordanie afin d'y rassembler 75 % des colons dans des blocs d'implantation. En échange, les Palestiniens recevraient 5,8 % du territoire israélien. Cela impliquerait l'évacuation de dizaines de colonies isolées, parmi lesquelles Ofra, Eilon Moreh, Beit El, et la communauté juive installée au cœur d'Hébron[1]. Sur Jérusalem-Est, les Palestiniens ont réitéré la proposition qu'ils avaient présentée à Camp David en juillet 2000. Les nouveaux quartiers à majorité juive passeraient sous souveraineté israélienne, les quartiers à majorité arabe seraient placés sous souveraineté palestinienne. Condoleezza Rice révélera qu'Olmert lui avait déclaré, à cette occasion, qu'il envisageait la formation d'un comité de sages jordaniens, saoudiens, palestiniens, américains et israéliens pour gérer la vieille ville et ses lieux saints. La secrétaire d'État a fait passer l'information au conseiller de George Bush : « *Dites au Président qu'il avait raison au sujet d'Olmert. Il veut conclure un accord et, franchement, il pourrait être tué pour cela !* » Et la secrétaire d'État d'ajouter : « *Yitzhak Rabin a été assassiné pour avoir offert moins que cela aux Palestiniens*[2]. » Le Premier ministre israélien a proposé aussi, dans le cadre d'un accord sur les réfugiés palestiniens, d'en accueillir cinq mille en Israël. Quoi qu'il soit, chacun convient que ces pourparlers étaient très avancés, et Mahmoud Abbas dira même qu'il ne manquait que deux mois pour parvenir à un accord[3]. Pourtant, en dépit des démentis de Tzipi Livni qui a dirigé l'équipe de négociateurs israéliens, la droite fait passer ce message : les Palestiniens refusent la proposition d'Olmert, comme ils ont rejeté l'offre généreuse d'Ehoud Barak à Camp David.

Benjamin Netanyahu, lui, a une autre idée. Lors d'une conférence prononcée aux États-Unis, il a révélé son projet : « *Jusqu'à présent, 99 % de nos efforts ont été tournés vers des négociations politiques et moins d'1 % vers le développement économique*

1. *Haaretz*, 17 décembre 2009.
2. Condoleezza Rice, *No Higher Honors*, New York, Crown Publishing, 2011, p. 652 (édition Kindle).
3. http://www.haaretz.com/news/diplomacy-defense/abbas-palestinians-israel-were-two-months-away-from-inking-peace-deal.premium-1.469936

[des Palestiniens]. Je propose de changer la proportion car la paix économique renforcera plus tard les acquis d'un arrangement politique[1]. » Soit : l'économie d'abord, les négociations ensuite ! Il axe sa campagne sur la sécurité en insistant sur les événements qui ont suivi le retrait de Gaza décidé par Kadima : l'enlèvement de Gilad Shalit, les tirs de roquettes du Hamas sur le territoire israélien. Mais son problème est également interne. Il ne veut absolument pas que Moshé Feiglin soit élu, c'est mauvais pour l'image du parti. Or, le chef de Leadership juif a été élu, par les militants, vingtième sur la liste électorale du Likoud. Netanyahu, grâce à un jeu de procédure, parviendra à le rétrograder à la trente-sixième place…

Nouvelle poussée à droite

Le 20 décembre 2008, le Hamas annonce qu'il n'observera plus la trêve avec Israël et tire des roquettes sur les localités israéliennes situées aux abords de la bande de Gaza. Les salves, de plus en plus nombreuses, vont se faire quotidiennes. Tsahal ne réagit pas, et la tension monte au fil des jours, jusqu'au 27 à onze heures trente du matin. Olmert, qui, gère les affaires courantes à la tête du gouvernement, donne son feu vert et l'aviation bombarde un camp d'entraînement de la police du Hamas à Gaza. Il y a des dizaines de morts. C'est le début de l'opération « Plomb durci ».

Jusqu'au 3 janvier, l'armée effectue des raids sur des dizaines de cibles. Le 3 janvier débute une vaste incursion terrestre à proximité des principaux centres urbains palestiniens. Israël annonce finalement un cessez-le-feu unilatéral le 18 janvier. Ce conflit a fait 1 390 morts palestiniens, dont 344 mineurs. Israël a treize tués, parmi lesquels trois civils[2].

1. http://www.haaretz.com/print-edition/news/netanyahu-economics-not-politics-is-the-key-to-peace-1.257617
2. Quatre militaires ont été tués par des tirs amis. http://old.btselem.org/statistics/english/casualties.asp?sD=27&sM=12&sY=2008&eD=18&eM=01&eY=2009&filterby=event&oferet_stat=during

Ce bilan et les images très dures diffusées depuis Gaza, les destructions très substantielles amènent les organisations de défense des droits de l'homme à examiner les circonstances de l'opération. Israël est accusé d'avoir fait usage d'une puissance de feu disproportionnée ; d'avoir utilisé des civils gazaouis comme boucliers humains ; tiré des obus au phosphore dans certains secteurs ; d'avoir, dans certains cas, ouvert le feu d'une manière indiscriminée. Le Hamas se voit mis en cause pour avoir systématiquement tiré des roquettes depuis des zones habitées, utilisant la population civile palestinienne comme bouclier humain ; dépêché des combattants qui ne portaient parfois pas d'uniforme et se déplaçaient à bord d'ambulances ; d'avoir mis sa direction à l'abri dans les sous-sols de l'hôpital Shifa.

À Genève, le 12 janvier 2009, le Conseil des droits de l'homme des Nations unies nomme une commission indépendante chargée d'enquêter *« sur toutes les violations des lois humanitaires internationales et les lois sur les droits de l'homme par la puissance occupante, Israël, contre le peuple palestinien dans les territoires palestiniens occupés, en particulier dans le territoire occupé de Gaza »*. Contacté, Richard Goldstone, ancien juge de la Cour constitutionnelle sud-africaine, ex-procureur du Tribunal pénal international pour l'ex-Yougoslavie et le génocide au Rwanda, refuse d'abord. Il considère que le mandat d'une telle mission ne peut être limité à Israël. Les responsables du Conseil des Droits de l'homme décident d'élargir l'enquête aux actes commis par le Hamas, et Goldstone accepte de diriger la commission. Il est assisté de Hila Jilani, de la Cour suprême pakistanaise, ex-membre de l'enquête internationale sur le Darfour, et Christine Chinkin, professeur de droit international à la London School of Economics and Political Science. Considérant que le Conseil onusien des droits de l'homme est systématiquement anti-israélien, le gouvernement Olmert décide de ne pas collaborer à l'enquête.

Ces événements n'influent pas sur la tenue des élections, qui ont lieu comme prévu le 10 février 2009. Le parti travailliste, sous la direction d'Ehoud Barak, s'effondre. Avec seulement 13 députés élus, il est dépassé par Israël Beiteinou, le mouvement russophone dirigé par Avigdor Lieberman, qui devient, avec 15 mandats, la troisième formation politique du pays. À l'extrême droite, l'Union nationale fait élire 4 candidats, parmi lesquels Michael Ben Ari, un kahaniste. Le Likoud passe de 12 à 27 sièges. Tzipi Livni, à la tête de Kadima, obtient 28 députés. Le Président Pérès lui confie la tâche de former un gouvernement.

Le Likoud refuse d'en faire partie. Shass maintient ses exigences. Le témoin passe donc à Netanyahu, qui n'a aucune difficulté à réunir une coalition de 74 parlementaires, avec Israël Beiteinou, Shass, le parti travailliste, les religieux nationalistes de La maison juive et les ultra-orthodoxes du Judaïsme unifié de la Torah.

Les fondamentalistes poussent leurs pions

Cette majorité est homogène, favorable à la colonisation et opposée à toute concession substantielle aux Palestiniens. Le fils de Benzion a veillé à s'entourer de personnalités attachées à sa ligne idéologique. Le ministre des Affaires étrangères, Avigdor Lieberman, qui fut son chef de cabinet en 1996, est toujours favorable à la création de cantons autonomes en Cisjordanie. Il est même allé plus loin en proposant de transférer à la Palestine des régions habitées par des Arabes israéliens en Galilée. Nouveau venu au Likoud, Moshé « Boogie » Yaalon est vice-Premier ministre, chargé des Affaires stratégiques. Ancien chef d'état-major, résolument à droite, il considère le mouvement La Paix maintenant comme un virus et voudrait que les avant-postes ne soient plus considérés comme illégaux[1]... Ehoud Barak, lui aussi vice-Premier ministre, conserve le portefeuille de la Défense. Depuis son échec de Camp David, il est intimement persuadé qu'il est impossible d'aboutir à un accord avec les Palestiniens.

À Jérusalem, le centre néoconservateur Shalem, de Yoram

1. http://www.haaretz.com/print-edition/news/ya-alon-calls-on-state-to-drop-illegal-qualifier-from-outposts-1.282169

Hazony, apporte sa contribution au nouveau gouvernement. Outre le général Yaalon, qui en fait partie, plusieurs de ses membres reçoivent des postes dans l'administration Netanyahu. Nathan Charansky, l'ancien *refuznik*, ex-ministre et président du premier parti russophone, Israel Be Alyah, devient président de l'Agence juive. Il est l'auteur de *Défense de la démocratie. Comment vaincre l'injustice et la terreur par la force de la liberté*. Un ouvrage écrit en collaboration avec Ron Dermer, lequel est nommé responsable du « directorat de l'information » à la présidence du conseil. Michael Oren, historien d'origine américaine, sera le nouvel ambassadeur aux États-Unis. Officier de réserve, il a combattu pendant la première guerre au Liban. Omer Moav, le chef du département économique de l'Institut, dirige désormais le Conseil économique au ministère des Finances[1].

La presse israélienne évoque peu les positions philosophiques de Hazony, le fondateur de l'Institut Shalem. Elles sont identiques à celles du mouvement fondamentaliste messianique. Il faut judaïser le pays, son système judiciaire, l'éducation, renforcer le patriotisme juif. Les voici, telles que je les avais analysées dans *Le Grand Aveuglement*. En 2000, Hazony avait publié *The Jewish State. The Struggle for Israel's Soul*[2], dans lequel il partait notamment en guerre contre deux lois constitutionnelles adoptées par la Knesset en 1992 : « La dignité et la liberté de l'homme[3] » et « Le droit de chaque Israélien à un métier, une profession, une occupation[4] ». Ces deux textes sont introduits par le même préambule : *« En Israël, les droits fondamentaux de l'homme sont fondés sur la reconnaissance de la valeur de l'être humain, la sainteté de la vie humaine et le principe que toutes les personnes sont des êtres libres. Ces droits sont respectés dans l'esprit de la*

1. http://www.haaretz.com/jewish-world/2.209/funded-by-u-s-neocons-think-tank-researchers-now-carving-israeli-policy-1.276236

2. Yoram Hazony, *The Jewish State. The Struggle for Israel Soul*, New York, Basic Books, Perseus, 2000. La traduction française (Éditions de l'Éclat, 2007) porte un titre différent : *L'État juif. Sionisme, post-sionisme et destins d'Israël*.

3. http://www.knesset.gov.il/laws/special/eng/basic3_eng.htm

4. http://www.knesset.gov.il/laws/speciaL/eng/basic4_eng.htm

déclaration d'indépendance de l'État d'Israël. » Pour Hazony, cela signifie qu'Israël est à la fois un État juif et *démocratique.* Il cite le philosophe Assa Kasher : « *Un État juif, au plein sens du terme, est un État dont la nature sociale procède de l'identité juive des citoyens. Dans un État juif et démocratique, la nature de l'État n'est pas déterminée par la force mais par le libre choix des citoyens*[1]. » Et Hazony de conclure : « *Kasher affirme qu'un État "juif et démocratique" est un pays où la population est juive et l'État une démocratie universaliste. En d'autres termes, un État "juif et démocratique" est un État non juif !* »

Pour Hazony, le principe démocratique contribue à déjudaïser Israël. Le patron de l'Institut Shalem désigne alors une série de responsables de ce qu'il considère comme un complot contre le judaïsme. Au premier rang desquels la Cour suprême de l'État d'Israël qui, par la voix de son président, le juge Aharon Barak, a défini ainsi la démocratie : « *Les valeurs de l'État d'Israël, en tant qu'État juif, sont les valeurs universelles communes aux sociétés démocratiques.* » Un juge, selon Barak, doit prendre ses décisions en accord avec « *la vision de la société éclairée en Israël ; c'est-à-dire une communauté dont les valeurs sont universelles et qui appartient à la famille des nations éclairées* ». Hazony critique ensuite le code éthique de Tsahal, et déplore que « *le comportement des soldats se réduise à l'expression des valeurs de la citoyenneté israélienne* » quand leur mission « *est de combattre dans une armée juive pour le bien-être du peuple juif* ».

Obama met cartes sur table

Le 18 mai, Benjamin Netanyahu se rend à Washington. La scène politique ne lui est pas favorable. Ses amis républicains sont minoritaires à la Chambre des représentants et au Sénat. Pire, il a de nouveau affaire à un président démocrate : Barack Obama, dont chacun sait les idées libérales. La première rencontre à la Maison-Blanche ne se

1. Yoram Hazony, *The Jewish State, op. cit.*, p. 50.

passe pas bien. Le chef de l'exécutif déclare : « [...] *Je crois qu'il est dans l'intérêt non seulement des Palestiniens mais aussi des Israéliens, des États-Unis et de la communauté internationale d'aboutir à une solution à deux États dans laquelle Israéliens et Palestiniens vivraient côte à côte dans la paix et la sécurité. [...] Israël devra prendre des mesures difficiles [...]. Les colonies doivent être gelées afin que nous puissions progresser. C'est un sujet difficile, je le reconnais, mais c'est important et il faut le régler [...].* »

Netanyahu lui répond : « *[...] Je voudrais ouvrir sans délais des négociations de paix avec les Palestiniens, élargir le cercle de la paix, y inclure d'autres États arabes. Cela, pour démontrer que nous ne voulons pas imposer notre gouvernement aux Palestiniens. Nous voulons vivre en paix avec eux. Nous voulons qu'ils s'autogouvernent, mais sans qu'ils disposent pour autant de certains pouvoirs, qui pourraient mettre en danger l'État d'Israël [...].* »[1]

Le Président américain a nommé, dès son arrivée à la Maison-Blanche, un nouvel envoyé spécial au Proche-Orient, l'ancien sénateur George Mitchell, qui a réussi à négocier un accord en Irlande du Nord en 1998. En accord avec Obama et son équipe, il a décidé d'exiger des Israéliens l'arrêt total de la colonisation, qui s'est poursuivie relativement discrètement sous Ehoud Olmert pendant toute l'année 2008. Selon La Paix maintenant, la construction s'est accélérée dans les implantations, où vivent désormais 285 800 Israéliens. 1 518 nouvelles unités de logement ont été mises en chantier, y compris dans les avant-postes... dont aucun n'a été évacué. C'est un accroissement de 57 % !

Comme il fallait s'y attendre, la mission Mitchell piétine, et, le 4 juin, Barack Obama évoque le conflit israélo-palestinien à l'occasion d'un discours prononcé à l'Université du Caire. Il y est question d'améliorer les relations entre les États-Unis et le monde arabe. « [...] *Les liens solides qui unissent l'Amérique à Israël sont bien connus. Cette relation est immuable. Elle se fonde sur des liens culturels et historiques et sur la reconnaissance du fait que l'aspiration à un territoire juif est*

1. http://www.whitehouse.gov/the-press-office/remarks-president-obama-and-israeli-prime-minister-netanyahu-press-availability

ancré dans un passé tragique indéniable. À travers le monde, le peuple juif a été persécuté pendant des siècles, et l'antisémitisme en Europe a atteint son paroxysme avec un holocauste sans précédent. [...] Six millions de Juifs ont été tués – soit un nombre supérieur à celui de toute la population juive d'Israël aujourd'hui. Cela dit, il est également indéniable que le peuple palestinien, qui regroupe des musulmans et des chrétiens, a souffert en quête d'un territoire. Depuis plus de soixante ans, il connaît la douleur de la dislocation. Beaucoup attendent dans des camps de réfugiés en Cisjordanie, à Gaza et sur des terres voisines de connaître une vie dans la paix et la sécurité, à laquelle ils n'ont jamais eu le droit de goûter. Ils subissent au quotidien les humiliations – majeures et mineures – qui accompagnent l'occupation. Il n'est pas permis d'en douter : la situation du peuple palestinien est intolérable. L'Amérique ne tournera pas le dos à l'aspiration légitime du peuple palestinien à la dignité. [...]

« Si nous examinons ce conflit à travers le prisme de l'une ou de l'autre partie, nos œillères nous cacheront la vérité : la seule solution consiste à répondre aux aspirations des uns et des autres en créant deux États, où Israéliens et Palestiniens vivront chacun dans la paix et la sécurité. C'est dans l'intérêt d'Israël, dans l'intérêt de la Palestine, dans l'intérêt de l'Amérique, dans l'intérêt du monde entier. [...] Les obligations qu'ont acceptées les parties en vertu de la Feuille de route sont claires.

« Les Palestiniens doivent renoncer à la violence. La résistance par la violence et le massacre n'aboutira pas. [...] La vérité est simple : la violence ne mène nulle part. Lancer des roquettes contre des enfants israéliens endormis ou tuer des vieilles femmes dans un autobus ne témoigne ni pour le courage ni pour la force de celui qui agit ainsi. Ce n'est pas de cette manière que l'on revendique l'autorité morale ; c'est ainsi qu'on l'abdique. [...]

« En même temps, Israël doit reconnaître que, de même que son droit à l'existence ne peut être nié, il en va de même pour la Palestine. Les États-Unis contestent la légitimité de la poursuite de la colonisation israélienne. Ces constructions constituent une violation des accords passés et portent préjudice aux efforts de paix. Le moment est venu pour que ces colonies cessent. Israël doit aussi honorer ses obligations et faire en sorte que les Palestiniens puissent vivre, travailler et développer leur société. Tandis qu'elle ravage

les familles palestiniennes, la poursuite de la crise humanitaire à Gaza ne fait pas avancer la cause de la sécurité d'Israël, l'absence persistante d'horizon en Cisjordanie non plus. Une amélioration [palpable] dans la vie de tous les jours du peuple palestinien doit concrétiser l'engagement autour de la Feuille de route pour la paix. Enfin, les États arabes doivent reconnaître que l'initiative arabe marque un début important sur la voie de la paix, mais n'a pas épuisé pour autant leurs responsabilités en ce domaine. [...][1] »
Mais Barack Obama ne lance pas une nouvelle initiative de paix. Et au lieu de se rendre à Jérusalem pour s'adresser aux Israéliens, il se rend à Buchenwald afin d'y déposer une gerbe à la mémoire des victimes de la Shoah.

Vers une nouvelle définition de l'État juif ?

Pour Benjamin Netanyahu, ces propos équivalent à une déclaration de guerre. Il réunit immédiatement son gouvernement et décide de répondre au Président américain par un discours où il prononcera les mots magiques, « État palestinien », mais en posant ses conditions. Cela se passe à l'Université Bar Ilan, le 14 juin.

Extraits : « *De nombreuses personnes nous disent que le retrait est la clé de la paix avec les Palestiniens. Mais le fait est que tous nos retraits ont été accueillis par des vagues de bombes humaines. Nous avons tenté les retraits négociés, les retraits partiaux, les retraits complets. [...] Nous nous sommes retirés de la bande de Gaza jusqu'au dernier centimètre, nous avons déraciné des douzaines d'implantations, évacué des milliers d'Israéliens de leurs maisons, et ce que nous avons reçu en échange, ce sont des missiles sur nos villes, et nos enfants. L'argument selon lequel le retrait nous approchera de la paix n'a pas résisté à l'épreuve des faits [...]. Le problème des réfugiés palestiniens doit être réglé hors des frontières de l'État d'Israël. Et ceci doit être clair : l'idée d'installer les réfugiés palestiniens à l'intérieur d'Israël est en contradiction*

1. http://www.america.gov/st/peacesec-french/2009/June/20090604162956eaifas0.5829126.html

avec l'existence même d'Israël comme État du peuple juif. […] Voici ce qui guide notre politique. Nous devons reconnaître les accords internationaux, mais [faire reconnaître] aussi les principes qui guident l'État d'Israël. Le premier est la reconnaissance. Les Palestiniens doivent reconnaitre réellement Israël en tant qu'État du peuple juif. Le second principe est la démilitarisation. Tout secteur contrôlé par les Palestiniens doit être démilitarisé et entouré de solides mesures de sécurité. Sans cela, il y a un risque réel qu'un État palestinien armé se transforme en base terroriste agissant contre Israël. […] Dans le cadre d'un arrangement permanent, Israël a besoin de s'assurer de frontières défendables, avec Jérusalem comme capitale unifiée […] ».

À Ramallah, Mahmoud Abbas et ses conseillers sont sous le choc. Démilitarisation ? Pourquoi pas ! L'Autorité autonome n'a de toute manière pas l'intention de déployer des chars ou des avions de combat en Cisjordanie ou à Gaza. Quant à des arrangements de sécurité, c'est à négocier. Mais reconnaître Israël comme un État juif ? Netanyahu l'avait déjà évoqué lors de sa première rencontre avec Barack Obama, et cette idée avait été avancée par les Israéliens au cours des négociations, mais jamais présentée ainsi comme une *exigence.* Les traités de paix avec l'Égypte et la Jordanie n'en font d'ailleurs pas mention. Ces pays arabes ont reconnu l'État, proclamé le 14 mai 1948 par David Ben Gourion, et dont il avait fixé la définition dans des lettres à Simon Rawidowicz, un professeur de l'Université Brandeis, dans le Massachusetts : *« […] Le nom Israël établit la différence entre le peuple juif souverain dans sa patrie appelée Israël, et le peuple juif dans le [reste] du monde. […]. La présence d'Arabes musulmans et de chrétiens, appelés Israéliens, ne change rien à ce fait fondamental : Israël est le nom de l'État juif, comme l'a décidé le peuple souverain. L'Amérique se qualifie d'"occidentale" à présent que tout le monde parle d'un axe Est-Ouest, et le fait qu'il y ait des citoyens chinois en Amérique n'y change rien. Le lien entre l'État et le peuple juif, son passé et son avenir est gravé dans la déclaration d'Indépendance, dans les lois de l'État et dans le cœur de la nation. Chaque Juif, dans le monde, est un citoyen israélien en puissance, qui peut le devenir dans les faits lorsqu'il émigre en*

Israël. Ceux qui ne veulent pas émigrer ne peuvent pas participer à la souveraineté juive. [...][1]. »

L'OLP considère qu'elle n'a pas à reconnaître Israël une seconde fois. Déjà, en effet, le 9 septembre 1993, dans une lettre à Yitzhak Rabin, au nom de l'OLP, Yasser Arafat avait reconnu le droit de l'État d'Israël *« à vivre en paix et dans la sécurité »*. Pour la centrale palestinienne, il n'est pas non plus d'autre Israël que celui proclamé par Ben Gourion. Et cette nouvelle exigence avancée par Netanyahu est bien la preuve, pour les Palestiniens, qu'il n'a pas l'intention de négocier sérieusement. Il la réitérera pourtant dans la plupart de ses déclarations sur le processus de paix, et elle sera reprise par les organisations pro-israéliennes en Europe et aux États-Unis. À Wahington, Eric Cantor, le très pro-israélien président de la majorité à la Chambre des représentants, déclarera ainsi en mai 2011 : *« Le refus des Palestiniens et du monde arabe dans son ensemble de reconnaître le droit d'Israël à exister en tant qu'État juif est la racine du conflit entre Israël et les Palestiniens. Rien à voir avec le problème des lignes de 1967. »* Le conflit ne serait donc pas territorial mais religieux.

Obama repasse de l'autre côté

Le 15 septembre, la commission Goldstone remet son rapport. Sur 575 pages, étayées de faits et de témoignages, il accuse Israël d'avoir fait un usage disproportionné de la force et violé le droit humanitaire[2].

Extraits : *« Le moment choisi pour la première attaque israélienne, un jour de semaine à 11 h 30, alors que les enfants rentraient de l'école et que les rues de Gaza étaient pleines de gens vaquant*

1. Simon Rawidowicz, *Babel Ve Yroushalaym*, vol. 2, Londres, Ararat, 1956, p. 873-873.
2. http://www2.ohchr.org/english/bodies/hrcouncil/docs/12session/A-HRC-12-48_ADVANCE2_fr.pdf http://www2.ohchr.org/english/bodies/hrcouncil/specialsession/9/docs/UNFFMGC_Report.pdf

à leurs occupations, a manifestement été calculé pour susciter le plus grand désordre et une panique généralisée dans la population civile. [...] Dans un certain nombre de cas, Israël s'est dispensé de prendre toutes les précautions possibles et exigées par le droit des gens [...] issu du Protocole additionnel [de la Quatrième Convention de Genève] en vue d'éviter et, en tout cas, de réduire au minimum les pertes en vies humaines dans la population civile, les blessures aux personnes civiles et les dommages aux biens à caractère civil. Les tirs d'obus contenant du phosphore blanc sur le complexe de l'UNWRA, dans la ville de Gaza, constituent l'un de ces cas où les précautions requises n'ont pas été prises quant au choix des moyens et méthodes d'attaque, et les actes en cause ont été aggravés par une indifférence totale face à leurs conséquences. Les tirs délibérés sur l'hôpital Al-Qods et ses abords, avec des obus explosifs brisants et des obus au phosphore blanc, violent quant à eux les dispositions des articles 18 et 19 de la Quatrième Convention de Genève. Quant à l'attaque contre l'hôpital al-Wafa, la Mission a conclu qu'elle constituait une violation des mêmes dispositions ainsi que du droit coutumier qui interdit les attaques dont on peut attendre qu'elles causent incidemment des dommages excessifs aux personnes civiles et aux biens de caractère civil. [...] La Mission conclut que les conditions créées par les actions délibérées des forces armées israéliennes et les politiques déclarées du gouvernement vis-à-vis de la bande de Gaza, avant, pendant et après les opérations militaires, témoignent dans leur ensemble d'une intention de punir collectivement la population de la bande de Gaza. Elle conclut donc à une violation des dispositions de l'article 33 de la Quatrième Convention de Genève [...]. La Mission note par ailleurs que l'utilisation de boucliers humains constitue aussi un crime de guerre selon le Statut de Rome de la Cour pénale internationale. [...] »

Au sujet du Hamas, la commission Goldstone établit que *« les roquettes et les obus de mortier lancés par les groupes armés palestiniens opérant dans la bande de Gaza ont engendré la terreur dans les communautés touchées dans le sud d'Israël. [...] En l'absence de cibles militaires visées, lorsque des roquettes et des obus sont lancés sur des zones civiles, il faut regarder ces opérations comme autant d'attaques délibérées contre la population civile, actes qui constituent des crimes de guerre, voire des crimes contre l'humanité [...] »* Gilad Shalit, ajoute la commission, devrait être considéré comme un prisonnier de guerre *« au regard de la Troisième Convention de Genève [...] et devrait être protégé, traité avec humanité et autorisé à communiquer avec l'extérieur de la façon prescrite par la Convention »*. Goldstone et ses deux juges demandent au Conseil de sécurité d'exiger d'Israël qu'il lance *« des enquêtes appropriées, indépendantes et conformes aux normes internationales »*.

Le ministère israélien des Affaires étrangères rejette les conclusions de la commission en les accusant d'être partiales, biaisées, et d'ignorer les actes et les menaces terroristes[1]. L'administration Obama accepte la position israélienne et fait obstacle à l'adoption de nouvelles mesures par l'ONU. À Washington, la Chambre des représentants vote une résolution condamnant le rapport du juge Goldstone. Et les choses ne s'arrêtent pas là : le juge va faire l'objet d'une véritable campagne de dénigrement personnel, venue de toutes parts.

En avril 2010, la fédération sioniste d'Afrique du Sud demande ainsi à la synagogue de Johannesburg de ne pas lui permettre d'assister à la Bar Mitzvah de son petit-fils. Le rabbin Moshé Kurstag explique : *« Il a rendu un mauvais service pas seulement à Israël mais au monde juif. Son nom est utilisé contre Israël par des éléments hostiles, et cela peut susciter des vagues d'antisémitisme. Je sais qu'il est juge, mais il aurait dû se récuser*[2]. » L'affaire fait scandale. Finalement, un mois plus tard, les responsables de la communauté juive sud-africaine reviendront sur leur décision. En Israël, *Yediot Aharonot* publie une enquête accusant Goldstone d'avoir condamné à mort vingt-huit Noirs à l'époque de l'apartheid. Il réagit en expliquant qu'il n'avait pas le choix et devait appliquer la loi de l'époque. Alan Dershowitz, un juriste américain pro-israélien, commentera sa réponse en disant : *« Les nazis aussi appliquaient la loi*[3] *! »* En fait, selon tous les témoignages, il était l'adversaire de l'apartheid[4] !

---

1. http://www.mfa.gov.il/NR/rdonlyres/FC985702-61C4-41C9-8B72 – E3876FEF0ACA/0/GoldstoneReportInitialResponse240909.pdf
2. *Haaretz*, 15 avril 2010.
3. http://www.ynetnews.com/articles/0,7340,L-3885999,00.html
4. Voir : http://www.nytimes.com/1993/03/08/world/cape-town journal-in-a-wary-land-the-judge-is-trusted-to-a-point.html

Vers un maccarthysme en Israël ?

Quelles sont les ONG israéliennes qui ont fourni des informations à la commission Goldstone ? Un nouveau mouvement de droite a lancé l'enquête. Il s'appelle Im Tirtzu, reprenant les premiers mots en hébreu de la phrase de Theodor Herzl : « *Si vous le voulez, ce ne sera pas une légende.* » Son fondateur, Ronen Shoval, s'est donné pour mission de « *renouveler la pensée, l'idéologie sioniste, et lutter contre les campagnes délégitimant l'État d'Israël en apportant des réponses aux phénomènes post et antisionistes*[1] ». Il explique que, bien que n'étant pas religieux, la lecture de l'ouvrage de Moti Karpel, *La Révolution par la foi,* l'a décidé à s'engager dans le militantisme de droite. Comme son mentor, Shoval prône la reconstruction du Temple de Jérusalem : « *[...] Notre génération a la formidable mission d'achever le retour à Sion, tout en ayant conscience que nous ne pouvons pas nous contenter des ruines de notre temple. Nous devons retourner sur le Mont [...] Si la génération du post-sionisme s'attaque aux vaches sacrées, il est temps que nous en produisions*[2]. » Shoval et ses amis affirment que 92 % des accusations fondées sur des sources israéliennes, telles qu'elles sont présentées dans le rapport Goldstone, ont pour origine une quinzaine d'organisations de défense des droits de l'homme financées par un fond philanthropique américain, le New Israel Fund, basé à New York et présidé par Naomi Hazan, une ancienne députée israélienne de gauche. Im Tirtzu, avec l'appui d'hommes d'affaires et du quotidien *Maariv,* lance alors une campagne virulente contre les ONG de gauche en question et contre Hazan, personnellement qualifiée « d'ennemi d'Israël ».

Plusieurs députés du parti russophone Israel Beiteinou déposent, de leur côté, une proposition de loi visant à la création d'une commission d'enquête sur le financement de ces ONG. Cela a un trop fort goût de maccarthysme, et

1. http://en.imti.org.il/about_us.html
2. *Makor Rishon,* 8 février 2013.

les réactions à l'étranger sont négatives. Sous la pression de Benjamin Netanyahu, le texte n'est finalement pas adopté. Le Parlement a voté une autre loi obligeant les associations israéliennes à but non lucratif à déclarer chaque trimestre les fonds qu'elles reçoivent de gouvernements ou d'organisations étrangers[1]. Selon l'association israélienne pour les droits civiques, ne sont concernées, de fait, que les ONG de défense des droits de l'homme actives, pour la plupart, dans les territoires occupés. Le promoteur de cette loi est Zeev Elkin du Likoud, président de la coalition parlementaire et colon. Il a également fait voter la « Loi sur la prévention des dommages causés à l'État d'Israël par le boycott ». Elle permet de traduire en justice toute personne qui lancerait un appel au boycott des colonies et de leurs produits. Le coupable peut être astreint à rembourser le dommage causé et à une amende de trente mille shekels. Un étranger commettant cette infraction risque de se voir interdire l'entrée du territoire israélien pendant dix ans[2].

Quand Obama rétropédale franchement

Le 23 septembre 2009, en marge de l'Assemblée générale des Nations unies, Barack Obama rencontre Benjamin Netanyahu et Mahmoud Abbas, accompagnés de leurs principaux conseillers. Les Palestiniens, convaincus qu'ils ont le vent en poupe, vont vite déchanter. Si, quelques mois plus tôt, Hillary Clinton, la secrétaire d'État, parlait encore de gel total de la construction, y compris de la fameuse « croissance naturelle » dans les colonies, voici que le Président des États-Unis fait marche arrière. Il demande à ses deux invités de commencer le plus tôt possible les négociations sur le statut permanent, puis ajoute : *« Les Palestiniens ont*

1. Ce texte ne concerne pas les associations d'aide à la colonisation qui reçoivent des dons privés.
2. http://www.acri.org.il/en/2012/08/02/update-anti-democratic-legislation-initiatives/

intensifié leurs efforts dans le domaine de la sécurité, mais ils doivent faire davantage afin que cesse l'action [anti-israélienne]. Les Israéliens, eux, ont accordé plus de facilité de mouvements aux Palestiniens [en Cisjordanie] et ont planifié des mesures importantes pour restreindre les activités de colonisation[1]. »

Il n'est plus question de geler la construction dans les implantations. En sortant de la pièce, Avigdor Lieberman, le ministre des Affaires étrangères, ne résiste pas au plaisir d'exprimer sa satisfaction face à « cette victoire » israélienne. Vingt-quatre heures plus tard, Ehoud Barak, son collègue à la Défense, autorise la mise en chantier de trente-sept unités de logement dans une colonie.

Il y a plusieurs explications au rétropédalage du Président des États-Unis. Un sondage diffusé en Israël au mois de juin, et repris par toutes les chaînes américaines, laisse apparaître que 6 % seulement des Israéliens considèrent l'administration Obama comme pro-israélienne[2]. Les dirigeants du parti démocrate ont immédiatement reçu des appels inquiets de la part de la communauté juive. Et puis, les conseillers de la Maison-Blanche, George Mitchell et surtout Dennis Ross, ont fini par conclure qu'ils n'obtiendraient pas le gel de la colonisation de Netanyahu. Il y faudrait des pressions directes sur Israël, ce qui est impensable, compte tenu de la composition du Congrès. Ce n'est que le début de la descente aux enfers de la politique proche-orientale d'Obama.

Poussée messianique à l'armée

Dans le cadre d'un accord discret avec le conseil des implantations de Judée-Samarie, Ehoud Barak ordonne de temps à autre l'évacuation d'avant-postes isolés. Quelques cabanes sur une colline, telle construction dans une colonie

1. http://www.realclearpolitics.com/articles/2009/09/22/obama_remarks_transcript_netanyahuabbas_meeting_98416.html
2. http://www.cbn.com/cbnnews/insideisrael/2009/June/Israeli-Poll-Obama-Not-Pro-Israel/

par trop militante. Les images des affrontements entre « les jeunes des collines » et les militaires font bonne impression dans les médias internationaux. Ces opérations sont menées par la brigade Kfir, qui est déployée en Cisjordanie. Problème, elle est en partie formée de soldats issus de yeshivot hesder, et, le 23 octobre, lors de la prestation de serment de l'unité devant le Mur occidental, les officiers ont la mauvaise surprise de découvrir une banderole portant l'inscription *« [La compagnie] Shimshon n'évacuera pas Homesh »*. Homesh est une des quatre colonies évacuées en Cisjordanie au moment du retrait de Gaza, et les colons tentent régulièrement d'y retourner. Deux des responsables de cette manifestation sont expulsés de la brigade, six autres condamnés à des peines de cachot.

Les chefs de l'armée sont de plus en plus inquiets face à la pénétration de l'idéologie nationaliste religieuse dans certaines unités. Selon une étude publiée par *Maarachot*, la revue du ministère de la Défense, la proportion d'officiers d'infanterie religieux qui était de 2,5 % en 1990 est passée à 31,4 % en 2007, alors que seuls 13,7 % des soldats proviennent de lycées religieux d'État[1]. Le phénomène se fait particulièrement sentir dans la brigade d'élite Golani. Son commandant, un colonel, nommé début 2010, est un religieux, ainsi que son adjoint, le commandant de la base d'entraînement et trois commandants de bataillon sur cinq. Les religieux sont également majoritaires au sein de l'unité de reconnaissance, et du commando d'élite Egoz[2]. L'influence du rabbinat militaire se fait particulièrement sentir au sein de certaines unités. Le rabbin Avichaï Rontzki, l'aumônier général, lui-même un colon, explique régulièrement que les soldats croyants font de meilleurs combattants, et, reprenant la vision fondamentaliste messianique, il rejette l'éthique séculière de Tsahal. En novembre 2010, au cours d'une cérémonie dans la synagogue de Karnei Shomron, il déclare : *« Les militaires qui expriment de la pitié envers l'ennemi seront damnés*[3]. »

1. *Haaretz*, 15 septembre 2010.
2. *Yediot Aharonot*, 6 janvier 2010.
3. *The New York Times*, 21 mars 2009.

À la fin du mois d'octobre 2009, Benjamin Netanyahu a finalement prononcé les mots magiques qu'attendait l'administration Obama : gel des colonies. Ce moratoire entrera en vigueur le 25 novembre et durera dix mois mais ne concernera ni les trois mille nouvelles unités de logement déjà approuvées, ni la construction publique destinée à assurer « une vie normale » aux colons habitant en Cisjordanie – synagogues, écoles, cliniques, jardins d'enfants, etc. Pas question non plus de limiter le développement de la colonisation urbaine à Jérusalem-Est[1] ! Hillary Clinton, de passage en Israël le 30 octobre 2009, qualifie ce geste *« de sans précédent dans le contexte des négociations antérieures »*. Et d'exiger : *« Les négociations bilatérales doivent reprendre immédiatement ! »* Le Premier ministre israélien propose alors aux Palestiniens *« de présenter leurs objections sur les implantations dans le cadre des pourparlers[2] »*.

À Ramallah, Mahmoud Abbas et ses conseillers sont furieux. Ils ont l'impression d'avoir été trompés. Le gel de la colonisation est loin d'être total, comme ils l'avaient exigé. Ils refusent de reprendre le chemin des négociations.

Le Premier ministre israélien a marqué un point dans l'opinion publique : les Palestiniens s'obstinent à refuser de relancer le processus de paix, alors que lui-même fait des concessions.

Colonies ! Colonies !

Début novembre 2009, en visite aux États-Unis, Benjamin Netanyahu demande un rendez-vous à Barack Obama, qui finit par accepter. La rencontre a lieu le 9, et dure soixante-dix minutes, mais sans la présence de caméras, sans la moindre photo, ce qui est très inhabituel et interprété par les commentateurs comme une manifestation

1. http://www.fmep.org/reports/archive/vol.-19/no.-6/netanyahu-pledges-to-restrain-settlement-expansion-does-it-matter
2. Tournages France 2.

de mécontentement de la part du Président américain. Quelques jours plus tard, la municipalité de Jérusalem annonce la construction de neuf cents logements supplémentaires dans le quartier de Gilo, un secteur occupé par Israël en 1967. La Maison-Blanche publie un communiqué condamnant ces agissements *« qui rendent nos efforts plus difficiles »*. Rien n'y fait, Netanyahu répète à qui veut l'entendre que des quartiers comme Gilo font partie intégrante de Jérusalem et que, de toute manière, un arrêt total de la colonisation provoquerait la chute de son gouvernement[1].

Finalement, au mois de mars 2010, l'administration Obama décide d'adoucir ses relations avec Netanyahu. Joe Biden, le vice-Président des États-Unis, effectue une visite officielle à Jérusalem. Le 9 mars, quelques heures après qu'il a, publiquement, réitéré le soutien sans faille accordé par l'Amérique à Israël, Eli Yishaï, le ministre de l'Intérieur, chef de file du parti Shass, annonce qu'il a autorisé la construction de mille six cents logements à Ramat Shlomo, un quartier de colonisation ultra-orthodoxe, au nord de Jérusalem. C'est un véritable camouflet pour la Maison-Blanche. Reçu à dîner par le Premier ministre, Biden condamne *« ce genre d'action unilatérale qui [prétend] "préjuger" du résultat des négociations sur le statut final*[2] *»*.

Benjamin Netanyahu repart à Washington en mars et, avant son départ, donne le feu vert à la destruction de l'hôtel Shephard en plein cœur du quartier arabe, Cheikh Jarrah, à Jérusalem-Est. Sur son emplacement, une vingtaine de logements destinés à des colons doivent être construits par une association que finance Irving Moskowitz, l'ami personnel du Premier ministre. Furieux, Barack Obama reçoit le chef du gouvernement israélien le 24. Pas de photos, pas de communiqué. Les conseillers de Netanyahu diront plus tard leur humiliation lorsque le Président américain les a mis en demeure d'accepter le gel de la colonisation avant de leur dire de réfléchir pendant qu'il irait dîner en compa-

1. *Le Monde*, 19 novembre 2009.
2. *The New York Times*, 9 mars 2010.

gnie de son épouse et de ses deux filles[1]. Les communautés juives américaines réagissent mal et font pression sur les élus démocrates. Ces derniers font savoir à l'administration qu'il est impensable pour eux de risquer de perdre un tel soutien en plein débat difficile sur la réforme de l'assurance-santé, au Congrès. Obama va donc devoir rectifier le tir, une fois encore. Et le 6 juillet 2010, Netanyahu sera reçu avec tous les honneurs requis à la Maison-Blanche.

L'administration Obama réussit finalement à réunir à Washington Benjamin Netanyahu et Mahmoud Abbas. Les Palestiniens, après moult pressions, ont accepté d'entrer dans des négociations directes. La rencontre a lieu à la Maison-Blanche le 1er septembre 2010. Le Premier ministre israélien serre la main du Président palestinien en présence de Barack Obama, tout sourire. Le roi Abdallah de Jordanie, ainsi que Hosni Moubarak, le Président égyptien, sont également présents. Mais les choses sérieuses se déroulent en coulisses. Au même moment, en effet, Saeb Erekat, le négociateur palestinien, se dirige vers Yitzhak Molcho, le conseiller et avocat de Netanyahu, et lui tend un volumineux dossier : *« Voici nos propositions pour un accord ! »* Molcho : *« Je ne peux pas l'accepter ! Cela ferait tomber le gouvernement ! »* La scène s'est déroulée en présence de George Mitchell[2]. Rien n'y fait, après d'ultimes rencontres, en marge de l'Assemblée générale des Nations unies à New York, Netanyahu déclare la fin du gel de la colonisation en Cisjordanie le 26 septembre 2010. L'administration Obama fera une dernière tentative pour obtenir un nouveau moratoire de deux mois en proposant en échange à Israël pour plus d'un milliard et demi de matériel militaire…

La colonisation reprend donc. Dès à présent, deux mille logements sont mis en chantier dans les colonies.

1. Sources privées. Agences de presse.
2. Interviews Saeb Erekat et Mahmoud Abbas. Vidéos.

Goldstone se rétracte à son tour

La commission des Droits de l'homme des Nations unies avait confié à un comité d'experts la tâche d'examiner le suivi du rapport Goldstone. Mary McGowan Davis, juriste de renom et ancienne juge à la Cour suprême de New York, et Lennart Aspengren, de la Cour d'appel suédoise, remettent leurs conclusions le 18 mars 2011. Ils constatent *« qu'Israël a consacré des moyens significatifs pour enquêter sur les quatre cents accusations de faute dans la conduite des opérations [mais] qu'il reste beaucoup à faire ».* Plusieurs cas cités par Goldstone ont fait l'objet de procédures diverses, mais, sur cinquante-deux dossiers criminels ouverts, trois seulement ont débouché sur des poursuites[1]. McGowan Davis et Aspengren regrettent le manque de coopération des autorités israéliennes : refus d'accès à Israël, à la bande de Gaza et à la Cisjordanie, ce qui a empêché le comité d'avoir accès à des témoins clés. Silence, surtout, sur les violations possibles du droit international ainsi que sur les crimes de guerre.

Le 1er avril 2011, Israël pavoise. Richard Goldstone vient de publier une tribune dans le *Washington Post,* intitulée : *« En reconsidérant mon rapport sur Israël et les crimes de guerre »*

Extraits : *« Si j'avais su à l'époque ce que je sais maintenant, mon rapport aurait été différent [...]. Les allégations d'intentionnalité de la part d'Israël étaient fondées sur des morts et des blessures de civils dans des situations sur lesquelles notre commission d'enquête ne disposait d'aucun élément à partir duquel il eût été possible de tirer d'autres conclusions raisonnables. Les enquêtes rendues publiques par l'armée israélienne – et reconnues par le rapport de la commission de l'ONU – ont établi la validité de certains faits sur lesquels nous avions enquêté, concernant certains cas individuels de soldats, et indiquent qu'il n'y a pas eu de politique intentionnelle de cibler des civils* [...]. *Le Conseil des*

1. http://www2.ohchr.org/english/bodies/hrcouncil/docs/16session/A.HRC.16.24_AUV.pdf

droits de l'homme devrait condamner les attaques du Hamas qui se poursuivent contre Israël [...][1]. »

Les autres coauteurs du rapport, Hila Jilani, Christine Henkine et Desmond Travers, le conseiller militaire, sont furieux. Ils publient un communiqué rejetant la rétractation de Goldstone et rappelant qu'Israël n'a pas apporté la preuve que les bombardements et les tirs contre des civils n'ont pas été délibérés[2]. Le gouvernement israélien demande à l'ONU d'annuler son rapport. En attendant, Richard Goldstone pourra assister à la Bar Mitzvah de son petit-fils...

À Washington, Netanyahu peut à nouveau compter sur ses amis républicains, désormais majoritaires à la Chambre des représentants. Il est invité à prendre la parole devant les deux Chambres du Congrès le 24 mai 2011. Obama décide de prendre les devants. Le 19, il se rend au département d'État pour y prononcer un long discours de politique étrangère. Il évoque d'abord longuement le Printemps arabe, et poursuit : « [...] *Les États-Unis considèrent que les négociations doivent conduire à la création de deux États. La Palestine, dotée des frontières permanentes avec Israël, l'Égypte et la Jordanie. Israël, doté d'une frontière permanente avec la Palestine. Nous croyons que les frontières entre Israël et la Palestine devraient être fondées sur la ligne de 1967, moyennant des échanges négociés de territoires*[3]. »

Le lendemain, à la Maison-Blanche, dans le salon ovale, et devant les caméras de télévision, geste sans précédent dans les relations entre les deux pays, Benjamin Netanyahu se permet de faire la leçon au Président américain : « *[...] Les Palestiniens doivent accepter quelques réalités. La première est que si Israël est disposé à faire des compromis généreux pour la paix, il ne saurait revenir sur les lignes de 1967. Cela, parce que ces lignes sont indéfendables et qu'elles ne tiennent pas compte de*

1. http://www.washingtonpost.com/opinions/reconsidering-the-goldstone-report-on-israel-and-war-crimes/2011/04/01/AFg111JC_story.html

2. http://www.guardian.co.uk/commentisfree/2011/apr/14/goldstone-report-statement-un-gaza

3. http://www.whitehouse.gov/the-press-office/2011/05/19/remarks-president-middle-east-and-north-africa

certains changements démographiques qui sont intervenus durant ces quarante-quatre dernières années [...][1] ». Cette déclaration revient à tirer un trait sur les résolutions 242 et 338 du Conseil de sécurité de l'ONU, entérinées par la communauté internationale et tous les gouvernements israéliens, et qui constituent les termes de référence de tous les accords israélo-arabes.

Le 24 mai 2011, les membres du Congrès applaudissent à vingt-quatre reprises, et debout, le discours de Netanyahu. Il rappelle : « *Cela ne m'est pas facile ! J'admets que pour une paix véritable, nous devrons renoncer à des parts du foyer national juif. En Judée-Samarie, le peuple juif n'est pas un occupant étranger. Nous ne sommes pas les Britanniques en Inde. Nous ne sommes pas les Belges au Congo. C'est la terre de nos ancêtres, la Terre d'Israël où Abraham a apporté l'idée d'un Dieu unique, où David a affronté Goliath, de la vision de paix éternelle d'Isaie. Aucune distorsion de l'Histoire ne peut démentir les liens qui, depuis quatre mille ans, unissent le peuple juif et la terre juive* », puis, accuse les Palestiniens de refuser la paix : « *[...] Pourquoi six Premiers ministres israéliens – moi y compris – ont, depuis les accords d'Oslo, accepté l'existence d'un État palestinien et n'ont pas pour autant abouti à la paix ? Parce que les Palestiniens ne sont pas disposés à accepter un tel État si cela signifie un État juif à ses côtés ! Notre conflit ne porte pas sur l'établissement d'un État palestinien ! Il porte sur l'existence de l'État juif ! [...]*[2] »

La Torah du roi

Le 27 juin 2011, plusieurs centaines d'étudiants d'écoles talmudiques d'Hébron et de Kyriat Arba manifestent à Jérusalem, bloquent l'entrée de la ville et tentent de prendre

---

1. http://www.mfa.gov.il/MFA/Government/Speeches+by+Israeli+leaders/2011/President_Obama_PM_Netanyahu_after_meeting_20-May-2011.htm
2. http://www.mfa.gov.il/MFA/Government/Speeches+by+Israeli+leaders/2011/Speech_PM_Netanyahu_US_Congress_24-May-2011.htm

la Cour suprême d'assaut. Une vingtaine d'entre eux sont arrêtés. Ils protestent contre l'interpellation de Dov Lior, leur rabbin. Celui-ci se trouve sous le coup d'une enquête pour avoir publié une recommandation dans *La Torah du roi*, un ouvrage de deux cent trente pages publié par les rabbins Yitzhak Shapira et Yossef Elitzour, de la colonie d'Yitzhar près de Naplouse. Selon l'analyse qu'ils font de la Halakha, l'interdiction « Tu ne tueras point » ne s'applique qu'à des « Juifs tuant des Juifs ». De même : « *Porter atteinte à des enfants en bas âge peut être [permis] s'il est clair qu'ils grandiront pour nous attaquer.* » Shapira s'expliquera ainsi : « *[Par exemple] si, en temps de guerre, il est nécessaire de tuer des enfants non-juifs afin de vaincre et pour affaiblir l'esprit de l'ennemi et l'empêcher d'envoyer ses soldats à la guerre, alors c'est permis*[1]. »

Plainte a été déposée pour incitation au racisme, et les enquêteurs interrogent les auteurs et les quatre rabbins qui, en introduction, en recommandent la lecture. Parmi eux, Yaacov Yossef, le fils d'Ovadia Yossef. Interpellé à Jérusalem une semaine plus tard, ce dernier restera à peine une heure au commissariat tandis que plusieurs centaines de ses élèves manifestent dehors. Shlomo Aviner qualifie *La Torah du roi* de texte « intolérable » et ajoute : « *Nulle part, dans la Halakha, il est écrit qu'il est permis de tuer des non-Juifs innocents*[2]. » La principale sommité du judaïsme orthodoxe ashkénaze, non sioniste, le rabbin Yossef Shalom Elyashiv, et le rabbin Ovadia Yossef, le chef spirituel du mouvement séfarade Shass, condamnent le livre. Mais aucune poursuite ne sera finalement engagée contre ses auteurs.

Les autorités hésitent également à traduire en justice la cinquantaine de rabbins qui, en décembre 2010, ont publié une lettre interdisant à des Juifs de louer des logements à des Arabes. La plupart des signataires sont en fonction et salariés par les municipalités dans plusieurs grandes villes israéliennes.

L'initiative en revient à Shmouel Eliahou, le rabbin de

1. Ynetnews.com, 7 mai 2011.
2. *Yediot Aharonot*, 9 novembre 2011.

Safed, qui mène une campagne contre les étudiants israéliens arabes installés dans sa ville. Il est le fils de Mordehaï Eliahou, l'ex-grand rabbin d'Israël. Shlomo Aviner le soutient car, dit-il : *« Nous n'avons pas besoin d'aider les Arabes à s'enraciner en Israël. Il faut donner l'avantage aux locataires juifs ! »* Le rabbin Elyashiv exprimera son opposition en ces termes : *« J'ai dit depuis longtemps qu'il faudrait priver de stylos certains rabbins ! »* Yaacov Ariel, le rabbin de Ramat Gan, et Haïm Druckman, qui dirige le mouvement de jeunesse sioniste religieux Bneï Akiva, ne sont pas moins critiques.

Benjamin Netanyahu réagit avec force : *« C'est inadmissible ! Comment réagirions-nous si on nous interdisait de louer à des Juifs ! Des choses pareilles ne sauraient être dites sur des Juifs ou des Arabes ! Nous sommes en démocratie ! »* Aux États-Unis, des rabbins influents, notamment Yeshayahou Pinto, de New York, ont fait savoir à leurs collègues israéliens que cette interdiction de louer des logements à des Arabes était un encouragement à l'antisémitisme et mettait la vie des Juifs en danger. C'est également le point de vue de neuf cents rabbins du monde entier, tel qu'il s'exprime dans une pétition contre la discrimination religieuse. À la suite de sa publication, plusieurs rabbins israéliens annonceront qu'ils annulent leur signature. Le conseiller juridique du gouvernement classera l'affaire sans suite huit mois plus tard[1].

Il n'empêche : les rabbins extrémistes ont reçu le soutien d'une fraction significative de l'opinion. Selon un sondage, publié fin décembre par l'Institut Truman, de l'Université hébraïque de Jérusalem, 44 % des Juifs israéliens interrogés se sont déclarés en faveur de la lettre des rabbins. 48 % y sont hostiles[2].

À l'instar de leurs époux, trente femmes de rabbin publient une lettre demandant aux filles juives de ne pas sortir avec des Arabes, ne pas travailler avec eux ou d'effectuer un service national en un lieu qu'ils fréquenteraient. Elles appartiennent à une organisation appelée Levana,

1. L'ensemble de la presse israélienne de décembre 2010. Tournages France 2.
2. http://truman.huji.ac.il/index.html?cmd=research.42

qui s'est donné pour mission de « *sauver les filles d'Israël de l'assimilation* ». Il y est notamment question de boycotter le supermarché de la colonie de Goush Etzion, qui emploie quelques Palestiniens...

Tsahal en proie au fondamentalisme religieux

Le 18 octobre 2011, Benjamin Netanyahu finit par signer un accord avec le Hamas et libère 1 027 prisonniers palestiniens en échange de Gilad Shalit. Mais l'armée doit faire face à un autre problème. Sur les ordres de leurs rabbins, un nombre croissant de militaires nationalistes religieux refusent tout contact avec des femmes soldates. Tel parachutiste a refusé de sauter d'un avion sur les ordres d'une instructrice. Des cas de ce genre se sont produits à l'entraînement dans des unités de blindés, d'artillerie et sur des champs de tir. Un soir, dix cadets d'une unité de parachutistes ont quitté une cérémonie pour ne pas entendre une soldate chanter. Quatre d'entre eux ont été limogés. Dans la région militaire sud, les femmes officiers ont refusé de se soumettre aux mesures de ségrégation prises lors de la fête de Simhat Torah et sont reparties à leur base avec leurs soldates.

En novembre 2010, dix-neuf généraux de réserve écrivent à Ehoud Barak, le ministre de la Défense, et au chef d'état-major, le général Benny Gantz, pour exprimer leur inquiétude face à la poussée de l'intégrisme au sein de Tsahal : « [...] *Nous saluons les soldats religieux et respectons les droits qui sont les leurs, mais cela ne les autorise pas à imposer des normes ou un mode de vie religieux aux autres militaires qui se trouvent comme eux sous les drapeaux. Il est inacceptable de porter atteinte au service des femmes soldates au nom de la religion. [...]*[1]. » Au nombre des signataires, on compte deux anciens commandants de l'armée de l'air, et trois ex-commandants de la marine.

Le général Gantz décide de s'en tenir au règlement :

1. http://www.israelnationalnews.com/News/News.aspx/149720

aucun militaire, religieux ou pas, n'est autorisé à s'absenter des cérémonies officielles, quand bien même des femmes y sont présentes et chantent. L'aumônier général de l'armée, le rabbin Rontzky, qui a maintenant tombé l'uniforme, a été remplacé à la tête du rabbinat militaire par le rabbin Rafi Peretz, tout à fait dans la ligne de l'état-major : pour lui, toute discrimination contre les femmes dans l'armée est immorale.

Cela n'empêche pas certains rabbins d'exiger la ségrégation. Elyakim Levanon, qui officie dans la colonie Eilon Moreh, envisage l'extrême : *« Si l'armée continue d'exiger que tous les soldats participent aux cérémonies officielles où des femmes chantent, le temps viendra où les rabbins devront dire aux militaires : Si vous devez choisir entre un événement de ce genre et le peloton d'exécution, choisissez la mort*[1] *! »*

Selon Aroutz 7, la radio des colons, les règlements militaires placent les soldats religieux face au dilemme d'obéir aux officiers ou aux commandements divins. La Torah interdit, en effet, à un homme juif d'écouter le chant d'une femme qui n'est pas son épouse[2].

1. http://www.ynetnews.com/articles/0,7340,L-4149834,00.html
2. http://www.israelnationalnews.com/News/News.aspx/151581

Conclusion

Une société de plus en plus religieuse

Depuis l'ouverture du processus de paix avec les Palestiniens en 1993, la société israélienne a subi une profonde évolution sociologique et politique. Selon le professeur Tamar Hermann, ce virage à droite et vers la religion s'explique d'abord par l'évolution démographique et culturelle qu'elle a analysée dans *Le Portrait de l'Israélien juif*, publié en 2011 : *« Le groupe le plus important est constitué d'Israéliens se définissant comme séculiers. Ils représentent 42 % de la population. Il y a dix ans, la proportion était de 50 %, et auparavant de 55 %. Mais, parmi les traditionalistes qui, dans le passé, étaient plus proches des séculiers, un certain pourcentage se reconnaît dans les positions adoptées par les religieux pour tout ce qui concerne la sphère publique. L'observance du Shabbat, les transports en commun, etc. Les nationalistes religieux ne représentent, certes, que 13 %, mais le taux de natalité qui les caractérise a considérablement augmenté. Si, il y a dix ou quinze ans, le nombre d'enfants par couple était à peine plus important chez eux que chez les séculiers, aujourd'hui, chez ceux qui habitent dans les territoires [occupés], on trouve [facilement] sept à huit enfants par famille. Ceux qui [dans les colonies] disposent d'un appartement spacieux ou d'une villa avec jardin, peuvent continuer d'adopter un mode de vie bourgeois tout en ayant de nombreux enfants. Du point de vue démographique, cette tendance va faire encore baisser davantage la proportion de séculiers.*

« Nous commençons à constater l'émergence d'un nouveau groupe

dans nos sondages : les orthodoxes nationalistes, qui représentent 2,5 à 3 % de la population. Ils sont proches des ultra-orthodoxes pour tout ce qui concerne l'application des lois halakhiques dans le pays. Les ultra-orthodoxes, de leur côté, représentent 9 % de la population, mais, si nous considérons la classe d'âge des moins de 15 ans, ils y représentent de 11 à 13 %.

« L'équilibre qui faisait d'Israël un État séculier entretenant un lien avec la religion est en train de changer. Les religieux font donc plus d'enfants, et pas seulement les ultra-orthodoxes, et puis les traditionalistes évoluent vers la religion. Le pays devient plus juif du point de vue de la culture et de la tradition. En 2009, et cela n'a pas changé depuis, plus de 51 % des Israéliens croyaient en la venue du Messie. Parmi eux, il y a les religieux mais aussi des traditionalistes et des séculiers. 67 % d'entre eux croient encore que le peuple juif est le peuple élu, cela inclut un pourcentage significatif de séculiers. Se définir ainsi est spécifique à Israël. En Europe, une personne qui se déclare séculière, qu'elle soit agnostique ou athée, ne parle pas de l'existence de Dieu. Cette réalité fait penser aux sociétés musulmanes, où la croyance en Dieu est généralisée. Selon tous les sondages, les gens s'y définissent en effet comme musulmans, même les communistes. De ce point de vue, Israël est plus proche du Proche-Orient que de l'Occident. Et cela influe sur la politique intérieure et extérieure du pays.

« Nous avons posé la question : quelle importance accordez-vous au judaïsme et à la démocratie dans l'État ? Eh bien, même les séculiers ont répondu en plaçant la judaïté avant la démocratie. Il n'y a pas aujourd'hui de groupe social disposé à se battre pour un Israël uniquement démocrate. Mais nombreux sont ceux qui, parmi les religieux, veulent un État exclusivement juif. Pour ce qui est des positions politiques, la gauche ne représente plus que 15 à 17 % de l'opinion. Toutefois, 75 % des Israéliens sont en faveur d'une solution à deux États, surtout après le discours de Benjamin Netanyahu à l'Université de Bar Ilan. Cela, tout en récusant le droit au retour des réfugiés palestiniens. Et si les séculiers sont disposés à accepter un partage du mont du Temple, les religieux rejettent toute concession sur ce lieu saint[1]. *»*

1. Tamar Hermann, interview, vidéo, 6 novembre 2012. http://en.idi.org.il/media/1351622/GuttmanAviChaiReport2012_EngFinal.pdf

S'AGIT-IL D'UN PROCESSUS IRRÉVERSIBLE ?

La droite religieuse est persuadée que le temps travaille pour elle. Elle a le plus fort taux de natalité. Au sein de l'armée, ses jeunes, de plus en plus nombreux, parviennent à des grades élevés au sein des principales unités. Un nombre non négligeable d'officiers supérieurs habitent dans des colonies et autres avant-postes. Les partis politiques religieux jouent un rôle de premier plan dans les coalitions gouvernementales. Les colons disposent de relais et de soutiens au sein de la plupart des grandes institutions de l'État qu'ils ont, au fil des ans, infiltrées. Les rabbins les plus militants – et les plus extrémistes – bénéficient d'une impunité judiciaire de fait.

Le mouvement fondamentaliste messianique est d'ailleurs convaincu qu'il a atteint un point de non-retour. Dani Dayan, le président du conseil des implantations jusqu'en janvier 2013, a proclamé la victoire dans un éditorial publié par le *New York Times* : « *En dépit des contraintes imposées par la communauté internationale, plus de 350 000 Israéliens vivent en Cisjordanie. Avec un taux de croissance de 5 %, nous pouvons esperer atteindre 400 000 d'ici 2014. Et cela, sans tenir compte des près de 200 000 Israéliens habitant les nouveaux quartiers de Jérusalem. 160 000 Israéliens vivent dans des localités situées à l'extérieur des blocs d'implantation proposés par les tenants de la solution à deux États. Les transférer sera infiniment plus difficile que ne le fut l'évacuation des 8 000 colons de Gaza en 2005. […] La plupart de ceux qui vivent dans les secteurs qui devraient être ainsi évacués sont motivés idéologiquement. Notre présence en Judée-Samarie est irréversible. Il est absurde d'essayer d'enrayer l'expansion des colonies. […] Bien que le* statu quo *ne soit pas la situation idéale, c'est, à l'évidence, la meilleure des solutions […]*[1]. »

L'année 2012 a été faste pour le mouvement de colonisation. Selon La Paix maintenant, les permis de construction de nouveaux logements en Cisjordanie ont augmenté de

1. *The New York Times*, 25 juin 2012.

300 % par rapport à 2011, déjà considérée comme une année record. Quatre nouveaux avant-postes ont vu le jour. Trois cent dix-sept maisons ont été construites dans les implantations, sans autorisation. Benjamin Netanyahu a envoyé un message fort à la communauté internationale en demandant à Edmond Lévy, l'ancien juge à la Cour suprême, un rapport sur le statut juridique des territoires palestiniens. Sa conclusion : Israël n'est pas un occupant. Il rejette les arguments de Talia Sasson et déclare que la plupart des avant-postes ne sont pas illégaux selon la loi israélienne. Ce texte n'a pas été soumis au vote du gouvernement car ce serait risquer une crise très grave avec les États-Unis et l'Europe. Mais il est clair que les prises de position du juge Lévy vont peser sur la politique israélienne de colonisation.

En d'autres termes, cela signifie l'échec de la solution à deux États et le maintien prolongé de quatre millions de Palestiniens sous une forme ou une autre d'occupation. Au mieux, ils ne bénéficieront que de droits municipaux, économiques, religieux et culturels – mais surement pas politiques. Cela conduirait, d'ailleurs, à en croire Ehoud Olmert, l'ancien Premier ministre, à une situation identique à celle qu'a connue l'Afrique du Sud[1]. Autrement dit l'apartheid, comme le redoute aussi Ehoud Barak[2]. Bref, le conflit n'est désormais plus territorial mais religieux, comme l'a laissé entendre Benjamin Netanyahu devant le Congrès américain. Et la religion, cela n'est pas négociable.

Considérant qu'ils ont achevé la conquête de la Cisjordanie, les fondamentalistes messianiques se tournent à présent vers ce qui est, pour eux, l'étape suivante et essentielle : le mont du Temple. Dans une première étape, ils réclament à présent le droit de pouvoir prier sur l'esplanade des Mosquées. Plusieurs propositions de loi ont été déposées en ce sens. Lors des élections législatives de janvier 2013, il est à

1. http://www.haaretz.com/news/olmert-to-haaretz-two-state-solution-or-israel-is-done-for-1.234201

2. http://www.guardian.co.uk/world/2010/feb/03/barak-apartheid-palestine-peace

noter que la plateforme de la liste Likoud – Beiteinou a été rédigée par le rabbin Yehouda Glick, membre de l'Institut du Temple et proche de Moshé Feiglin, désormais député à la Knesset : « *[...] Le Premier ministre, Benjamin Netanyahu, a déclaré, à l'occasion de nombreux discours, qu'Israël veille à la liberté de culte à Jérusalem et en particulier sur le mont du Temple pour toutes les religions. Le Likoud œuvrera donc pour que cette liberté concerne aussi les Juifs, en agissant avec toute la sensibilité nécessaire.* » Le parti travailliste se déclare, lui aussi, en faveur de la liberté de prière pour les Juifs sur l'esplanade des Mosquées, mais en coordination avec le Waqf.

Après la destruction du Temple, la pensée juive s'était engagée dans l'exploration d'un univers religieux où la présence physique de la divinité n'était plus indispensable. Cela procédait d'un processus de sécularisation intellectuelle, issu de la philosophie grecque, et fondé sur la dichotomie entre l'esprit et la matière, l'abstrait et le réel[1]. L'avenir d'Israël, de sa démocratie, du sionisme libéral et de la paix, dépendra de la manière dont le judaïsme saura résister à l'appel de l'eschatologie.

En attendant, Yehouda Etzion prépare la venue de la dixième et dernière vache rousse.

---

1. Voir *Deot*, revue des fidèles du travail et de la Torah et du centre Yaacov Meir, octobre-novembre 2000.

Table

RÉALISATION : NORD COMPO À VILLENEUVE-D'ASCQ
IMPRESSION : CPI FIRMIN-DIDOT AU MESNIL-SUR-L'ESTRÉE
DÉPÔT LÉGAL : AVRIL 2013. N° 104407 (117002)
IMPRIMÉ EN FRANCE